MODERN CHINESE

Beginner's Course

Second Edition

Volumes 1 & 2

Third Department for Foreign Students
Beijing Language and Culture University

Beijing Language and Culture University Press/Sinolingua

初级汉语课本

第 二 版

第一、二册

原北京语言学院来华留学生三系　编

北京语言文化大学出版社·华语教学出版社

（京）新登字 157 号

图书在版编目（CIP）数据

初级汉语课本：1～2／原北京语言学院来华留学生三系编
－2版．－北京：北京语言文化大学出版社，2000 重印
ISBN 7－5619－0425－8

Ⅰ．初…
Ⅱ．北…
Ⅲ．汉语，初级－对外汉语教学－教材
Ⅳ．H195.4

责任印制：乔学军

出　　　版：北京语言文化大学出版社　　联合出版
　　　　　　　华 语 教 学 出 版 社
发　　　行：北京语言文化大学出版社
　　　　　　　（北京海淀区学院路 15 号　邮政编码 100083）
印　　　刷：北京北林印刷厂
经　　　销：全国新华书店
版　　　次：2000 年 8 月第 2 版第 11 次印刷
开　　　本：850 毫米×1168 毫米　1/32　印张：16.375　插表：1
字　　　数：406 千字　印数：5 000 册
定　　　价：33.00 元

目 录

第 一 册

第 二 册

CONTENTS

VOLUME I

— 21 —

3. 我能睡七七四十九天。

Multiplication Table

III. Grammar

The sentence of comparison:
the 比-phrese used before the
post-得 adjective:

IV. Exercises

I. New Words

II. Text

Note

学校都在春节以前开始放
寒假。

III. Grammar

1. The construction 除了…以
外

2. The pronoun …什么的

IV. Exercises

I. New Words

II. Text

Notes

1. 哎，咱们今天吃饺子，好
吧?

2. 小二

3. 饺子

III. Grammar

1. The preposition 被 express-
ing the passive

IV. Exercises

I. New Words

II. Text

III. Grammar

The prepositions 让 and 叫
expressing the passive

IV. Exercises

APPENDICES

第一、二册编写说明

《初级汉语课本》由课本(1—3册)和与其平行的《汉字读写练习》(1—2册)、《阅读理解》、《听力练习》(1—3册)组成,是为外国人初学汉语编写的。编者的原则是:实用、简明、有趣味。本书包括学生最需要的,学了就能在实际生活中使用的语言材料,对于所教的语言现象作了从易到难、从简到繁的安排。解释力求从学生的实际出发,简单明了。我们认为,不能企图让学生一下子什么都能掌握。语言课本与语法书应有严格的区别。此外,课本的趣味性也是不可忽视的。本书在这些方面作了努力,以期能够鼓励学生的学习热情。

现将课本第一、二册中的各个部分作一简要的说明:

1. 生词:全书生词量约一千二百个,平均每课约十五个。书后附有词汇索引。生词都给出汉字、拼音、词性和英文释义。为了使学生能够正确理解词义和用法,有些词不止给对应翻译,还作了注释。尽管如此,学生还应注意,所给的外文释义只是解释汉语词在某种情况下的意义,不应只凭英文翻译去理解词义、学习用法。

2. 课文:课文内容涉及学生的学校生活和其他社会生活。编者力图通过典型的语言环境组织语言材料,使语言自然、规范、生动,特别注意介绍中国的文化习俗。当然,这些都控制在初学者能理解的水平上。在安排上,尽量使所学的基本内容得到必要的重复,而又不致引起学生的厌烦。

有些课文后面附有注释。注释大致包括三个方面:(1)与中国文化有关的习惯表达方法;(2)比较困难而不要求在初级阶段掌握的语言现象;(3)口语中的常用语。

3. 语音:本书在语音方面对学生进行了比较全面的训练。除了一般汉语教材都教的汉语拼音方案的内容以外,本书还介绍并强调了一些汉语语音中最有特点、最难于为初学者所掌握的方面。

(1)声母、韵母:本书强调了复合韵母的发音特点。

（2）声调：汉语的四声是外国人学习汉语语音的一大难点。为了解决这个问题，我们安排了较多的练习。在声调连读方面，打破了只出复音词的作法，还加上了一些词组、短句，使学生不致只有复音词的概念，而不注意词组、短句中的声调连读。这一点对于学习声调的变化（如三声连读、半三声）尤为重要。此外，本书采用了比较形象的声调图。

（3）重音和语调：外国人学习汉语，除难音难调之外，重音和语调的错误是非常普遍的。在难音、难调克服之后，重音和语调成为语音不能继续提高的主要障碍。本书对汉语重音的特点作了简要的说明，并提供了一定数量的练习。

语音在外语学习中占有重要的位置，语音的练习应贯穿于整个基础阶段。因此，本书改变了单独出语音阶段的一般做法，全书所有的课都有语音的练习。

4.语法：本书包括汉语的基本语法点。安排上先易后难。对于难点，我们从两个方面处理，使之便于学习：（1）有意识地在未讲之前先使学生接触，有些感性认识，而后予以总结；（2）出某个语法点的时候，不求一次解决所有的问题，而是对该项语法的各种常用形式按难易程度加以编排，分别出现在几课里。

对于语法现象意义的解释力求简明，比较多地采用了外国学生习惯的公式法，突出形式特点，并且着重解释在实际应用中的功能。

5.练习：本书练习包括语音、语法、句型等几个方面。语音练习突出难音、难调，逐步过渡到结合当课句型的重音、语调 练习。语法句型练习的设计考虑了功能特点。

本书编者是北京语言学院的鲁健骥、李继禹、刘岚云、丁永寿、黄政澄、邱衍庆。初稿完成后，曾在两个教学班试用。参加试验的各位教师在使用中付出了巨大的劳动，并对本书的修改工作提出许多宝贵意见，在此向他们和试验班的学生表示感谢。

编　者

1980 年 12 月

修 订 说 明

　　《初级汉语课本》第一、二册是供零程度的外国人使用的汉语课本，以每周上课十学时计，可用十六周左右。

　　本书于一九七九年二月开始编写，次年九月试用，嗣后经过修改（第一次修订），于一九八一年九月第二次试用，至今已用过五个学年。

　　经过五个学年的使用。我们认为本书的编写原则是可行的，因此，此次修订不必也不应当对编写原则作大的变动。但为了更符合教学实际，本书在下面几个方面做了较大修改：

　　1.全书课数从八十课减少到五十五课。

　　2.多数课文重新编写，每课课文前都增加了情境的说明（开始时情境说明都加英文译文）。加强了介绍中国文化的内容与注释。

　　3.删去一些对外国学生不困难或与欧洲语言共同的语法点。必要时，在练习中体现这些语法点。

　　4.有些课的生词中包括一些课文中没有但可用来作替换练习的词。这部分词教师可视本班学生情况灵活处理。

　　5.练习中加强了交际性练习的项目。

　　参加本书修订工作的除原编者外，还有曾经数次使用本书的肖秀妹、李世之。

1985 年 9 月

第二版说明

趁本书出版第二版的机会,作了如下几点修改:

1. 由于第一册和第二册为一个教学阶段,现将两册合为一册,大约可以使用 110 个学时(不包括复习,考试)。

2. 重编了目录。据使用者反映,原来的目录太简单,使用起来不方便。重编之后,把每一课的内容都分列出来,便于查阅。

3. 增加了《汉语普通话声韵母拼合表》。

4. 对部分课文做了必要的修改,主要是因为有些课文反映的情况已经发生了变化。

5. 语法上做了两点修改:1)取消了"程度补语"的说法(第三十九课,第五十二课);2)对"把"字句的解释强调了意义和功能(第四十四课,第四十六课)。

此外还有一些小的改动,不一一列出。

鲁健骥

1992 年 10 月 30 日

INTRODUCTION TO VOLUMES I AND II

MODERN CHINESE—*Beginner's Course* is composed of a course-book in three volumes and three companion books, namely, *Chinese Characters Workbook* (2 volumes), *Reading Comprehension*, and *Listening* (3 volumes). The course is intended for beginners learning Chinese as a foreign language. The compilers' aim has been to make the course practical, precise and interesting. As it is for beginners, the coursebook contains the material which is most necessary and which can be used immediately by the student in daily life. The language points are arranged so that easy ones come before difficult ones and simple forms come before complicated forms. Explanations present material in a way which meets the needs of students and is easy to learn. We belive that textbook Compilers should never attempt to ptresent all material at once and that strict distinctions should be made between a language textbook and a grammar book. It is important to make textbooks interesting. In these respects we have attempted to compile a textbook which will encourage, not frustrate, students.

The following is a brief description of each section of the lessons in the first two volumes of the coursebook.

1. New Words: The whole book presents approximately 1,200 words, an average of 15 each lesson. A vocabulary index including all new words is attached to the end of Volume II as an appendix. All words are given in characters and phonetic transcriptions in the *pinyin* system with their parts of speech and English equivalents provided. In order to provide students with a more exact understanding of the meanings and the usages of the words, some words are given with explanations rather than just English equivalents. Nevertheless, students should not expect to learn the meaning and usage of a word by depending only

on the English translation which often holds true only for a particular context.

2. Texts: The texts cover a wide range of typical situations in students' social life and campus life. The language used is natural, standard and vivid. Special attention has been given to introducing aspects of Chinese culture, while maintaining a level suitable for beginners. In these ways, the basic material is covered thoroughly and, at the same time, students remain interested.

Most of the texts are followed by notes which contain explanations of: 1) expressions and idioms related to Chinese culture; 2) difficult grammatical points which occur in the text but have not yet been covered and 3) colloquial expressions.

3. Phonetics: Students using this textbook will get thorough training in phonetics. We have introduced, explained, and emphasized points that are typical of Chinese phonetics and particularly difficult for beginners to grasp, in adition to using the *Scheme for Romanization of Writing System of Chinese Language* usually found in other Chinese textbooks.

A. Initials and finals: The characteristics in producing Chinese compound finals are emphasized in this textbook.

B. Tones: The four tones constitute a special obstacle for beginning students of Chinese. To overcome this obstacle, we have designed more exercises on tones. In practicing successive syllables, we have avoided the usual practice of giving only polysyllables by also including word groups, phrases, and even simple sentences. This aids students in learning the changes of the third tone, that is, of successive third tone and half—third tone syllables. In addition, the figures used in this textbook are more illustative than the traditional ones.

C. Stress and intonation: In learning Chinese phonetics, most students commit more errors of stress and intonation than of sounds and tones. Stress and intonation form the second main obstacle to progress in pronunciation after sounds and tones. This textbook gives considerable attention to the characteristics of Chinese stress and intonation and provides a number of relevent drills.

Phonetics are an important element of language and should be practiced throughout the whole elementary learning stage. Therefore, in this textbook, there are pronunciation drills in all the lessons, not just the first few.

4. Grammar: This textbook includes the basics of Chinese grammar. Simple and easy points are presented in the first few lessons and complicated points in later lessons. The difficult points are introduced in the following manner: First, individual sentences including the grammar points are given so that students are exposed to it in context; then, when the point is explained, it is done gradually over two or more lessons.

The grammatical points are explained explicitly and familiar formulas are used to emphasize their function in actual use.

5. Exercises: Exercises and drills on phonetics, grammar and sentence patterns are provided in this textbook. In the drills on phonetics we have laid emphasis first on the difficult sounds and tone and later on stress and intonation as geared to the particular text; exercises on grammar and sentence patterns are designed to emphasize everyday usage.

The compilers of this course are Lu Jianji, Li Jiyu, Liu Lanyun, Ding Yongshou, Huang Zhengcheng and Qiu Yanqing. The preliminary mimeographed edition of this book was used in two classes on an experimental basis. The instructors of those classes made valuable suggestions in the revision of this textbook; we thank both the instructors and students who participated for their help.

THE COMPILERS
December 1980

A NOTE ON THE REVISED EDITION

MODERN CHINESE — *Beginner's Course* is intended for students with no previous background in Chinese. Volumes I and II can be completed in 16 weeks of instruction, by covering 10 periods per week.

The compilation of this textbook began in Feb. 1979 and a preliminary edition was used on an experimental basis in 1980. Early in 1981, the course underwent its first revision and the revised edition has been used in classes since Sept. 1981.

In our view that, as the first revised edition was used successfully for five yesrs, the principles guiding its compilation are sound ones, and, therefore, it has not been necessary to make any major changes in those principles when revising the textbook a second time. However, to make it more suitable for classroom use, this edition includes important changes in the following aspects:

1. The total number of lessons has been reduced from 80 to 55.

2. Most texts have been rewritten, and explanations of the situation or setting of conversational texts have been added. (In the first few lessons, the explanations are given along with English translation.) In addition, more cultural information has been included in both the texts and notes.

3. Grammatical points that are common both to Chinese and to European languages, and thus are not difficult to foreign students, have been omitted. Whenever necessary, such points are handled in the exercises.

4. In some lessons, we have included words that do not occur in the text but may be useful for students and can be used in substitution drills. We leave it to the instructor to decide how, and to what extent, these words should be taught .

5. Interpersonal and conversational skills have been stressed further in the exercises.

Ms. Xiao Xiumei and Mr. Li Shizhi, who used the former editions in their teaching several times, worked with the compilers on the revision.

September 1985

A NOTE ON THE SECOND EDITION

We have taken the opportunity of the publication of the second edition of the first two volumes of this book to make the following revision;

1. The two volumes have been put into a single book which covers a complete stage of instruction. It can be finished in about 110 instruction hours (not including reviews, tests and examinations).

2. The content table has been rewritten. Some users complained that the previous content table was too simple to be useful. The new content table includes all the sections in each lesson so that the user can refer to it conveniently when necessary.

3. A table of "Initial-Final Combinations in Standard Chinese Common Speech"has been added.

4. We have updated the content of some of the texts to reflect things that have changed in China.

5. Two grammar items have been re-explained: 1) The term"degree complement"has been abandoned (See Lessons 39 and 52); and 2) In the explanation of the (the 把 -sentence) sentence, emphasis is given to its meaning and functions (See Lessons 44 and 46).

There are minor alterations which are not mentioned here.

Lu Jianji
Oct. 30,1992

汉语元音辅音发音说明
DESCRIPTION OF CHINESE VOWELS
AND CONSONANTS

元音 VOWELS

1. ［A］开口度最大，舌位最低，唇不圆。单韵母 a 读作［A］。

   It is produced with maximum aperture of the mouth, the tongue in a lowest position and the lips not rounded. The simple final **a** is pronounced ［A］.

2. ［a］舌位较［A］偏前，其它与［A］相同。复合韵母 ai, -ia①, -ua，-uai 和鼻韵母 an, -uan, -üan 中的 a 读作［a］。

   It is produced almost in the same way as ［A］, except that the tongue position is a bit more forward. The **a** in the compound finals ai, -ia, -ua, -uai and in the nasal finals **-an, -uan, -üan** is pronounced ［a］.

3. ［α］舌位较［A］偏后，其它与［A］相同。复合韵母 ao -iao 和鼻韵母 ang, -iang, -uang 中的 a 读作［α］。

   It is produced almost in the same way as ［A］, except that the tongue position is a little more to the back of the mouth. The **a**

---

① 韵母前有"-"者，表示该韵母不能自成音节。下同。

The hyphon "-" preceding a final indicates that the final cannot stand for a syllable by itself.

in the compound finals **ao**, **-iao** and in the nasal finals **an**g,
-iang, **-uan**g is pronounced [a].

4. [ɤ] 开口度中等，舌位半高，偏后，唇不圆。单韵母 e 读作
   [ɤ]。

   It is produced with a medium degree of aperture, the tongue
   in mid-high position a little to the back of the mouth and the
   lips unrounded. The simple final **e** is pronounced [ɤ].

5. [e] 舌位偏前，其它与 [ɤ] 相同。复合韵母 ei 中的 e 读作
   [e]。

   It is produced almost in the same way as [ɤ], except that the
   tongue is a little more forward. The **e** in the compound final **ei**
   is pronounced [e].

6. [ə] 开口度中等，舌位居中。鼻韵母 en, eng 及韵母 er 中的 e
   读作 [ə]。

   It is produced with a medium degree of aperture and the tongue
   in central position. The **e** in the nasal finals **en**, **en**g and in the
   retroflex final **er** is pronounced [ə].

7. [ɛ] 开口度较 [e] 大，其它与 [e] 相同。复合韵母中 -ie, -üe
   中的 e 和鼻韵母-ian 中的 a 都读作 [ɛ]。

   It is produced almost in the same way as [e], except that the
   mouth is opened wider. The **e** in the compound fianls **-ie**, **-üe**,
   and the **a** in the nasal final **-ian** are both pronounced [ɛ].

8. [o] 开口度中等，舌位半高，偏后，圆唇。单韵母 o 复合韵母
   -uo, ou 中的 o 读作 [o]。

   It is produced with a medium degree of aperture, the tongue in
   a mid-high position a little toward the back of the mouth and

the lips rounded: The simple final **o** and the **o** in the compound finals -**uo** and **ou** are pronounced [o].

9. [u] 开口度最小，唇最圆，舌位高，偏后。单韵母 -u，复合韵母 -ua，-uo，-uai，-ui，-iu 和鼻韵母 -uan，-un，-uang 中 u 的都读作 [u]。

It is produced with the lips pursed and the tongue in a high position toward the back of the mouth. The simple final -**u** and the -**u** in the compound finals -**ua**，-**uo**，-**uai**，-**ui**，-**iu** and in the nasal finals -**uan**，-**uang** and -**un** are pronounced [u].

10. [ɤ] 发音接近于 [u]，但开口度稍大，舌位稍低。复合韵母 ao，-iao，鼻韵母-ong，-iong 中的 o 读作 [ɤ]。

It is produced almost in the same way as [u], except that the mouth is a little wider and the tongue a little lower. The **o** in the compound finals **ao**，-**iao**，and in the nasal finals -**on**g and -**ion**g is pronounced [ɤ].

11. [i] 开口度最小，唇扁平，舌位高，偏前。单韵母 -i，复合韵母 -ia，-ie，-iao -iu -ui，和鼻韵母 -ian，-iang，-in -ing，-iong 中的 i 读作 [i]。

It is produced with a narrow aperture of the mouth the lips spread and the tongue in a high position and somewhat forward. The simple final -**i**，and the -**i** in the compound finals -**ia**，-**ie**，-**iao**，-**iu**，-**ui** and the nasal finals -**ian**，-**iang**，-**in**，-**in**g，-**ion**g are pronounced [i].

12. [ɿ] 此音只出现在 zi[tsɿ], ci[tsʻɿ], si[sɿ] 三个音节中，不单独发音，可以认为是辅音[ts][tsʻ][s] 的延续。注意，在汉语拼音方案中，[ɿ]用字母 -i 表示。

— 12 —

This vowel occurs only in the syllables zi [tsɿ], ci[tsʻɿ] and si[sɿ] and is not pronounced alone so it can be considered to be the prolongation of the consonants [ts],[tsʻ]and [s]. Note that [ɿ]is indicated by the letter i in the Chinese Phonetic Alphabet.

13. [ʅ] 此音只出现在 zhi[tʂʅ], chi[tʂʻʅ], shi[ʂʅ], ri[ʐʅ], 四个音节中,不单独发音,可以认为是辅音 [tʂ] [tʂʻ] [ʂʻ] [ʐ] 的延续。注意,在汉语拼音方案中,[ʅ] 用字母 i 表示。

This vowel occurs only in the syllables zhi [tʂʅ], chi [tʂʻʅ], shi[ʂʅ] and ri[ʐʅ] and is not pronounced alone, so it can be considered to be the prolongation of the consonants [tʂ], [tʂʻ], [ʂ], or [ʐ]. Note that [ʅ] is indicated by the letter i in the Chinese Phonetic Alphabet.

14. [y] 舌位与[i]相同,但要圆唇,口形与发[u]相近。单韵母 -ü, 复合韵母 -üan,-üe,-ün 中的 ü 读作[y]。

It is produced with the same tongue position as[i], but with the lips rounded as when pronouncing[u]. The simple final -ü and the -ü in the compound finals -üan, -üe and -ün are pronounced [y].

辅音 CONSONANTS

1. [p]双唇阻，不送气，清塞音。双唇紧闭，口腔充满气息，猛开双唇，使气流爆发而出，通称"不送气。声带不振动。声母 b 读作 [p]。

It is an unaspirated voiceless bilabial plosive which is produced by pressing the lips together, keeping the breath in the mouth , and then opening the mouth to let the air out with a pop. Note that it is voiceless and the vocal cords do not vibrate. The initial **b** is pronounced [p].

2. [p']双唇阻，送气，清塞音。发音部位和 [p] 一样，气流用力喷出，通称 "送气"。声带不振动。声母 p 读作[p']。

It is an aspirated voiceless bilabial plosive which is produced at the same point of articulation as [p], but is aspirated. The vocal cords do not vibrate. The initial **p** is prouonnced [p'].

3. [m] 双唇阻，不送气，鼻音，双唇紧闭，软腭，小舌下垂，气流从鼻腔 出来。声带振动。声母 m 读作 [m]。

It is an unaspirated bilabial nasal which is produced by keeping the lips closed, lowering the soft palate and the uvula and releasing the breath through the nasal passage. The vocal cords vibrate. The initial **m** is pronounced [m].

4. [f]唇齿音，清擦音。上齿接触下唇，气流从中间摩擦而出。声带不振动。声母 f 读作 [f]。

This is a voiceless labio-dental fricative which is produced by placing the lower lip against the upper teeth and releasing the breath with friction. The vocal cords do not vibrate. The initial **f** is pronouced [f].

5. [t] 舌尖阻，不送气，清塞音。舌尖顶上齿龈，口腔充满气息，猛把舌尖移下，使气流爆发而出。声带不振动。声母 d 读作 [t]。

It is an unaspirated voiceless alveolar plosive which is produced by pressing the tip of the tougue against the ridge behind the upper teeth, keeping the breath in the mouth and lowering the tip of the tongue to release the air with a pop. Note that it is voiceless and the vocal cords do not vibrate. The initial **d** is pronounced [t],

6. [t'] 舌尖阻，送气，清塞音。发音部位和[t]一样，气流从口腔爆发而出，同时要送气。声带不振动。声母 t 读作[t']。

It is an aspirated voiceless alveolar plosive which is produced at the same point of articulation as [t], but is aspirated when the air comes out strongly. The initial **t** is pronounced [t'].

7. [n] 舌尖阻，鼻音。舌尖顶上齿龈、软腭，小舌下垂，鼻腔打开，声带振动。声母 n 读作 [n]。[n] 也出现于鼻韵母 an，en，-ian，-in，-uan，-un，-üan，-ün 中。

It is an alveolar nasal which is produced by placing the tip of the tongue against the ridge behind the upper teeth, lowering the soft palate and the uvula and releasing the breath through the nasal passage. The vocal cords vibrate. The initial **n** is pronounced [n] and it occurs at the end of the nasal finals **an**, en, -ian, -in, -uan, -ün, -üan and -ün.

8. [ŋ] 舌面阻，鼻音。舌根顶住软腭，气流从鼻腔送出。声带振动。[ŋ] 出现在 ang, eng, -ong, -iang, -ing, -iong, -üang 中，其中的-ng 读作 [ŋ]。

It is a velar nasal which is produced by pressing the back of the tougue against the soft palate and releasing the air through the nasal passage. The vocal cords vibrate. The ng at the end of the nasal finals ang, eng, -ong, -iang, -ing, -iong and -uang is pronounced [ŋ].

9. [l] 舌尖阻，边音。舌尖顶上齿龈，比 n 稍后，气流从舌前部两边出来。声带振动。声母 l 读作 [l]。

It is an alveolar lateral which is produced by pressing the tip of the tongue against the alveolar ridge，but a little behind the position for [n], and releasing the air from the sides of the tongue. The vocal cords vibrate. The initial l is pronounced [l].

10. [k] 舌根阻，不送气，清塞音。舌根顶住软腭。猛使舌根离开软腭，使气流爆发而出。声带不振动。声母 g 读作 [k]。

It is an unaspirated voiceless velar plosive which is produced by raising the back of the tongue against the soft palate and then lowering it to release the air with a pop. Note that it is voiceless and the vocal cords do not vibrate. The initial g is pronounced [k].

11. [k‘] 舌根阻，送气，清塞音。发音部位和 [k] 一样，气流从口腔 中爆发而出，同时 送气。声带不振动。声母 k 读作

[k']。

It is an aspirated voiceless velar plosive which is produced at the same point of articulation as [k], but is aspirated. The vocal cords do not vibrate. The initial **k** is pronounced [k'].

12. [x] 舌根阻，清擦音。舌根接近软腭，气流从中间摩擦而出。声带不振动。声母 **h** 读作 [x]。

It is a voiceless velar fricative which is produced by raising the back of the tongue toward the soft palate and releasing the air through the channel thus made. The vocal cords do not vibrate. The initial **h** is pronounced [x].

13. [tɕ] 舌面阻，不送气，清塞擦音。舌面前部贴硬腭，舌尖顶下齿背，气流从舌面前部与硬腭间爆发摩擦而出。声带不振动。声母 **j** 读作 [tɕ]，

It is an unaspirated voiceless palatal affricate which is produced by raising the front of the tongue to the hard palate, pressing the tip of the tongue against the back of the lower teeth and then loosening the tongue and letting the air squeeze out through the channel thus made. Note that it is voiceless and the vocal cords do not vibrate. The initial **j** is pronounced [tɕ].

14. [tɕ'] 舌面阻，送气，清塞擦音。发音部位与 [tɕ] 一样，但要尽量送气。声母 **q** 读作 [tɕ']。

It is an aspirated voiceless palatal affricate which is produced at the same point of articulation as [tɕ], but is aspirated. The initial **q** is pronounced [tɕ'].

15. [ɕ] 舌面阻，清擦音。舌面前部与硬腭接近，气流从舌面前部与硬腭间摩擦而出。声带不振动。声母 x 读作 [ɕ]。

It is a voiceless palatal fricative which is produced by raising the front of the tongue toward (but not touching) the hard palate and letting the air squeeze out. The vocal cords do not vibrate. The initial **x** is pronounced [ɕ].

16. [tʂ] 舌尖后阻，不送气。清塞擦音。舌尖上卷，顶住硬腭，气流从舌尖与硬腭间爆发摩擦而出。声带不振动。声母 zh 读作 [tʂ]。

It is an unaspirated voiceless blade-palatal affricate which is produced by turning up the tip of the tongue against the hard palate and then loosening it and letting the air squeeze out through the channel thus made. The vocal cords do not vibrate. The initial **zh** is pronounced [tʂ].

17. [tʂʻ] 舌尖后阻，送气，清塞擦音。发音部位与 [tʂ] 一样。但要尽量送气。声母 ch 读作 [tʂʻ]

It is an aspirated voiceless blade-palatal affricate which is produced at the same point of articulation as [tʂ], but is aspirated. The initial **ch** is pronounced [tʂʻ].

18. [ʂ] 舌尖后阻，清擦音。舌尖上卷，接近硬腭，气流从舌尖与硬腭间摩擦而出。声带不振动。声母 sh 读作 [ʂ]。

It is a voiceless blade-palatal fricative which is produced by turning up the tip of the tongue toward (but not touching) the hard palate and letting the air squeeze out. The vocal cords do not vibrate. The initial **sh** is pronounced [ʂ].

19. [ʐ] 舌尖后阻，浊擦音。发音部位与 [ʂ] 一样，但是浊音。
    声带振动。声母 r 读作 [ʐ]。

    It is a voiced blade-palatal fricative which is produced at the
    same point of articulation as [ʂ], but is voiced. The vocal
    cords vibrate. The initial r is pronounced [ʐ].

20. [ts] 舌尖前阻，不送气，清塞擦音。发音时，舌尖平伸，顶
    住齿背，然后舌尖移开些，让气流从口腔中所留的间隙
    间摩擦而出。声带不振动。声母 z 读作 [ts]。

    It is an unaspirated voiceless blade-alveolar affricate which is
    produced by pressing the tip of the tongue against the back of
    the upper teeth and then loosening it and letting the air
    squeeze out through the channel thus made. The vocal cords
    do not vibrate. The initial z is pronounced [ts].

21. [ts'] 舌尖前阻，送气，清塞擦音。发音部位与 [ts] 一样，但
    要尽量送气。声母 c 读作 [ts']。

    It is an aspirated voiceless blade-alveolar affricate which is
    produced at the same point of articulation as [ts], but is as-
    pirated. The initial c is pronounced [ts'].

22. [s] 舌尖前阻，清擦音。舌尖接近下齿背，气流从舌面跟上齿
    背形成的间隙中间摩擦而出。声母 s 读作 [s]。

    It is a voiceless blade-alveolar fricative which is produced by
    lowering the tip of the tongue toward the back of the lower
    teeth and letting the air squeeze out from between the blade of
    the tongue and the upper teeth. The initial s is pronounced
    [s].

23. ［j］半元音，发音与［i］差不多。声母 y 读作［j］。

It is a semi-vowel similar to the vowel ［i］. The initial **y** is pronounced ［j］.

24. ［w］半元音，发音与［u］差不多。声母 w 读作［w］。

It is a semi-vowel similar to the vowel ［u］. The intial **w** is pronounced ［w］.

词类简称表

Abbreviations for Chinese Parts of Speech

（名）	míng	名词	noun
（代）	dài	代词	pronoun
（动）	dòng	动词	verb
（能动）	néngdòng	能愿动词	optative verb
（形）	xíng	形容词	adjective
（数）	shù	数词	numeral
（量）	liàng	量词	measure word
（副）	fù	副词	adverb
（介）	jiè	介词	preposition
（连）	lián	连词	conjunction
（助）	zhù	助词	particle
（叹）	tàn	叹词	interjection
（象声）	xiàngshēng	象声词	onomatopoeia
（头）	tóu	词头	prefix
（尾）	wěi	词尾	suffix

第一课　DÌYĪ KÈ　Lesson 1

一、生词　Shēngcí　New Words

1. 一　　（数）　yī　　one
2. 二　　（数）　èr　　two
3. 三　　（数）　sān　　three
4. 五　　（数）　wǔ　　five
5. 六　　（数）　liù　　six
6. 八　　（数）　bā　　eight
7. 我　　（代）　wǒ　　I, me
8. 你　　（代）　nǐ　　you (*sing*)
9. 您　　（代）　nín　　you (*respectful form used exclusively in the singular*)
10. 他　　（代）　tā　　he, him
11. 她　　（代）　tā　　she, her
12. 好　　（形）　hǎo　　good, well

专名　Zhuānmíng　Proper Names

李大年　Lǐ Dànián　a student's name

| 刘天华 | Liú Tiānhuá | a student's name |
| 高开 | Gāo Kāi | a teacher's name |

二、课文　Kèwén Text

I

李大年和刘天华互相问好。

Li Danian and Liu Tianhua greet each other.

李：你好！

刘：你好！

Lǐ：Nǐ hǎo!

Liú：Nǐ hǎo!

II

李大年和高开互相问好

Li Danian and Gao Kai greet each other.

李：您好！

高开：你好！

Lǐ：Nín hǎo!

Gāo kāi：Nǐ hǎo!

注释 Zhùshì Notes：

1. 中国人的姓名 Chinese personal names

中国人的名字分为姓和名两部分，姓在前，名在后。姓多为一个字，少数为两个字；名有两个字的，也有一个字的。拼写时，姓和名要分写，姓和名的第一个字母要大写。

A Chinese name is made up of a surname and a given name，with the former preceding the latter. Surnames are usually single-charactered，with but a few exceptions i. e. surnames of two characters. Given names are composed of one or two characters. To write a name in the phonetic alphabet，the surname and given name are written separately and the first letter of each is capitalized.

姓	名	Surname	Given name
李	大年	Lǐ	Dànián
刘	天华	Liú	Tiānhuá
高	开	Gāo	Kāi

2. 问候语 Greetings

"你好"、"您好"都是最常用的问候语。"您好"一般用于对老人、长辈或陌生人，表示尊敬、客气。在汉语中，"你好"、"您好"这样的问候语，适用于任何时间，任何场合。回答也是"你好"或"您好"。

注意，"你好"中的"你"此处读作第二声。

Nǐ hǎo and **Nín hǎo** are both common greetings. **Nín hǎo** is used for elders and strangers to show respect and politeness. Such greetings are suitable at any time and on any occasion，and may be answered with the same greeting.

Note that **nǐ** in **nǐ hǎo** is pronounced in the second tone.

三、语音 Yǔyīn Phonetics

1. 汉语音节的基本结构

The basic structure of Chinese syllables

汉语音节一般由两部分组成：开头的辅音叫声母，其余的部分叫韵母。韵母a，o，e和以它们开头的韵母可以自成音节。

Chinese syllables are generally composed of two sections the initial (the beginning consonant) and the final (the rest of the syllable). The finals **a**, **o**, **e** and those beginning with **a**, **o**, **e** may stand alone as syllables; these are known as syllables without initials.

声　母 Initials	韵　母 Finals	说　　明 Remarks		例　词 Examples
∅	er	零声母音节	Syllable without an initial	èr
b	a	单韵母音节	Syllables	bā
d	a		with simple	Dà (nián)
l	i		finals	Lǐ
n	i			nǐ
t	a			tā
y	i			yī
w	o			wǒ
w	u			wǔ
n	in	鼻韵母音节	Syllables	nín
n	ian		with nasal	(Dà) nián
s	an		endings	sān
t	ian			Tiān (huá)
g	ao	复合韵母音节	Syllables	Gāo
h	ao		with	hǎo
h	ua		compound	(Tiān) huá
k	ai		finals	kāi
l	iu			liù, Liú

2. 声调

Tones

汉语有四个声调，图示如下：

There are four tones in Chinese, as shown in the figure below：

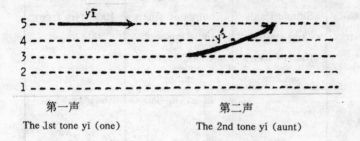

第一声

The 1st tone yī (one)

第二声

The 2nd tone yí (aunt)

第三声

The 3rd tone yǐ (chair)

第四声

The 4th yì (hundred million)

声调有区别意义的作用。同一个音节，声调不同，意义不同。如上例。

Tones differentiate meanings. A syllable has different meanings when pronounced in different tones (as in the above example).

3. 声调符号的标法

The way to write the tone-marks.

汉语的四个声调分别用"ˉ，ˊ，ˇ，ˋ"表示。调号标在单韵母或复合韵母的主要元音上。标法见下表：

The four tones are indicated respectively by the tone marks "ˉ，ˊ，

` ˇ ﹨ ` " which are written over the main vowel of a compound final. This table shows where the tone-marks are placed：

调号位置 Positions of the tone-marks	单韵母及单韵母＋鼻韵尾 Simple finals and simple finals＋nasal ending	复合韵母及复合韵母＋鼻韵尾 Compound finals and compound finals＋nasal ending	举 例 （本课出现的词） Examples from this lesson
在 a 上 Over a	ā ān āng	āi āo -iā -iāo -uā -uāi -iān -uān -uān* -iāng -uāng	bā, tā, hǎo sān
在 o 上 Over o	ō -ōng	ōu -uō -iōng	wǒ
在 e 上 Over e	ē ēr ēn ēng	ēi -iē -üē*	èr
在 i** 上 Over i	-ī -īn -īng	-uī	yī, nǐ nín
在 u 上 Over u	-ū -ūn	-iū	wǔ, liù,
在 ü 上 Over ü	-ǖ* -ǖn*		

*-ü, -üe, -üan, -ün 与 j, q, x, y 相拼时，省去 ü 上的两点。但与 l, n 相

— 6 —

拼时，两点要保留。

The two dots over the letter **ü** are omitted when **-ü**, **-üe**, **-üan**, **-ün** are spelled with **j**, **q**, **x**, **y**. However, the two dots remain when these finals are spelled with **l** or **n**.

＊ ＊ -i 有调号时，省去上面的点。

The dot over the letter **i** is omitted when a tone-mark is placed over it.

四、练习 Liànxí **Exercises**

1. 声调：

Tones：

1）四个声调：

The four tones：

yā	yá	yǎ	yà	gāo	gáo	gǎo	gào
bī	bí	bǐ	bì	sān	sán	sǎn	sàn
kū	kú	kǔ	kù	liān	lián	liǎn	liàn
bō	bó	bǒ	bò	niū	niú	niǔ	niù
ēr	ér	ěr	èr	huā	huá	huǎ	huà
wān	wán	wǎn	wàn				

2. 辨音：

Sound discrimination：

d   t

1）da   ta   dao   tao

  di   ti   dan   tan

  du   tu   dian   tian

2）dàdū   tāntā

   dàodá   tītián

   dìdiǎn   tiāntǐ

   dìdào

3）diàntī   tiāndì

   dìtú   tiándì

   dìtǎn   túdāo

   dàotián

3. 写出拼音：

Write the following in *pinyin*：

  1   2   3   5   6   8

4. 遇见老人或老师怎样问好？

Suppose you meet an old man or a teacher, how should you greet him/her in Chinese?

第二课 DÌ'ÈR KÈ Lesson 2

一、生词 Shēngcí New Words

1. 我们 （代）wǒmen we，us
2. 你们 （代）nǐmen you（pl.）
3. 他们 （代）tāmen they，them（male）
4. 她们 （代）tāmen they，them（female）
5. 爸爸 （名）bàba father
6. 妈妈 （名）māma mother
7. 哥哥 （名）gēge elder brother
8. 弟弟 （名）dìdi younger brother
9. 妹妹 （名）mèimei younger sister
10. 爷爷 （名）yéye paternal grandfather
11. 奶奶 （名）nǎinai paternal grandmother

二、课文 Kèwén Text

李大年和刘天华向他们的老师高开问好。

Li Danian and Liu Tianhua greet their teacher Gao Kai.

李：
刘： 您好！

高： 你们好！

Lǐ：
Liú： Nín hǎo!

Gāo：Nǐmen hǎo!

三、语音 Yǔyīn **Phonetics**

1. 轻声

The neutral tone

汉语中有些音节不带声调（不管它们所代表的汉字是第几声），念得很轻，很短。这样的音节，叫轻声。轻声音高受前面一个音节声调的影响而有变化。现图示如下：

Some syllables are itonic (no matter in which tone is the character the syllable represents) and are pronounced soft and short. Such syllables are known as neutral tone syllables. The pitch of a neutral tone syllable is varied according to the pitch of the preceding syllable, as shown in the figure below：

1st ＋ 。 tāmen gēge 2nd ＋ 。 yéye

māma

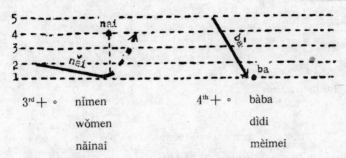

3rd＋。 nǐmen	4th＋。 bàba
wǒmen	dìdi
nǎinai	mèimei

注意，在拼写中，轻声音节无调号。（在本书音节连读的格式中，用"。"
表示轻声音节。）

Note that in writing, a neutral tone syllable is indicated with the
absence of a tone-mark. (In the formulas for syllables in succession giv-
en in this book, the neutral tone is represented by a "。".)

2. 第三声＋轻声

The 3rd tone＋the neutral tone

第三声后边跟轻声时，读作"半三声"，即只发三声的前半下降部分，不
发后半上升部分。半三声和轻声加在一起差不多构成一个完全的三声（另见
第三课语音）。

When followed by a neutral tone syllable, a third tone syllable is
pronounced in the half-third tone. This means that only the initial
falling is pronounced, not the rise. In such cases the half-third tone and
the neutral tone combine to form a more or less complete third tone.
(See also Phonetics, Lesson 3.)

四、练习 Liànxí Exercises

1. 声调：

Tones：

1) 四个声调

The four tones：

dē	dé	—	—
bēn	bén	běn	bèn
tāi	tái	tǎi	tài
mēi	méi	měi	mèi

2) 轻声：

The neutral tone：

ˉ	＋	◦	māma	tāmen	gēge	tī ba！
´	＋	◦	yéye	lái ba		
ˇ	＋	◦	wǒmen	nǐmen	nǎinai	hǎo ma？
ˋ	＋	◦	bàba	dìdi	mèimei	kàn ma？

2. 辨音：

Sound discrimination：

g	k	h

1)

ga	ka	ha
gai	kai	hai
gao	kao	hao
ge	ke	he
gei	kei	hei

— 12 —

	gen	ken	hen	
2）	gāogē	kāikěn	háohuá	
	gāngà	kèkǔ	hàohàn	
3）	gānkǔ	kègǔ	kāihuā	hàokè
	gùkè	kūgǎo	kèhuà	huàkān

3. 词组：

Phrases：

wǒ	bàba		
tā	péngyou	tā	yéye
nǐ	gēge	nǐ	dìdi
wǒ	nǎinai	tā	mèimei

第三课　DÌSĀN KÈ　Lesson 3

一、生词　Shēngcí　New words

1. 是　　（动）shì　　to be
2. 谁　　（疑代）shéi/shuí　who，whom
3. 朋友　（名）péngyou　friend
4. 老师　（名）lǎoshī*　teacher
5. 吗　　（疑助）ma　　an interrogative particle
6. 大夫　（名）dàifu　doctor (used in spoken Chinese)
7. 医生　（名）yīshēng　doctor
8. 护士　（名）hùshi　hospital nurse
9. 工人　（名）gōngrén　factory worker

---

* 韵母下面带点儿的音节为词重音。见第十六课语音。

The underdotted final indicates the word stress. For word stress, see phonetics, Lesson 16.

二、课文　Kèwén　Text

I

李大年在看刘天华的相片册。

Li Danian is looking at Liu Tianhua's photo album.

李：他是谁？

刘：他是我朋友。

Lǐ：Tā shì shéi?

Liú：Tā shì wǒ péngyou.

替换词　Tìhuàncí　Substitutes

他	我爸爸	wǒ bàba
	我爷爷	wǒ yéye
	我哥哥	wǒ gēge
	我弟弟	wǒ dìdi
	我老师	wǒ lǎoshī
她	我奶奶	wǒ nǎinai
	我妈妈	wǒ māma
	我妹妹	wǒ mèimei

(tā)

II

李：他是老师吗？

刘：他是老师。

Lǐ：Tā shì lǎoshī ma？

Liú：Tā shì lǎoshī.

替换词　Tìhuàncí　Substitutes

他 她	医生 大夫 护士 工人	tā	yīshēng dàifu hùshi gōngrén

三、语音　Yǔyīn　**Phonetics**

1. 复合韵母 ai，ei，ao，ou 的发音特点

Pronunciation characteristics of the compound finals **ai，ei，ao，ou**

复合韵母 **ai，ei，ao，ou** 中的前一个成分响亮，稍长。

The first constituents in **ai，ei，ao，ou** are pronounced more loudly and clearly than the second one.

ai　　　　dàifu

ei　　　　shéi

ao　　　　hǎo，　　　　Gāo，　　　　lǎoshī

ou　　　　péngyou

2. 复合韵母 -iu，-ui 的发音特点

Pronunciation characteristics of the compound finals -iu and -ui

复合韵母 **-iu -ui** 在读第三声和第四声时，中间分别有一 "o" 和 "e" 音。

When pronounced in the 3rd and 4th tones，there is an **o** in -**iu** and an **e** in -**ui**.

3. 鼻韵母 -ong 的发音

The nasal final -ong

鼻韵母 -ong 中的元音 o 是 ［ω］，不是 ［ɔ］。

Note that the vowel in -ong is ［ω］，not ［ɔ］.

4. 半三声

The half-third tone

第三声音节后边跟一个第一声、第二声、第四声或轻声音节时，读作半三声，即，只读第三声的前半下降部分，不读后半的上升部分，马上接读下面的音节。

When followed by a syllable in the 1st, 2nd, 4th or neutral tone, a third tone syllable is pronounced in the half-third tone, that is, only the initial falling is pronounced, with the rise substituted by the syllable that follows.

第三声＋第一声 （3rd＋1st）

第三声＋第二声　（3rd＋2nd）

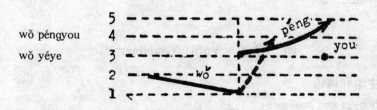

第三声＋第四声　（3rd＋4th）

wǒ bàba

wǒ dìdi

wǒ meìmei

关于"第三声＋轻声"的读法，见第二课"语音"。

Refer to phonetics Lesson 2 for the pronunciation of the sequence "3ʳᵈ＋。".

5. 三声连读

Two third tone syllables in succession

两个第三声音节连读时，前一个读若第二声。

When two third tone syllables occur in succession, the first one changes to the second tone.

Nǐ hǎo

wǒ nǎinai

nǐ nǎinai

wǒ lǎoshī

nǐ lǎoshī

四、语法 Yǔfǎ Grammar

1. 主语和谓语

Subject and predicate

汉语句子一般可以分为两部分：主语（S）、谓语（P）。主语在前，谓语在后，这一次序一般不变。谓语可以由不同成分构成，本课学的是由动词"是"及其宾语（O）构成的谓语。

Chinese sentences may generally be divided into two sections: the subject (S) and the predicate (P). As a rule, the subject always precedes the predicate, hence the pattern is "Subject+Predicate". The predicate can be composed of different elements. In this lesson, the verb shì (是) and its object (O) serve as the predicate.

S	P 是+O
Tā	shì shéi?
Tā	shì lǎoshī.
Tā	shì wǒ péngyou.

2. 疑问代词 "谁"

The interrogative pronoun shéi (谁)

"谁" 是疑问代词，放在提问部分的位置上，构成疑问句。

Shéi (谁) is an interrogative pronoun used in the position where the answer is expected to form a question.

Tā shì shéi?

Tā shì wǒ péngyou.

换句话说，汉语带疑问代词的疑问句，词序和陈述句一样。这是与许多外语不同之处。疑问句最后用问号 "?"

In other words, questions with interrogative pronouns follow the same word order as declarative sentences; this point is different from many other languages. A question mark "?" is used at the end of interrogative sentences.

3. 用 "吗" 的疑问句

Questions using ma (吗)

疑问助词 "吗" 加在陈述句的句尾构成疑问句。

The interrogative particle ma (吗) is used at the end of a statement to form a question.

> Tā shì lǎoshī ma?

> Tā shì nǐ péngyou ma?

4. 人称代词作定语（1）

Personal pronouns as attributive（1）

在下面的词组中，人称代词都起定语作用，修饰后面的词，表示领属：

In the following phrases, the personal pronouns are attributives modifying the nouns following them to indicate possession：

wǒ péngyou	my friend
wǒ bàba	my father
tā dìdi	his (or her) younger brother
nǐ māma	your mother

五、练习 Liànxí Exercises

1. 声调：

Tones：

1）四个声调：

The four tones：

shā	shá	shǎ	shà
rēn	rén	rěn	rèn
guī	guí	guǐ	guì
lēng	léng	lěng	lèng
dōu	dóu	dǒu	dòu
nōng	nóng	nǒng	nòng

2）半三声：

The half-third tone：

V＋-   lǎoshī   wǒ māma   wǒ gēge

V＋′   wǒ péngyou   wǒ yéye

V＋`   wǒ bàba   wǒ dìdi

V＋。   wǒmen   nǐmen

2. 辨音：

Sound discrimination：

    b   p   m   f

1) bo   po   mo   fo

   bu   pu   mu   fu

   ban   pan   man   fan

   ben   pen   men   fen

   beng   peng   meng   feng

   bei   pei   mei   fei

2) bēibāo   piáopō   měimǎn   fènfā

   bānlái   pípa   měimiào   fànfǎ

   bāobiǎn   pópo   mǎimai   fèifǔ

   bāobàn   pēngpài   méimao   fènfèn

3) biǎopí   pǎobù   fāpiào   pěngfù

   bǎopiào   pǔbiàn   fǎnpū   pínfá

3. 扩展练习：

Build-up exercise：

             lǎoshī   gōngrén

          shì lǎoshī   shì gōngrén

       Bàba shì lǎoshī.   Gēge shì gōngrén.

    Tā bàba shì lǎoshī.   Wǒ gēge shì gōngrén.

dàifu	hùshi
shì dàifu	shì hùshi
péngyou shì dàifu.	Mèimei shì hùshi.
Tā péngyou shì dàifu.	Wǒ mèimei shì hùshi.

4. 用 "谁" 或 "吗" 提问：

Turn the following into questions using 谁 or 吗：

    1）Tā shì wǒ yéye.

    2）Wǒ māma shì yīshēn．

    3）Tā dìdi shì gōngrén.

    4）Wǒ shì tā péngyou.

    5）Tāmen shì wǒ mèimèi.

5. 用一张照片介绍一个家庭，并就同一张照片对话。

Choose a family picture，and tell your classmates who the members of the family in the picture are. Compose a dialogue about the picture.

第四课　DÌSÌ KÈ　Lesson 4

一、生词　Shēngcí　New Words

1. 对　　　（形）duì　　　correct，right
2. 上　　　（动）shàng　　to go to
3. 宿舍　　（名）sùshè　　 dormitory room
4. 图书馆　（名）túshūguǎn　library
5. 这　　　（指代）zhè　　　this
6. 哪儿　　（疑代）nǎr　　　where
7. 食堂　　（名）shítáng　　dining-hall
8. 医务所　（名）yīwùsuǒ　 clinic
9. 商店　　（名）shāngdiàn　shop
10. 银行　　（名）yínháng　　bank
11. 饭馆儿　（名）fànguǎnr　restaurant

专名　Zhuānmíng　Proper Names

张正生　Zhāng Zhèngshēng　a teacher's name

常志成　Cháng Zhìchéng　　a doctor's name

二、课文 Kèwén Text

I

李大年和刘天华遇见张正生。李大年给他介绍刘天华。

Li Danian and Liu Tianhua meet Zhang Zhengsheng. Li introduces Liu to him.

李：
刘： 张老师，您好！

张：你们好！你是李大年，对吗？

李：对，我是李大年。他是刘天华。

张：你们上宿舍吗？

李：我上宿舍，他上图书馆。

Lǐ：
Liú： Zhāng Lǎoshī, nín hǎo!

Zhāng： Nǐmen hǎo! Nǐ shì Lǐ Dànián, duì ma?

Lǐ： Duì, wǒ shì Lǐ Dànián. Tā shì Liú Tiānhuá.

Zhāng： Nǐmen shàng sùshè ma?

Lǐ： wǒ shàng sùshè, tā shàng túshūguǎn.

II

李大年在路上遇见张正生。张正生给他介绍他朋友常志成。

Li Danian meets Mr. Zhang, one of his teachers, on the way. Zhang introduces him to his friend Chang Zhicheng.

张：你好。李大年！

李：张老师，您好！
张：这是我朋友，常大夫。
李：您好！
常：你好！我是常志成。
张：你上哪儿？
李：我上宿舍。

Zhāng：Nǐ hǎo，Lǐ Dànián！
  Lǐ：Zhāng Lǎoshī，nín hǎo！
Zhāng：Zhè shì wǒ péngyou，Cháng dàifu.
  Lǐ：Nín hǎo！
Cháng：Nǐ hǎo！wǒ shì Cháng Zhìchéng.
Zhāng：Nǐ shàng nǎr？
  Lǐ：wǒ shàng sùshè.

替换词　Tìhuàncí　Substitutes

食堂	shítáng
医务所	yīwùsuǒ
商店	shāngdiàn
银行	yínháng
图书馆	túshūguǎn
饭馆儿	fànguǎnr

注释　Zhùshì　Notes：

1. 张老师，常大夫

   姓后面跟上职务，常用作称呼。

   We often address a person by his surname and title of his job.

2. 你上哪儿？

   在中国，熟人在路上相遇，常用"你上哪儿?"之类的话打招呼。

   In China, one often greets an acquaintance he meets in the street by saying "Nǐ shàng nǎr?".

三、语音 Yǔyīn Phonetics

1. 复合韵母 -ua，-uo 和鼻韵母 -uan，-ian 的发音特点

Pronunciation characteristics of the compound finals -**ua** and -**uo** and the nasal compound finals -**uan** and -**ian**

复合韵母 -ua，-uo 中的 a，o 和鼻韵母 -uan，-ian 中的 a 要读得比 u 和 i 响亮，稍长

In pronunciation，**a** in -**ua**，-**uan** and -**ian** and **o** in -**uo** are a bit longer and louder than **u** and **i** respectively.

-ua	(Tiān) huá
-uo	(yīwù) suǒ
-uan	(túshū) guǎn，(fàn) guǎnr
-ian	(Dà) nián，Tiān (huá)

2. 儿化韵

Retroflex finals

韵母可以与卷舌元音结合成带卷舌动作的韵母，叫做"儿化韵"。拼写时，儿化韵的表示方法是在音节末尾加"r"，汉字用"儿"表示。韵母儿化时，本身要发生一些变化，变化情况见下表：

类别 Type	韵母 Finals	儿化韵的实际读音 Retroflexed Pronunciation	说明 Comment
I	a	ar	加-r Adding -r
	-ia	-iar	
	-ua	-uar	
	o	or	
	ao	aor	
	-iao	-iaor	
	-uo	-uor	
	e	er	
	-ie	-ier	
	-üe	-üer	
	u	-ur	
	ou	our	
	-iu	-iur	
II	ai	ar	去韵尾加-r Substituting i or n by -r
	-uai	-uar	
	ei	er	
	an	ar	
	-ian	-iar	
	-uan	-uar	
	-üan	-üar	
	en	er	
III	-i	-ier	加-er Adding -er
	-ü	-üer	
IV	-i[ɿ]	er	丢韵母或韵尾加er Substituting i, n by er
	-i[ʅ]	er	
	-ui	-uer	
	-in	-ier	
	-un	-uer	
	-ün	-üer	
	-ing	-ier	
V	ang	ār	a,e,o 鼻化 Nasalizing a,e,o
	-iang	-iār	
	-uang	-uār	
	eng	ēr	
	-ong	-ōr	
	-iong	-iōr	

Finals become retroflex when combined with er (retroflex vowel).
In *pinyin* a retroflex final is indicated by the letter at the end of a sylla-
ble; in the character system, by 儿. All the retroflex finals undergo
some change or other in pronunciation. The changes are as follows.

根据上表，本课的"nǎr 哪儿"是"nǎ 哪"的儿化，读作 nǎr。fànguǎnr 中
的 guǎnr 实际读音是 guǎr。

According to the table, **nǎ** + a retcoflex ending is pronnunced **nǎr**;
guǎnr in **fànguǎnr** is actually pronounced as **guǎr**.

四、语法 Yǔfǎ Grammar

疑问代词"哪儿"

The interrogative pronoun nǎr（哪儿）

疑问代词"哪儿"的用法同"谁"。用疑问代词"哪儿"构成的疑问句，
词序与一般的陈述句是一样的。

Nǎr is used in the same way as shéi. The word order of questions
using 哪儿 is the same as that of statements.

Nǐ	shàng	nǎr?
Zhè	shì	nǎr?

五、练习 Liànxí Exercises

1. **声调**：

Tones：

四个声调：

The four tones：

shāng	sháng	shǎng	shàng
guō	guó	guǒ	guò
chū	chú	chǔ	chù
zhāo	zháo	zhǎo	zhào
huān	huán	huǎn	huàn

2. 辨音

Sound discrimination:

en   eng

1) nen neng

  den deng

  sen seng

  zhen zheng

2) běnfèn fēngshèng

  rènzhēn méngméng

3) bēnténg féngrèn

  zhēnchéng fēngchén

an ang -ong

1) nan nang nong

  dan dang dong

  san sang song

  zhan zhang zhong

2) sǎnmàn chángcháng tōnghóng

  nánkàn bǎngyàng gòngtóng

3) nánfāng lànmàn hóngtáng mángcóng

  fǎnháng kànghàn dǒngháng chánggōng

3. **以 a 结尾的音节的儿化：**

Syllables ending in a with "-r"：

năr nàr fār bàr tăr huàr

4. **扩展练习：**

Build-up exercise：

năr	túshūguăn
shàng năr	shàng túshūguăn
Tāmen shàng năr?	Tā shàng túshūguăn.

shítáng	sùshè
wŏmen shítáng	wŏ sùshè
shàng wŏmen shítáng	shàng wŏ sùshè
Nĭ shàng wŏmen shítáng.	Nĭmen shàng wŏ sùshè.

5. **用"哪儿"提问：**

Ask questions using 哪儿 based on the following sentences.

1）Tā　shàng　yínháng.

2）Wŏmen　shàng　yīwùsuŏ.

3）Zhè　shì　fànguănr.

4）Zhè　shì　shāngdiàn.

6. **你跟朋友一起去商店，在路上遇见了老师，你们说什么？**

Suppose you and a friend meet a teacher on your way to a shop, what might you say to each other?

第五课　DÌWÚ KÈ　Lesson 5

一、生词　Shēngcí　New Words

1.	什么	（疑代）shénme	what
2.	书	（名）shū	book
3.	也	（副）yě	also, too
4.	不	（副）bù	not （ *negative adverb*）
5.	画报	（名）huàbào	pictorial
6.	报	（名）bào	newspaper
7.	纸	（名）zhǐ	paper
8.	画儿	（名）huàr	picture
9.	馒头	（名）mántou	steamed bun （*a popular food made of wheat flour*）
10.	那	（指代）nà	that
11.	糖包儿	（名）tángbāor	a sugar-filled dump—ling
12.	吃	（动）chī	to eat
13.	常常	（副）chángcháng	often

14. 地方	（名）dìfang	place
15. 书店	（名）shūdiàn	bookstore
16. 买	（动）mǎi	to buy
17. 回	（动）huí	to return, to go back

专名 Zhuānmíng Proper Name

阿里   Ālǐ   Ali，a foreign student's name

二、课文 Kèwén Text

I

高开在课堂上领着外国学生做游戏。他让阿里蒙上眼睛猜递给他的东西是什么。

Gao Kai gets the foreign students in his class play a game. He asks Ali to cover his eyes and guess what is put in his hand.

高：这是什么？

阿里：这是书。

高：这也是书吗？

阿里：这不是书，这是画报。

Gāo：Zhè shì shénme?

Ālǐ：Zhè shì shū.

Gao：Zhè yě shì shū ma?

Ālǐ: Zhè bú shì, zhì shì huàbào.

报	纸	bào	zhǐ
纸	画儿	zhǐ	huàr
报	画儿	bào	huàr

II

李大年和阿里在食堂
Li Danian and Ali are at the school canteen.

阿里：这是什么？

李：这是馒头。

阿里：那也是馒头吗？

李：那不是馒头，那是糖包儿。你吃糖包
　　儿吗？

阿里：我不吃糖包儿，我吃馒头。

李：我也常常吃馒头。

Ālǐ: Zhè shì shéme?

Lǐ: Zhè shì mántou.

Ālǐ: Nà yě shì mántou ma?

Lǐ: Nà bú shì mántou, nà shì tángbāor. Nǐ chī tángbāor ma?

Ālǐ: Wǒ bù chī tángbāor, wǒ chī mántou.

Lǐ: Wǒ yě chángcháng chī mántou.

李大年给阿里介绍校园。
Li Danian shows Ali around on campus.

阿里：这是什么地方？

李：这是图书馆。

阿里：那是什么地方？

李：那是书店。你买书吗？

阿里：我不买书。我要回宿舍。你回宿舍吗？

李：我不回宿舍。

Alǐ：Zhè shì shénme dìfang?

Lǐ：Zhè shì túshūguǎn.

Alǐ：Nà shì shénme dìfang?

Lǐ：Nà shì shūdiàn. Nǐ mǎi shū ma?

Alǐ：Wǒ bù mǎi shū. Wǒ yào huí sùshè. Nǐ huí sùshè ma?

Lǐ：Wǒ bù huí sùshè.

三、语音 Yǔyīn **Phonetics**

否定副词 "不" 的变调
The tone-change of the negative adverb bù（不）

否定副词 "不" 的本调是第四声，但在另一个第四声音节前边时，变为第二声。

The negative adverb bù（不），normally pronounced in the 4th tone，changes to the 2nd tone when followed by a 4th tone syllable.

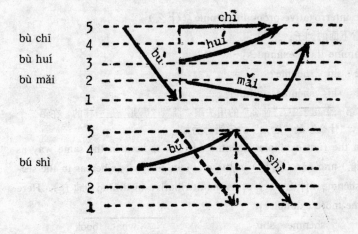

| bù chī |
| bù huí |
| bù mǎi |

| bú shì |

四、语法　Yǔfǎ　Grammar

1. 副词"不"和"也"

Adverbs bù（不）and yě（也）

本课学了两个副词："不"和"也"。副词在句中作状语（Advl.），放在谓语前边。

Two adverbs are presented in this lesson. bù（不）and yě（也）. Adverbs as adverbial normally precede the predicate.

S	P		
	Advl.	＋V	O
Zhè	bú	shì	shū
Wǒ	bù	chī	mántou.
Wǒ	yě	chī	mántou.
Wǒ	yě bù	mǎi	shū.

注意，当"也"和"不"同时出现时，顺序是"也不"。

Note that when yě（也）and bù（不）are used together the normal order is **yě bù**（也不）.

2. 疑问代词"什么"

The interrogative pronoun **shénme**（什么）

先看下面的例子：

Examine these examples：

Zhè　shì　shénme?

Zhè　shì　shénme　dìfang?

　　在第一个句子中，"什么"的用法跟"谁"、"哪儿"是一样的。在第二个句子中，"什么"是"地方"的定语。另如：

　　In the first example，shénme（什么）is used in the same way as shéi（谁）and nǎr（哪儿）in the previous lessons，whereas in the second，shénme（什么）serves as the attributive of dìfang（地方）. Here are some more examples：

shénme	shū	what	book
shénme	huàbào	what	pictorial
shénme	bào	what	newspaper
shénme	huàr	what	picture

五、练习　Liànxí　Exercises

1. 声调：

　　Tones：

　　1）四个声调：

　　　The four tones in succession：

yē	yé	yě	yè
piān	pián	piǎn	piàn
fāng	fáng	fǎng	fàng
guān	guán	guǎn	guàn

　　2）Bù（不）的变调：

　　　The tone-change of bù（不）：

bù + ¯	bù chī	bù shuō	bù duō	bù hē
bù + ´	bù lái	bù máng	bù néng	bù cháng
bù + ˇ	bù hǎo	bù lǎo	bù zhǎo	bù pǎo
bù + `	bú shì	bú shàng	bú duì	bú dà

2. 辨音:

Sound discrimination:

	zh	ch	sh	r
1)	zhan	chan	shan	ran
	zhu	chu	shu	ru
	zheng	cheng	sheng	reng
	zhi	chi	shi	ri
2)	zhāozhǎn	chāochǎn	shānshuǐ	rénrén
	zhīzhū	chùchù	shǒushù	ruǎnruò
3)	zhuānchē	chūzhōng	shāngrén	ránshāo
	zhǎngcháo	chénzhuó	shēnrù	rèshuǐ
	zhéngcháng	chǎngzhǎng	shēngri	rénshēn

3. 扩展练习:

Build-up exercise:

dìfang

shénme dìfang

shì shénme dìfang

Zhè shì shénme dìfang?

huàbào

shì huàbào

bú shì huàbào

Nà bú shì huàbào.

shāngdiàn

shàng shāngdiàn

bú shàng shāngdiàn

Wǒ bú shàng shāngdiàn.

tángbāor

chī tángbāor

bù chī tángbāor

Tā bù chī tángbāor.

4. 用副词"也"改句子：

Re—write the following using 也：

例 Model：

Zhè shì shū. ——Nà yě shì shū.

Zhè bú shì shū. ——Nà yě bú shì shū.

1）Zhè shì huàbào.

2）Zhè bú shì mántou.

3）Tā shì gōngrén (tā gēge).

4）Wǒ bú shì lǎoshī (wǒ mèimei)

5）Wǒmen shàng túshūguǎn (tāmen).

5. 用你学过的疑问代词（什么、哪儿、谁）问中国人三个问题，并把对话记录下来。

Ask a Chinese you meet three questions using 什么，哪儿 and 谁 and write down his/her answers.

第六课　DÌLIÙ KÈ　Lesson　6

一、生词　Shēngcí　New Words

1.	姐姐	（名）jiějie	elder sister
2.	看	（动）kàn	to look，to see
3.	的	（助）de	*a structural particle*
			of possession
4.	知道	（动）zhī dào	to know
5.	喊	（动）hǎn	to cry out，to shout
6.	青年	（名）qīngnián	young man
7.	给	（动）gěi	to give
8.	谢谢	（动）xièxie	to thank

1-10

Counitng from 1 to 10

一，二，三，四 (sì)，五

六，七 (qī)，八，九 (jiǔ)，十 (shí)

二、课文　Kèwén　Text

李大年和他姐姐在路上捡到一本书。

Li Danian and his elder sister pick up a book that someone lost on the road.

李： 姐姐，你看，这是谁的书？

姐姐： 不知道。

李： （喊）这是谁的书？

青年： 我的书！那是我的书！

姐姐： 这是你的书吗？

青年： 对！这是我的书。

李： 给你。

青年： 谢谢你们！

李
姐姐：不谢！

     Lǐ： jiějie，nǐ kàn，zhè shì shéide shū?

   jiějie：Bù zhīdào.

     Lǐ：（Hǎn）Zhè shì shéide shū?

Qīngnián：Wǒde shū! Nà shì wǒde shū.

   jiějie：Zhè shì nǐde shū ma?

Qīngnián：Duì! Zhè shì wǒde shū.

     Lǐ：Gěi nǐ.

Qīngnián：Xièxie nǐmen!

     Lǐ：
  jiějie：Bú xiè!

注释 Zhùshì Note：

谢谢

用来对人表示感谢，回答有不同的方式，最简单的是"不谢!"。

Xièxie is used to express gratitude. There are various possible replies, the simplest being bú xiè.

三、语音 Yǔyīn Phonetics

复合韵母 -ie
The compound final-**ie**

复合韵母 -ie 中的 e，读作 [ɛ]；e 要读得比 i 响亮、稍长一些。

The **e** in the compound final -**ie**, is pronounced [ɛ] and a bit louder and longer than **i**;

四、语法 Yǔfǎ Grammar

结构助词"的"
The structural particle de（的）

结构助词"的"用在定语的后面：

The structural particle 的 is used after attributives：

定语 Attri.	中心语 Modified word
shéide	shū
wǒde	shū
nǐde	shū
tāde	shū
wǒmende	shū
nǐmende	shū
tāmende	shū
wǒ jiějie de	shū
Zhāng lǎoshīde	shū
Lǐ Dàniánde	shū

单数人称代词作表示亲属之类的名词的定语时，"的"可用可不用，尤其是在口语中，常常不用。

However，的 is optional when a singular personal pronoun serves as the attributive of a noun showing kinship and the like. In such cases, it usually is not used in spoken Chinese.

五、练习　Liànxí　Exercises

1. 声调：

Tones：

1）四个声调：

The four tones：

jiā	jiá	jiǎ	jià
qiū	qiú	qiǔ	qiù
xiān	xián	xiǎn	xiàn
tīng	tíng	tǐng	tìng

2）两个三声连读：

Two third tone syllables in succession：

V＋V

Nǐ hǎo!　　　　Gěi nǐ.

Wǔ běn.　　　　Gěi wǒ.

Wǒ yě shì.　　　Nǐ yě shì.

V＋V＋。

Gěi nǐmen.

Gěi wǒmen.

Gěi wǒ ma?

Gěi nǐ ba.

2. 辨音：

Sound discrimination：

ou　　　　　　uo

1）gou　　　　　guo

dou	duo
lou	luo
sou	suo
zhou	zhuo

2) Ōuzhōu   zhuóluò

  dǒusǒu   guòhuǒ

  kǒutóu   duòluò

3) sōusuǒ   zuǒyòu

  gōuhuǒ   guóyǒu

  shòuruò   luòhòu

3. 扩展练习:

Build-up exercise:

shū   zhǐ

wǒde shū   tāde zhǐ

shì wǒde shū   shì tāde zhǐ

Zhè shì wǒde shū.   Nà shì tāde zhǐ.

ma   huàbào

huàr ma   shéide huàbào

nǐde huàr ma   shì shéide huàbào

shì nǐde huàr ma Nà shì shéide huàbào?

Zhè shì nǐde huàr ma?

4. 模仿例子编对话:

Compose dialogues following the models:

1) 例 Model:

A：Zhè shì nǐde shū ma?

B：Bù, zhè bú shì wǒde shū,

A：Zhè shì nǐde bào ma?

B：Duì, shì wǒde bào.

2）例 Model：

A：Zhè shì shéide shū?

B：Bù zhīdào.

A：Nǐ zhīdào ma?

C：Wǒ yě bù zhīdào.

第七课　DÌQĪ KÈ　Lesson 7

一、生词　Shēngcí　New Words

1. 有　　　　　（动）yǒu　　　　　to have, there exists···
2. 照相机　　　（名）zhàoxiàngjī　camera
3. 没　　　　　（副）méi　　　　　not (to have)
4. 同屋　　　　（名）tóngwū　　　 roommate
5. 想　　　　　（动）xiǎng　　　　to want, to think
6. 借　　　　　（动）jiè　　　　　 to borrow, to lend
7. 太　　　　　（副）tài　　　　　 too very
8. 收音机　　　（名）shoūyīnjī　　radio
9. 录音机　　　（名）lùyīnjī　　　tape recorder
10. 电视（机）　（名）diànshì(jī)　T. V. (set)
11. 摩托车　　　（名）mótuōchē　　 motorcycle
12. ···文　　　 （名）···wén　　　 written language

　　阿拉伯文　　　　　 Alābówén　　 Arabic
　　德文　　　　　　　 Déwén　　　　German
　　法文　　　　　　　 Fǎwén　　　　French

日文	Rìwén	Japanese
西班牙文	Xībānyáwén	Spanish
英文	Yīngwén	English
中文	Zhōngwén	Chinese

二、课文 Kèwén Text

李大年到刘天华的宿舍来向他借照相机。

Li Danian comes to Liu Tianhua' s room to borrow a camera from him.

李：你有照相机吗？

刘：我没有照相机。

李：你同屋有吗？

刘：他也没有。你想借吗？

李：对，我想借。你知道谁有吗？

刘：张老师有。

李：太好了，我去借。

Lǐ：Nǐ yǒu zhàoxiàngjī ma?

Liú：Wǒ méi yǒu zhàoxiàngjī.

Lǐ：Nǐ tóngwū yǒu ma?

Liú：Tā yě méi yǒu. Nǐ xiǎng jiè ma?

Lǐ：Duì, wǒ xiǎng jiè. Nǐ zhīdào shéi yǒu ma?

Liú：Zhāng lǎoshī yǒu.

Lǐ：Tài hǎo le，wǒ qù jiè.

替换词　Tìhuàncí　Substitutes

1.

收音机	shōuyīnjī
录音机	lùyīnjī
电视机	diànshìjī
摩托车	mótuóchē

2.

阿拉伯文		Ālābówén	
德文	书	Déwén	shū
法文	报	Fǎwén	bào
日文	画报	Rìwén	huàbào
西班牙文		Xībānyáwén	
英文		Yīngwén	

注释　Zhùshì　**Note：**

你想借吗？

在这个句子里，"想"、"借"都是"你"发出的动作。其他例如：

In this sentence，想 and 借 are both actions done by 你. Here are some other examples.

想上（宿舍）　　　想吃（馒头）

想买（画报）　　　想回（宿舍）

想看（画报）

三、语音 Yǔyīn Phonetics

1. 音节 bo，po，mo，fo
The syllables bo，po，mo，fo

单韵母 o 只跟声母 b，p，m，f 构成音节。在实际发音中，声母和韵母之间有一个 [w] 音作为过渡，即 bo，po，mo，fo 读作 [pwɔ] [p'wɔ] [mwɔ] [fwɔ]. 这种情况，在拼写中没有反映出来。

The simple final **o** may be used only with **b，p，m** and **f**. In pronouncing these syllables，there is a medial [w] not indicated in the spelling，i. e. the syllables **bo，po，mo，fo** are pronounced，respectively，[pwɔ] [p'wɔ] [mwɔ] [fwɔ].

2. 韵母 -iang
The final -iang

韵母 -iang 中的 a，读作 [α]，读得要比 i 响亮，稍长。

In the final -iang，a is pronounced [α] and a bit louder and longer than **i**.

四、语法 Yǔfǎ Grammar

动词 "有"
The verb yǒu（有）

动词 "有" 的肯定形式与一般动词用法相同。

The affirmative form of the verb 有（yǒu）is used in the same way as ordinary verbs.

S	P	
	是＋O	（吗）
Zhāng Lǎoshī	yǒu zhàoxiàngjī ma?	
Shéi	yǒu zhàoxiàngjī?	
Zhāng lǎoshī	yǒu zhàoxiàngjī.	
Nǐ	yǒu shénme?	

"有" 的否定式与一般动词不同，用 "没"，不用 "不"。"没" 放在

"有"的前边。

To negate（有）（yǒu），没（méi）is used instead of 不（bù）；没（méi）precedes 有（yǒu）.

S	P
	没＋有＋O
Lǐ Dànián	méi yǒu zhàoxiàngjī.
Shéi	méi yǒu zhàoxiàngjī?

在否定式中，如果"有"还受其他状语修饰，要放在"没"的前面。

In the negative form, other adverbials, if there are any, should be placed before 没（méi）.

S	P
	Advl ＋ 没 ＋ 有 ＋ O
Wǒ tóngwū	yě méi yǒu zhàoxiàngjī.
Wǒ	yě méi yǒu dìdi.

五、练习 Liànxí Exercises

1. 声调：

Tones：

1）四个声调：

The four tones in succession：

diān	dián	diǎn	diàn
niān	nián	niǎn	niàn
jiāng	jiáng	jiǎng	jiàng
liāng	liáng	liǎng	liàng

2) ‾ + ‾   bīngxiāng   cānguān   chūzū   fēijī
    ‾ + ′   dāngrán   fēicháng   gāngcái   gōngyuán
    ‾ + ˇ   chūbǎn   fāzhǎn   gōngbǐ   xiūlǐ
    ‾ + `   biānpào   bōsòng   chīfàn   fàxiàn
    ‾ + ◦   bēizi   cōngming   dāozi   gānjing

2. 辨音：

Sound discrimination：

           j   q   x

1） ji   qi   xi

    jian   qian   xian

    jie   qie   xie

    jiu   qiu   xiu

2） jiànjiē   qiānqiú   xièxiè

    jiànjiě   qīnqiè   xiángxì

3） jiānqiáng   qiánjìn   qìxiè   xiǎnqíng

    jīqì   qījiār   qiánxiàn   xīngqiú

3. 扩展练习：

Build-up exercise：

                lùyīnjī   zhàoxiàngjī
          yǒu lùyīnjī   yǒu zhàoxiàngjī
      Tā yǒu lùyīnjī.   méi yǒu zhàoxiàngjī
                                  Wǒ méi yǒu zhàoxiàngjī.

                bào   huàbào
          Zhōngwén bào   Rìwén huàbào
      yǒu Zhōngwén bào   yǒu Rìwén huàbào
  Shéi yǒu Zhōngwén bào?   Tā yǒu Rìwén huàbào.

4. 回答问题：

Answer the following questions：

    1）Nǐ yǒu shōuyīnjī ma?

    2）Tā yǒu zhàoxiàngjī ma?

    3）Nǐ tóngwū yǒu Zhōngwén huàbào ma?

    4）Shéi yǒu mótuóchē?

    5）Nǐ péngyou yǒu Rìwén huàbào ma?

5. 向你朋友或同学借一样东西。

In Chinese, ask to borrow something from a friend or classmate of yours.

第八课 DÌBĀ KÈ Lesson 8

一、生词 Shēngcí New Words

1. 同志   （名）tóngzhì   comrade
2. 词典   （名）cídiǎn   dictionary
3. 要   （动、能动）yào   to want, will
4. 哪   （疑代）nǎ   which
5. 种   （量）zhǒng   a measure word, kind, sort,
6. 几   （数）jǐ   (in a question) how many, (in a statement) several
7. 本   （量）běn   a measure word for books, magazines, etc.
8. 杂志   （名）zázhì   magazine
9. 练习本   （名）liànxíběn   exercise book
10. 桌子   （名）zhuōzi   table, desk
11. 张   （量）zhāng   a measure word for tables, paper, etc.

12. 两	（数） liǎng	two
13. 椅子	（名） yǐzi	chair
14. 把	（量） bǎ	*a measure word for chairs*
15. 床	（名） chuáng	bed
16. 柜子	（名） guìzi	wardrobe
17. 个	（量） gè	*a multi-purpose measure word*

二、课文　Kèwén　Text

I

李大年在书店。他问一个售货员（shòuhuòyuán，shop assistant）。

Li Danian is in a bookstore, speaking with a shop assistant.

李大年：同志，有词典吗？

售货员：有，您要什么词典？

李大年：我要中文词典。

售货员：您要哪种？

李大年：要那种。

售货员：您要几本？

李大年：要一本。

Lǐ Dànián：Tóngzhì, yǒu cídiǎn ma?

Shòuhuòyuán：Yǒu, nín yào shénme cídiǎn?

Lǐ Dànián：Wǒ yào Zhōngwén cídiǎn.

Shòuhuòyuán：Nín yào nǎ zhǒng?

Lǐ Dànián：Yào nà zhǒng.

Shòuhuòyuán：Nín yào jǐběn?

Lǐ Dànián：Yào yìběn.

替换词 Tìhuàncí Substitutes

画报,	德文画报	七本	huàbào	Déwén huàbào	qīběn
杂志	法文杂志	九本	zázhì	Fǎwén zázhì	jiǔběn
报	日文报	十张	bào	Rìwén bào	shízhāng
练习本	英文练习本	两本	liànxíběnr	Yīngwén liànxíběnr	liǎngběn

II

李大年家搬进了新房子。一天，他跟妈妈一起去买家具。

Li Danian's family has moved to a new house. One day Li and his mother go to buy some furniture.

李：同志，我买这种桌子。

售货员：您要几张？

李：要两张。

Lǐ：Tóngzhì, wǒ mǎi zhèizhǒng zhuōzi.

Shòuhuòyuán：Nín yào jǐzhāng?

Lǐ：Yào liǎngzhāng.

替换词　Tìhuàncí　Substitutes

椅子	四把	yǐzi	sìbǎ
床	一张	chuáng	yìzhāng
柜子	一个	guìzi	yígè

注释　Zhùshì　Notes：

1. 同志

　　"同志"是中国最常用的一个称呼语，特别是对成年陌生人。

　　同志（tóngzhì）is a most common form of address，especially among adult who are strangers.

2. "二"和"两"

　　"二"和"两"都表示"2"的意思，但用法有区别。"二"用于数数、读号码等；"两"总是与量词结合，如"两张桌子"绝不能说"二张桌子"。

　　二（èr）and 两（liǎng）both mean 2，but are different in usage. 二（èr）is used in counting and reading numbers；两（liǎng）is used always in combination with measure words. Therefore 两张桌子（liǎngzhāng zhuōzi）can not be said 二张桌子（èrzhāng zhuōzi）.

3. "几"

　　"几"在疑问句中是询问不太多的数量，在陈述句中表示大于一小于十的数量

　　In questions，几 is used to ask about a small amount and in statements，it indicates some number between 1 and 10.

三、语音　Yǔyīn　Phonetics

1. "一"的变调

　　The tone-change of yī（一）

　　数词"一"的本调是第一声，在单独念、数数或读号码时，保持本调。

　　The numeral 一（yī）is pronounced in the first tone in isolation and in counting and reading numbers.

　　"一"后边跟第一声、第二声、第三声的音节时，读第四声。

When followed by a 1st, 2nd or 3rd tone syllable, 一 is pronounced in the 4th tone.

yī＋‾   yìzhāng zhuōzi

yī＋′   yìpán cídài (magnetic tape)

yī＋ˇ   yìběn shū

"一"后边跟第四声或由第四声变来的轻声时，读第二声。

When it is followed by a 4th tone syllable, 一 (yī) is pronounced in the 2nd tone.

yī＋`   yígè guìzi

2. 韵母 -uang

The finai -uang

韵母-uang 中的 a 读得比 u 响亮、稍长。

The letter **a** in the final **-uang** is pronounced louder and longer than **u**.

四、语法 Yǔfǎ Grammar

量词

Measure words

量词是汉语特有的一个词类。量词表示事物的单位。名词一般都有自己特定的量词。在现代汉语中，数词、指示代词、疑问代词一般不能直接修饰名词，中间要用量词。

In Chinese, there is a special part of speech known as the measure word. It indicates the measure of unit of things or persons. Every noun has its specific measure word. In modern Chinese, a numeral, demonstrative pronoun, interrogative pronoun may not qualify a noun by itself; there must be a measure word between the it and the noun.

本

书	几本书	一本书
哪本书	那本书	这本书
杂志	几本杂志	一本杂志
哪本杂志	那本杂志	这本杂志
词典	几本词典	一本词典
哪本词典	那本词典	这本词典
练习本	几本练习本儿	一本练习本儿
哪本练习本儿	那本练习本儿	这本练习本儿
画报	几本画报	一本画报
哪本画报	那本画报	这本画报

张

桌子	几张桌子	两张桌子	哪张桌子	那张桌子	这张桌子
纸	几张纸	两张纸	哪张纸	那张纸	这张纸
报	几张报	两张报	哪张报	那张报	这张报
画儿	几张画儿	两张画儿	哪张画儿	那张画儿	这张画儿

把

椅子	几把椅子	三把椅子	哪把椅子	那把椅子	这把椅子

个

"个"是个使用非常广泛的量词，甚至还可以代替其他量词。

个 (gè) is a multi-purpose measure word which may be used to re-place other measure words.

柜子	几个柜子	四个柜子
哪个柜子	那个柜子	这个柜子
练习本	几个练习本儿	四个练习本儿
哪个练习本儿	那个练习本儿	这个练习本儿
馒头	几个馒头	四个馒头
哪个馒头	那个馒头	这个馒头
糖包儿	几个糖包儿	四个糖包儿
哪个糖包儿	那个糖包儿	这个糖包儿
哥哥	几个哥哥	四个哥哥
哪个哥哥	那个哥哥	这个哥哥
弟弟	几个弟弟	四个弟弟
哪个弟弟	那个弟弟	这个弟弟
姐姐	几个姐姐	四个姐姐
哪个姐姐	那个姐姐	这个姐姐
妹妹	几个妹妹	四个妹妹
哪个妹妹	那个妹妹	这个妹妹

种

"种"是一个集合量词，表示种类、样式。上面列举的名词。大多可用量词"种"。

种 (zhǒng) is a collective measure word referring to categories or styles. Most of the nouns listed above, can be used with 种 (zhǒng).

这种纸，那种书，哪种词典

两种练习本儿，几种杂志

五、练习 Liànxí Exercises

1. 声调

Tones：

1）四个声调：

The four tones：

zā	zá	zǎ	zà
cī	cí	cǐ	cì
suān	suán	suǎn	suàn
chuāng	chuáng	chuǎng	chuàng

2）
ˊ + ˉ	chuángdān	fángjiān	guójiā	hángkōng
ˊ + ˊ	cháhú	cónglái	hóngchá	jíshí
ˊ + ˇ	chuántǒng	cídiǎn	niúnǎi	píjiǔ
ˊ + ˋ	chéngshì	cídài	fúwù	guójì
ˊ + ˳	bízi	háizi	fángzi	míngzi

2. 辨音：

Sound discrimination：

z	c	s	
1）zai	cai	sai	
zang	cang	sang	
zen	cen	sen	
zong	cong	song	
2）zàizuò	cāicè	sīsuǒ	
zōngzú	cūcāo	sōngsǎn	
3）zǎocāo	cāozá	sōngzǐ	zǒusī
zìcóng	cízǔ	sùzào	zǐcài

3. 扩展练习：

Build-up exercise：

zhuōzi	cídiǎn
yìzhāng zhuōzi	liǎngběn cídiǎn
mǎi yìzhāng zhuōzi	yào liǎngběn cídiiǎn
Wǒ mǎi yìzháng zhuōzi.	Wǒ yào liǎngběn cídiǎn.

zázhì	guìzi
wǒde zázhì	tāde guìzi
shì wǒde zázhì	shì tāde guìzi
bú shì wǒde zázhì	yě shì tāde guìzi
Zhè bú shì wǒde zázhì.	Nà yě shì tāde guìzi.

4. 填入量词，同时标出"一"的声调：

Fill in the blanks with appropriate measure words and mark the tone of yi （一） as it is actually pronounced：

yi _____ chuáng	yi _____ zázhì	yi _____ zhuōzi
yi _____ cídiǎn	yi _____ bào	yi _____ huàbào
yi _____ huàr	yi _____ liànxíběn	yi _____ yǐzi
yi _____ shū	yi _____ guìzi	yi _____ gēge
yi _____ yīwùsuǒ	yi _____ dìdi	yi _____ shítáng
yi _____ mèimei	yi _____ jiějie	yi _____ lǎoshī

5. 完成句子：

Complete the following sentences：

 1）shénme，cídiǎn

  A：Nǐ mǎi _____？

  B：_____．

 2）jǐ，yǐzi

  A：Nǐ yǒu _____？

  B：_____．

3) shénme，Zhōngwén zázhì

    A：Nín yào _____ ?

    B：_____ .

4) jǐ，jiějie

    A：Nǐ yǒu _____ ?

    B：_____ .

6. 去商店买你要买的东西。

Go to a shop to buy something you want.

第九课　DÌJIǓ KÈ　Lesson 9

一、生词　Shēngcí　New Words

1. 去	（动）	qù	to go
2. 首都	（名）	shǒudū	capital of a country
3. 剧场	（名）	jùchǎng	theater
4. 京剧	（名）	jīngjù	Beijing opera
5. 学校	（名）	xuéxiào	school
6. 再见	（名）	zàijiàn	good-bye
7. 体育场	（名）	tǐyùchǎng	stadium
8. 运动会	（名）	yùndònghuì	sports meet
9. 电影院	（名）	diàngyǐngyuàn	cinema
10. 电影	（名）	diànyǐng	film，movie
11. 体育馆	（名）	tǐyùguǎn	gymnasium
12. 球赛	（名）	qiúsài	ball game
13. 杂技	（名）	zájì	acrobatics
14. 饭店	（名）	fàndiàn	hotel

15. 音乐厅 （名）yīnyuètīng concert hall
16. 听 （动）tīng to listen
17. 音乐 （名）yīnyuè music
18. 请问 qǐng wèn May I ask…, Excuse me, I have a question…

专名 Zhuānmíng **Proper Names**

首都剧场	Shǒudū Jùchǎng
工人体育场	Gōngrén Tǐyùchǎng
首都电影院	Shǒudū Diànyǐngyuàn
首都体育馆	Shǒudū Tǐyùguǎn
北京	Běijīng
北京饭店	Běijīng Fàndiàn
北京音乐厅	Běijīng Yīnyuètīng

二、课文 Kèwén Text

I

李大年在去首都剧场的路上遇见刘天华。

Li Danian meets Liu Tianhua on his way to the Capital Theatre.

刘：你去哪儿？

李：我去首都剧场。我去看京剧。你去不去？

刘：我不去。我要回学校。

李：好，再见！

刘：再见！

Liú：Nǐ qù nǎr?

Lǐ：Wǒ qù shǒudū Jùchǎng. Wǒ qù kàn jīngjù. Nǐ qù bú qù?

Liú：Wǒ bú qù. Wǒ yào huí xuéxiào.

Lǐ：Hǎo，zàijiàn!

Liú：Zàijiàn!

替换词　Tìhuàncí　Substitutes

工人体育场		运动会	Gōngrén Tǐyùchǎng		yùndònghuì
首都电影院		电影	Shǒudū Diànyǐngyuàn		diànyǐng
首都体育馆	看	球赛	Shǒudū Tǐyùguǎn	kàn	qiúsài
北京饭店		杂技	Běijīng Fàndiàn		zájì
		朋友			péngyou
北京音乐厅	听	音乐	Běijīng Yīnyuètīng	tīng	yīnyuè

Ⅱ

李大年下了汽车，想知道前边儿是不是工人体育场。他问一个行人。

Having gotten off the bus, Li Danian wants to make sure that the Workers' Stadium is ahead, so he asks a passer-by.

李：请问，那是工人体育场不是？

行人：是。

　李：谢谢！

行人：不谢！

　　　Lǐ：Qǐng wèn, nà shì Gōngrén Tǐyùchǎng bú shì?

Xíngrén：shì

　　　Lǐ：Xièxie!

Xíngrén：Bú xiè!

注释 Zhùshì Notes：

1. 请问

　　这是向别人询问事情时常用的说法。

　　This expression is often used before asking a question.

2. "上" 和 "去"

　　"上" 和 "去" 有时意思一样，"上" 比较口语化，用法与 "去" 不完全一样。

　　上 and 去 most often both mean "to go". However, 上 is more colloquial and is different from 去 in some uses.

（1）　V＋O	
Nǐ qù nǎr?	Nǐ shàng nǎr?
Wǒ qù Shǒudū Jùchǎng.	Wǒ shàng Shǒudū
（2）　V₁＋V₂＋O	Jùchǎng.
Nǐ qù kàn diànyǐng ma?	_____
Wǒ qù kàn diànyǐng.	_____

三、语音　Yǔyīn　Phonetics

韵母 -üe，-üan

The finals -üe and -üan

韵母 -üe 和 -üan 中的 e 和 a 都比 ü 读得响亮、稍长。

The **e** and **a** in **-üe** and **-üan** are pronounced louder and a bit longer than ü.

四、语法　Yǔfǎ　Grammar

正反疑问句

Affirmative-negative questions

把谓语主要成分的肯定否定形式并列在一个句子中构成"正反疑问句"。动词作谓语主要成分的句子的正反疑问句形式是动词的肯定否定形式并列。

Affirmative-negative questions are formed by juxtaposing the affirmative and negative forms of the main element of the predicate. For instance，the affirmative-negative question form of a sentence with a verb predicate is made by juxtaposing the affirmative and negative forms of the verb.

	肯定回答	否定回答
(1) V＋不＋V？	Affirmative answer	Negative answer
Nǐ qù bú qù？	Wǒ qù.	Wǒ bú qù.
Nín kàn bú kàn？	Wǒ kàn.	Wǒ bú kàn.
Nà shì bú shì？	Nà shì.	Nà bú shì.

(2) V＋O＋不＋V？

　　Nǐ qù Shǒudū Júchǎng bú qù？

　　Nín kàn diànyǐng bú kàn？

　　Nà shì tǐyùguǎn bú shì？

(3) V＋不＋V＋O？

Nǐ qù bú qù Shǒudū Jùchǎng?

Nín kàn bú kàn diànyǐng?

Nà shì bú shì tǐyùguǎn？

五、练习　Liànxí　**Exercises**

1. 声调：

Tones：

1）四个声调：

The four tones in succession：

piāo	piáo	piǎo	piào
qū	qú	qǔ	qù
xuē	xué	xuè	xuè
jūn	jūn	jǔn	jùn
yuān	yuán	yuǎn	yuàn

2）ˇ＋ˉ	guǎngbō	kǎoyā	huǒchē	jǐnzhāng
ˇ＋ˊ	gǎnmáng	hǎowánr	kěnéng	lǚxíng
ˇ＋ˇ	biǎoyǎn	dǎrǎo	Fǎyǔ	jiǎnshǎo
ˇ＋ˋ	bǐjiào	gǎijìn	gǎnmào	kǎoshì
ˇ＋。	nǎinai	nǎozi	nuǎnhuo	sǎngzi

2. 辨音：

Sound discrimination：

1）	z	zh
	zázhì	zhǒngzi
	zīzhǎng	zhuāngzài
	zǔzhǐ	zhuīzōng
	zuòzhàn	zhùzào

2)　　　c　　　　　　　　　　ch

　　　cáichǎn　　　　　　　chēcì

　　　cāochǎng　　　　　　chācuò

　　　cùchéng　　　　　　 chuáncāng

　　　cíchǎng　　　　　　 chōngcì

3)　　　s　　　　　　　　　　sh

　　　sāngshù　　　　　　　shēngsù

　　　sǎoshè　　　　　　　 shīsàn

　　　suíshǒu　　　　　　　shìsǐ

　　　suànshù　　　　　　　shūsàn

3. 扩展练习：

Build-up exercise：

yīnyuè	tǐyùguǎn
tīng yīnyuè	qù tǐyùguǎn
qù tīng yīnyuè	bú qù tǐyùguǎn
Wǒmen qù tīng yīnyuè.	Tā bú qù tǐyùguǎn.

jīngjù	diànyǐngyuàn
kàn jīngjù	qù diànyǐngyuàn
qù kàn jīngjù	bú qù diànyǐngyuàn
Tāmen qù kàn jīngjù.	Wǒ bú qù diànyǐngyuàn.

4. 问答练习：

Questions and answers：

用"动词＋bù（不）＋动词"提问：

Ask questions using the "V＋（bù）＋V" form：

1) 问去哪儿：

　　Ask where to go.

（1）tǐyùchǎng

（2）fàndiàn

（3）Shǒudū Jùchǎng

2）问作不作某事：

Ask someone whether he is going to do sth：

（1）tīng yīnyuè

（2）kàn qiúsài

（3）mǎi liànxíběnr

3）问某人作什么工作，或与某人的关系：

Ask someone about his job or his relation to someone else：

（1）hùshi

（2）péngyou

（3）jiějie

第十课 DÌSHÍ KÈ Lesson 10

一、生词 Shēngcí New Words

1.	喂	（叹）wèi	Hello！
2.	啊	（助）a	*a modal particle*
3.	在	（动、介）zài	to be in（at，etc.）
4.	住	（动）zhù	to live，to dwell
5.	○	（数）líng	zero
6.	房间	（名）fángjiān	room
7.	还	（副）hái	still
8.	楼	（名）lóu	building
9.	号	（名）hào	number
10.	电话	（名）diànhuà	telephone，a call
11.	号码儿	（名）hàomǎr	number
12.	多少	（代）duōshao	how much，how many

专名 Zhuānmíng Proper Names

贾红春　　Jiǎ Hóngchūn　 a person's name

琼楼饭店　Qiónglóu Fàndiàn　 name of a hotel

二、课文　Kèwén　Text

　　李大年从前的一个同学贾红春给他打电话。下面是他们谈话
的片断。

　　Jia Hongchun, a former classmate of Li Danian's, is making a call
to Li. Here is an excerpt from their conversation.

贾：喂，我是贾红春啊，你是大年吗？

李：是啊！你好啊，红春！

贾：你好！

李：你在哪儿啊？

贾：我在琼楼饭店，住一〇二四房间。你还
　　住十楼吗？

李：对，我还住十楼。

贾：几号房间？

李：我还住三〇六房间。你的电话号码儿是
　　多少？

贾：四三三〇〇五。

Jiǎ：Wèi, wǒ shì Jiǎ Hóngchūn na, nǐ shì Dànián ma?

Lǐ：Shì a! Nǐ hǎo wa, Hóngchūn!

Jiǎ：Nǐ hǎo!

Lǐ：Nǐ zài nǎr a?

Jiǎ： Wǒ zài Qiónglóu Fàndiàn， zhù yāolíng'èrsì fángjiān.
Nǐ hái zhù shí lóu ma?

Lǐ： Duì， wǒ hái zhù shí lóu.

Jiǎ： Jǐhào fángjiān?

Lǐ： Wǒ hái zhù sānlíngliù fángjiān. Nǐde diànhuà hàomǎr
shì duōshao?

Jiǎ： Sìsānsānlínglíngwǔ.

注释 Zhùshì **Notes**：

1. 喂!

打电话时常用的感叹词，有引起对方注意的意思。在开始通话时使用，兼
有打招呼的意思。

This is an interjection used in telephone calls to greet, or arouse the
attention of the other party.

2. 大年、红春

只用名字称呼人，表示关系亲密。

Addressing someone by their given name indicates a close relation-
ship.

3. 十楼

此处"十"表示序数，"十楼"可有两个意思："第十号楼"，或者"第十
层楼"。本课中指前者。

Here 十 is an ordinal number and 十楼 means either Building 10
or the tenth floor. In this lesson it refers to the former.

三、语音 Yǔyīn **Phonetics**

语气助词"啊"的音变

Changes of the modal particle **a** （啊）in pronunciation

语气助词"啊"受它前面音节末尾音素的影响，发音有变化。变化情况

大致如下：

With the influence of the ending sound of the preceding syllable, the modal particle 啊 changes its pronunciation roughly as follows：

在 a，e，i，o，ü 后面读 ya，可写作"呀"。

在 u，ao，ou 后面读 wa，可写作"哇"。

在-n 后面读 na，可写作"哪"。

在-ng 后面读 nga，仍写作"啊"。

在-i〔ʅ〕和 儿化 韵母后面读 ra，仍写作"啊"

在-i〔ɿ〕后面读〔ts〕，仍写作"啊"。

When preceded by **a**，**e**，**i**，**o**，or **ü**，it is pronounced **ya** which may be written 呀.

When preceded by **u**，**ao**，**ou**，it is pronounced **wa** which may be written 哇.

When it occurs after **-n**，it is read **na** and can be represented by 哪.

When it comes after **-ng** it is pronounced **nga** and is still written 啊.

It is pronounced **ra** after **-i**〔ʅ〕or after a retroflexed final and is written 啊.

It is pronounced **za** after **-i**〔ɿ〕and is written 啊.

根据上面举出的规律，本课中的几个"啊"的读法是：

According to the above rules, the 啊 in the text should be pronounced respectively：

Wǒ shì Jiǎ Hóngchūn na.   （啊—哪）

Nǐ hǎo wa！   （啊—哇）

Shì ra.   （啊）

Nǐ zài nǎr ra?   （啊）

四、语法 Yǔfǎ Grammar

号码的读法

Reading numbers

汉语中,号码中的数字按基数词的读法读。号码中有三位以上数字时,要一个一个读出数字。

The figures in a number are read as the cardinal numbers are read. When a number is composed of three figures or more, the figures should be read one after another.

1)"一"常读作 yāo。

一 is often pronounced **yāo** when reading numbers

2)"二"读作 èr,不能读 liǎng。

二 should be read **èr** rather than **liǎng**.

3)相同位数(包括 0)要分别读。

If a number contains the same figure (including 0) two, or more, times in succession, each figure should be read separately.

二号	èr hào
三〇六房间	sān línglìù fángjiān
一〇二四号	yāolíng'èrsì hào
〇九七三号	língjiǔqīsān hào
四三三〇〇五号	sìsānsānlínglíngwǔ hào

询问号码可用:

To ask about a number, one says:

1)几号?

Nǐ zhù jǐ hàor (fángjiān)?

2)…号码儿是多少?

Nǐde fángjiān hàomǎr shì duōshao?

Nǐde diànhuà hàomǎr shì duōshao?

两位数字号码的读法见第十五课"语法"。

For the reading of 2-figured number, please refer to Lesson 15.

五、练习 Liànxí Exercises

1. 声调:

Tones:

1) 四个声调:

The four tones in succession:

jiā	jiá	jiǎ	jià
chūn	chún	chǔn	chùn
qiōng	qióng	qiǒng	qiòng
kūn	kún	kǔn	kùn

2) ` + ¯   chènshān   dàjiā   dàyī   jiànkāng

  ` + ´   dàxué   dìqiú   fùxí   jìnxíng

  ` + ˇ   dàolǐ   diànyǐng   fànguǎnr   jùchǎng

  ` + `   bìyè   dàgài   duànliàn   dànshì

  ` + 。 dàifu   dòufu   fùqin   yàoshi

2. 辨音

Sound discrimination:

1) **zh**   **j**

  zhànjiàn   jiànzhèng

  zhǔnjiàng   juānzhù

  zhǎngjìn   jùzhǒng

  zhéjià   jìnzhǎn

2)　　　ch　　q

chūnqiū　　　qīngchūn

chuánqí　　　qiánchéng

chūquānr　　　quánchéng

chāoqún　　　qūchǐ

3)　　　sh　　x

shùxué　　　xióngshī

shǒuxù　　　xuánshū

shíxiàn　　　xùshù

shěnxùn　　　xiǎoshuō

3. 扩展练习：

Build-up exercise：

　　　　　　　　　　lóu　　　　　　　　　　　fángjiān

　　　　　　　shí lóu　　　　　　　jǐhào fángjiān

　　　　zhù shí lóu　　　　zhù jǐhào fángjiān

　　hái zhù shí lóu　　　Nǐ zhù jǐhào fángjiān.

Wǒ hái zhù shí lóu.

　　　　　　　　　　nǎr　　　　　　　　　　　fàndiàn

　　　　　　　zài nǎr　　　　　Qiónglóu Fàndiàn

Tāmen zài nǎr?　　　zài Qiónglóu Fàndiàn

　　　　　　　　　　　　　　Tā zài Qiónglóu Fàndiàn.

4. 用 "几" 和 "多少" 完成对话：

Complete the following sentences using 几 and 多少：

1) A：Nǐde diànhuà hàomǎr shì _____？

　　B：_____．

2）A：Jiǎ Hóngchūn zhù _____ hào fángjiān?

    B：_____.

3）A：Zhè shì _____ lóu?

    B：_____.

4）A：Nín mǎi _____ běn cídiǎn?

    B：_____.

5. 给朋友打一个电话，并记下他的电话号码。

Give a friend a telephone call and write down his phone number.

第十一课　DÌSHÍYĪ KÈ

Lesson 11

一、生词　Shēngcí　**New Words**

1. 请	（动）	qǐng	Please，to invite
2. 进	（动）	jìn	to enter，to come in
3. 学生	（名）	xuésheng	student
4. 坐	（动）	zuò	to sit
5. 叫	（动）	jiào	to call，to be called
6. 名字	（名）	míngzi	name
7. 贵	（形）	guì	noble，expensive
8. 姓	（名、动）	xìng	surname，to be surnamed
9. 喝	（动）	hē	to drink
10. 茶	（名）	chá	tea
11. 块	（量）	kuài	*a measure word* for sugar，soap，etc.
12. 糖	（名）	táng	sugar，candy
一块糖		yíkuài táng	a piece of candy
13. 客气	（形）	kèqi	polite

不客气　　　　　búkèqi　　　　Don 't mention it.

<table>
<tr><td></td><td>专名　Zhuānmíng</td><td>Proper Names</td></tr>
<tr><td>夏子</td><td>Xìazǐ</td><td>Natsuko，a Japanese girl student's name</td></tr>
<tr><td>德国</td><td>Déguó</td><td>Germany</td></tr>
<tr><td>法国</td><td>Fǎguó</td><td>France</td></tr>
<tr><td>美国</td><td>Měguó</td><td>the United States</td></tr>
<tr><td>日本</td><td>Rìběn</td><td>Japan</td></tr>
<tr><td>西班牙</td><td>Xībānyá</td><td>Spain</td></tr>
<tr><td>英国</td><td>Yīngguó</td><td>Britain</td></tr>
</table>

二、课文　Kèwén　Text

一个新来的外国学生到高开的办公室来。她敲门。

A new foreign student comes to Gao Kai's office and knocks at the door.

高：请进！

学生：老师，您好！我是日本学生。

高：你好！请坐，请坐！你叫什么名字？

学生：我叫夏子。您贵姓？

高：我姓高，我叫高开。请喝茶。请吃
　　（一）块糖。

学生：谢谢！

高：不客气。

　　　　Gāo：Qǐng jìn!

Xuésheng：Lǎoshī, nín hǎo! Wǒ shì Rìběn xuésheng.

　　　　Gāo：Nǐ hǎo! Qǐng zuò, qǐng zuò! Nǐ jiào shénme míngzi?

Xuésheng：Wǒ jiào Xiàzǐ. Nín guì xìng?

　　　　Gāo：Wǒ xìng Gāo, wǒ jiào Gāo kāi. Qing hē chá. Qǐng

　　　　　　chī (yí) kuài táng.

Xuésheng：Xièxie!

　　　　Gāo：Bú kèqi.

注释 Zhùshì Notes：

1. 请

　　用在动词前面，表示对人恭敬。

　　请 (qǐng) is used before a verb to express respect for the person be-
ing addressed.

　　请进!　　　　Qǐng jìn!　　　　Please come in!

　　请坐!　　　　Qǐng zuò!　　　　Please sit down!

　　请喝茶!　　　Qǐng hē chá!　　　Please have some tea!

　　请吃(一)块糖!　Qǐng chī(yí) kuài táng!　Please hve a candy!

2. 贵姓

　　询问对方的姓时的用语，用"贵"表示恭敬。

　　贵姓 (guì xìng) is used to ask respectfully for some one's surna-
me.

3. 不客气

这是对"谢谢"的另一种回答。

This is another way to reply to 谢谢 (xièxie).

三、语音 Yǔyīn Phonetics

字母 a 的发音小结

Pronunciation of the letter **a**

字母 a 在不同韵母中分别读作：

The letter **a** is pronounced in the following ways in different finals：

[A]	a	bā,chá,dà,Fǎ(wén),māma,nà,tā,zá(zhì)
[a]	ai	dài(fu),hái,mǎi nǎinai, (qiú)sài
	an	fàn(diàn),hǎn, kàn, mán(tou), sān
	-ia	jiā, xià
	-ua	huà(bào)
	-uai	kuài
	-uan	(fàn)guǎnr
	-uan	(diànyǐng) yuàn
[ɛ]	-ian	(fàn)diàn, (fáng)jiān, liàn(xíběn), (qīng)nián
[ɑ]	ao	bào, (duō)shao, gāo, hǎo, lǎo(shī),yào
		zhào(xiàngjī)
	-iao	jiào,(xué)xiào
	ang	fáng(jiān), (jù)chǎng, shàng, táng,zhāng
	-iang	liǎng, (zhào)xiàng(jī)
	-uang	chuáng

四、练习 Liànxí **Exercises**

1. 声调：

Tone：

1) 四个声调：

Four tones：

guāi	guái	guǎi	guài
kuāi	kuái	kuǎi	kuài
huāi	huái	huǎi	huài

2) 三音节连读：

Three syllables pronounced in succession：

chàbuduō	hángkōngxìn
dǎzìjī	huàyànshì
dàshǐguǎn	jīqìrénr
dàibiǎotuán	kāi wánxiào
fēijīchǎng	lěngyǐndiàn

2. 辨音：

Sound discrimination：

-uan	-uang
1) zhuan	zhuang
chuan	chuang
shuan	shuang
2) huàn suàn	zhuàngkuàng
luàncuàn	huánghuáng
guànchuān	shuānghuáng
3) guāngguāng	kuánghuān
kuānguǎng	shuāngguān

-uan	-üan
1) guan	juan
kuan	quan
huan	xuan
2) guānyuán	xuānchuán
huányuàn	juānkuǎn

3. 扩展练习：

Build-up exercise：

xìng	Zhāng
guìxìng	xìng Zhāng
Nín guìxìng?	Tā xìng Zhāng.

míngzi	chá
shénme míngzi	hē chá
jiào shénme míngzi	Qǐng hē chá.
Nǐ jiào shénme míngzi?	

4. 请你用拼音写出你们班的同学是哪国人，姓什么，叫什么名字。

Write in pinyin about the nationalities，surnames and given names of your classmates.

5. 用学过的汉语去跟一个人谈话，认识一个新朋友。请记下谈话的内容。

Try to get to know a new friend with the Chinese you have learned and write the conversation down.

第十二课　DÌSHÍ'ÈR KÈ

Lesson 12

一、生词　Shēngcí　**New Words**

1. 新　　　　　（形）xīn　　　　　new

2. 会　　　　　（动、能动）huì　to know (how to)

3. …语　　　　…yǔ　　　　　　spoken language

   阿拉伯语　　Ālābóyǔ　　　　Arabic

   德语　　　　Déyǔ　　　　　German

   法语　　　　Fǎyǔ　　　　　French

   汉语　　　　hànyǔ　　　　　Chinese

   日语　　　　Rìyǔ　　　　　Japanese

   西班牙语　　Xībānyáyǔ　　　Spanish

   英语　　　　Yīngyǔ　　　　English

4. 国　　　　　（名）guó　　　　country

5. 人　　　　　（名）rén　　　　person

6. 可以　　　　（能动）kěyǐ　　　may

7. 说　　　　　（动）shuō　　　to speak，to say

8. 很	（副）	hěn	very
9. 同学	（名）	tóngxué	classmate, schoolmate
10. 一点儿		yìdiǎnr	a little bit
11. 大学	（名）	dàxué	university
12. 学习	（动）	xuéxí	to study, to learn

专名 Zhuānmíng **Proper Names**

北京大学	Běijīng Dàxué	Běijīng University
约翰	Yuēhàn	John

二、课文 Kèwén Text

高开在校园里遇见美国学生约翰跟另外一个他不认识的人，他向那个人打招呼，那个人只是对他笑。

Gao Kai meets John, an American student, and another man he doesn't know. He greets that man who, however, replies only by a smile.

约翰：老师，他是新学生，他不会汉语。

高：他会英语不会？

约翰：他也不会英语。

高：他是哪国人？

约翰：他是法国人。您可以说法语。

高：我不会说法语。

约翰：他会德语。他的德语很好。

高：我也不会说德语。他是你同学吗?

约翰：不是,他是我朋友。我会说一点儿法
　　　语。

高：他是哪个学校的学生?

约翰：他是北京大学的学生。

高：他学习什么?

约翰：他学习汉语。

Yuēhàn：Lǎoshī,tā shì xīn xuésheng,tā bú huì Hànyǔ.

　　Gāo：Tā huì Yīngyǔ bú huì?

Yuēhàn：Tā yě bú huì Yīngyǔ.

　　Gāo：Tā shì nǎ guó rén?

Yuēhàn：Tā shì Fǎguó rén. Nín kěyǐ shuō Fǎyǔ.

　　Gāo：Wǒ bú huì shuō Fǎyǔ.

Yuēhàn：Tā huì Déyǔ. Tāde Déyǔ hěn hǎo.

　　Gāo：Wǒ yě bú huì shuō Déyǔ. Tā shì nǐ tóngxué ma?

Yuēhàn：Bú shì,tā shì wǒ péngyou. Wǒ huì shuō yìdiǎnr
　　　　Fǎyǔ.

　　Gāo：Tā shì něige xuéxiào de xuésheng?

Yuēhàn：Tā shì Běijīng Dàxué de xuésheng.

　　Gāo：Tā xuéxí shénme?

Yuēhàn：Tā xuéxí Hànyǔ.

注释　`Zhùshì　Notes：

1. 你是哪国人？

这个问句用来询问人的国籍。

This question is used to inquire about someone's nationality.

国家的名称后面加上"人"表示人的国籍：

A person's nationality is indicated by putting 人（rén）after a country's name：

德国人	Déguó rén	a German
法国人	Fǎguó rén	a Frenchman
美国人	Měiguó rén	an American
日本人	Rìběn rén	a Japanese
西班牙人	Xībānyá rén	a Spaniard
英国人	Yīngguó rén	an Englishman
中国人	Zhōngguó rén	a Chinese

2. 他的德语很好。

这是一个形容词作谓语的句子,结构是：

This is a sentence with an adjective as its predicate. the structure is：

S	P
他的德语	很好。

3. 同学

指在同一个班或同一个学校学习的学生,又可泛指学生,如在给学生讲课或讲话时,教师或讲话人开始时常说："同学们,……。"

同学（tóngxué）means classmate（s）or schoolmate（s）and sometimes just students in generic reference,e. g. a teacher or a speaker may start his lecture by saying "同学们(tóngxuémen)，……"

4. 一点儿

可以作定语，如：

一点儿(yìdiǎnr) can be an attributive, as in：

Tā huì yìdiǎnr Fǎyǔ.

上下文清楚时，也可以单独作宾语，如：

It also may be used as object when the contest is clear.

Ní huì Fǎyǔ ma?

Huì yìdiǎnr.

三、语音　Yǔyīn　**Phonetics**

字母 e 的发音小结

Pronunciation of the letter **e**

字母 e 在不同的韵母中分别读作：

The letter e is pronounced in the following ways in different finals：

[ɤ]	e	gēge，de，zhè，(sù) shè
[ə]	en	rén，běn，wén，(tā) men
	eng	péng(you)，(xué) sheng
	er	èr
[e]	ei	shéi，gěi，méi，Běi(jīng)，něi
[ɛ]	ē	yě，yéye
	-ie	xièxie，jiějie
	-üe	xué(sheng)，(yīn)yuè

四、语法　Yǔfǎ　Grammar

能愿动词"会"和"可以"

The optative verbs 会(huì) and 可以(kěyǐ)

用在动词 前表示能力、愿望等的动词叫做能愿动词(OV.)，如本课学的"会"：

　　Optative verbs（OV.）are used before other verbs to express ability, desire, etc. like 会(huì) in this lesson：

　　　　肯定形式：　　　OV.＋V

　　　The affirmative form：

　　　　　　Tā huì shuō Fǎyǔ.

　　　否定形式：　　不＋OV.＋V

　　　The negative form：

　　　　　　Tā bú huì shuō Fǎyù.

　　正反疑问句形式：1)OV.＋不 OV.＋V？

　　　The affirmative—negative question：

　　　　　　Tā huì bú huì shuō Fǎyǔ?

　　　　　　　　2)OV.＋V＋(o)＋不 OV.？

　　　　　　Tā huì shuō Fǎyǔ bú huì?

　　"可以"也是一个能愿动词。

　　可以(kěyǐ) is another optative verb.

　　　　Nín kěyǐ shuō Fǎyǔ.

　　但与"可以"相应的否定形式一般不用"不可以"(这一点以后再讲)。

　　It will be noted later that the negative form of 可以(kěyǐ) is not 不可以(bùkěyǐ).

　　注意："会"既是动词，又是能愿动词，试比较：

　　N. B.　会(huì) is a verb as well as an optative verb. Compare these two sentences：

　　　　Tā huì Fǎyǔ.

　　　　Tā huì shuō Fǎyǔ.

五、练习 Liànxí **Exercises**

1. 声调：

Tones：

1) 轻声：

The neutral tone：

zánmen	tàtai
zǎoshang	shuāzi
yìsi	rìzi
yǎnjing	mántou
xīnxian	wǎnshang
xiāoxi	gùshi

2) 四音节连读：

Four syllables pronounced in succession：

Běijīng Dàxué	Wànjiāo Gōngyù
Běijīng Yīyuàn	Shǒudū Jùchǎng
Yúyán Xuéyuàn	Zhōngguó Yínháng
Guójì Fàndiàn	Xīnhuá Shūdiàn
Yǒuyì Shāngdiàn	Bǎihuò Dàlóu

2. 辨音：

Sound discrimination：

-ie ei

1) bie bei

pie pei

mie mei

jie zei

qie zhei

xie shei

2) jiějiè mèimei

tiēqiè   pèibèi

3）xiéměi   bēiqiè

     jiěwéi   fèijiéhé

3. 扩展学习：

Build-up exercise：

rén	Yīngyǔ
Fǎguó rén	shuō Yīngyǔ
shì Fǎguó rén	huì shuō Yīngyǔ
Tā shì Fǎguó rén.	Wǒ bú huì shuō Yīngyǔ.

Rìyǔ	Hànyǔ
shuō Rìyǔ	xuéxí Hànyǔ
kěyǐ shuō Rìyǔ	yě xuéxí Hànyǔ
Nǐ kěyǐ shuō Rìyǔ.	Tāmen yě xuéxí Hànyǔ.

4. 读后作问答练习：

Read the following and ask questions based on them：

1）Tā shì Yīngguó xuésheng. Tā xuéxí Hànyǔ. Tā huì yìdiǎnr Fǎyǔ.

2）Yuēhàn huì shuō Xībānyáyǔ. Zhè shì tāde Xībānyáyǔ cídiǎn. Wǒ bú huì Xībānyáyǔ. Wǒ huì Déyǔ. Wǒmen dōu xuéxí Hànyǔ. Wǒmen shì Yǔyán Xuéyuàn de xuésheng.

5. 请你给我介绍一下你的朋友。

Please say something of a friend of yours.

第十三课　DÌSHÍSĀN KÈ

Lesson 13

一、生词　　Shēngcí　New Words

1. ···边儿　（名）　···biānr　side

东边儿　dōngbianr　east

西边儿　xībianr　west

南边儿　nánbianr　south

北边儿　běibianr　north

前边儿　qiánbianr　front

后边儿　hòubianr　back

左边儿　zuǒbianr　left

右边儿　yòubianr　right

旁边儿　pángbiānr　on the side, next to

2. 外语　（名）　wàiyǔ　foreign language

3. 学院　（名）　xuéyuàn　institute

4. 劳驾　　láo jià　Excuse me, but···

5. 邮局　（名）　yóujú　post office

6. 座　　　　　（量）zuò　　　a measure word for building

7. 小卖部　　　（名）xiǎomàibù　a small shop attached to a school, hotel, factory, etc.

专名　Zhuānmíng　**Proper Names**

国际俱乐部	Guójì Jùlèbù	The International Club
友谊商店	Yǒuyì Shāngdiàn	The Friendship Store
外交公寓	Wàijiāo Gōngyù	Apartment for Diplomats

二、课文　Kèwén　Text

I

约翰刚到北京,要去国际俱乐部和友谊商店,但不知道在哪儿。他就问一个行人。

John has just arrived in Beijing and wants to go to the International Club and the Friendship Store. However, he doesn't know where they are, so he asks passer—by.

约翰：请问,国际俱乐部在哪儿?

行人：在东边儿。

约翰：友谊商店在哪儿?

行人：在国际俱乐部东边儿。

约翰：谢谢!

行人：不客气。

Yuēhàn：Qǐng wèn, Guójì Jùlèbù zài nǎr?
Xíngrén：Zài dōngbianr.
Yuēhàn：Yǒuyì Shāngdiàn zài nǎr?
Xíngrén：Zài Guójì Jùlèbù dōngbianr.
Yuēhàn：Xièxie!
Xíngrén：Bú kèqi.

替换词　Tìhuàncí　Substitutes

体 育 场	西边儿	体 育 馆	体育场西边儿
外 语 学 院	北边儿	北 京 大 学	外语学院北边儿
外 交 公 寓	南边儿	友 谊 商 店	外交公寓南边儿
Tǐyùchǎng	xībianr	Tǐyùguǎn	Tǐyùchǎng xībianr
Wàiyǔ Xuéyuàn	běibianr	Běijīng Dàxué	Wàiyǔ Xuéyuàn běibianr
Wàijiāo Gōngyù	nánbianr	Yǒuyì Shāngdiàn	Wàijiāo Gōngyù nánbianr

II

约翰想找个邮局，就问一个行人。

John is looking for a post office and asks a passer—by for directions.

约翰：劳驾,这儿有邮局吗?

行人：那座楼前边儿有一个(邮局)。

约翰：谢谢!

行人：没什么。

Yuēhàn：Láo jià, zhèr yǒu yóujú ma?
Xíngrén：Nèizuò lóu qiánbianr yǒu yíge (yóujú).
Yuēhan：Xièxie!
Xíngrén：Méi shénme.

替换词　Tìhuàncí　Substitutes

小卖部		旁边儿
饭馆儿	那座楼	左边儿
银行		右边儿
电影院		后边儿
xiǎomàibù		pángbiānr
fànguǎnr	nèizuò lóu	zuǒbianr
yínháng		yòubianr
diànyǐngyuàn		hòubianr

注释　Zhùshì　Notes：

1. 劳驾

　　这是在请别人做什么事时用的客气话。如用来请人给自己让路。

　　This is a polite expression used when to request a favour, such as to asking somebody to make way.

2. 没什么

　　这是在回答别人的致谢或致歉时使用的客气话。

　　This is a polite expression used as a reply to an apology or thanks.

三、语音　Yǔyīn　Phonetics

字母 i 的发音小结

Pronunciation of the letter **i**

字母 i 代表三个音位：

The letter **i** represents three phonemes：

[i]	-i	dìdi, jǐ, (kè)qi, (liàn)xí(běn), mǐ, tǐ(yùchǎng), yī
	-in	jìn, (lù)yīn(jī), nín
	-ing	(diàn)yǐng, jīng(jù), líng, míng(zi), qǐng, tīng, xìng, yīng(wén)
	-ia	xià
	-ian	(cí)diǎn, (fáng)jiān, (qīng)nián, tián
	-iang	liǎng, xiāng(zi)
	-iao	jiāo, (shòu)piào(yuán), (xué)xiào
	-ie	jiějie, xièxie
	-iong	xiōng(māo) (panda)
	-iu	jiǔ, liù, qiú(sài)
	ai	dài(fu), hái, mǎi, nǎinai, (qiú)sài, zài
	-uai	kuài
	ei	gěi, méi, shéi, wèi
	-ui	duì, guì(zi), huì
[ɿ]	-i	cí, (míng)zi, sì
[ʅ]	-i	chī, (diàn)shì, Rì(wén), (tóng)zhì

四、语法　Yǔfǎ　**Grammar**

1. 方位词

Locality nouns

　表示方位的名词,也称方位词,方位词可以单独使用,前边儿也可受定语的修饰。

　Locality nouns can be used in isolation and can be premodified by attributives.

dōngbianr	Yǒuyì Shāngdiàn dōngbianr
xībianr	tǐyùguǎn xībianr
nánbianr	Wàiyǔ Xuéyuàn nánbianr
běibianr	Běijīng Dàxué běibianr
qiánbianr	nèizuò lóu qián bianr
hòu bianr	xuéxiào hòubianr
zuǒbianr	yóujú zuǒbianr
yòubianr	shūdiàn yòubianr
pángbiānr	shítáng pángbiānr

2. "有"表示存在

有(yǒu) expressing existence

　动词"有"除了表示领有以外,还可以表示存在,说明什么地方存在什么事物,句型是:

　In addition to expressing possession, the verb 有(yǒu) also may express existence, i. e. that something or somebody exists in a certain place. The pattern is:

方位词组 Place/Direction NP	有 有	存在的事物 Person/thing existing
Qiánbianr	yǒu	yíge yóujú.
Nèizuò lóu qiánbianr	yǒu	yíge yóujú.
Qiánbianr	méi yǒu	yóujú.

从上例可以看出,表示存在的"有",否定形式也是"没有"。

As shown in the examples, the negative form of 有(yǒu) expressing existence is also 没有(méi yǒu).

五、练习 Liànxí Exercises

1. 儿化韵"er"

The final "er" and the retroflex final

1) èr shí'èr èrshí èrbǎi èrshí'èr

   érzi nǚ'er ěrduo ěrjī értóng érqiě

2) huār huàr nǎrnàr sháor yàngr

   xiǎoháir ménkǒur fàngguǎn niánhuàr

   duìliánr yíhuìr yíkuàir yíxiàr

2. 辨音:

Sound discrimination:

ü	iu
1) ju	jiu
qu	qiu
xu	xiu

2）lǚjū   jiùjiu

   xùqǔ   liúniú

   yǔjù   xiùqiú

3）qūjiù   liǔxù

   yùjiù   qiūyǔ

   jūliú   xiūnǚ

3. 扩展练习：

Build-up exercise：

                     nǎr   dōngbianr

                 zài nǎr   zài dōngbianr

     Xiǎomàibù zài nǎr?   Tǐyùguǎn zài dōngbianr.

                 nánbianr   běibianr

       jùlèbù nánbianr   jùchǎng běibianr

    zài jùlèbù nánbianr   zài jùchǎng běibianr

Shāngdiàn zài jùlèbù nánbianr.   Yínháng zài jùchǎng běibianr.

4. 朗读句子并根据句子内容填图：

Read the following statements and use them to label the buildings in the sketch：

1）Bǎihuò dàlóu zài Dōng'ān Shìchǎng xībianr.

2）Běijīng Fàndiàn zài Bǎihuò Dàlóu nánbianr.

3）Wàijiāo Gōngyù zài Běijīng Fàndiàn dōngbianr.

4）Guójì jùlèbù zài Wàijiāo Gōngyù dōngbianr.

5）Jùchǎng zài Guójì jùlèbù nánbianr.

6）Yǒuyì Shāngdiàn zài jùchǎng dōngběibianr.

7）Yínháng zài Běijīng Fàndiàn xīnánbianr.

5. 请写出并说出你们班的座位安排。

Write a passage about the arrangement of the seats in your classroom
and read it in class.

6. 请画出你们学校的平面图。

Draw a sketch of your school indicating the names of the buildings.

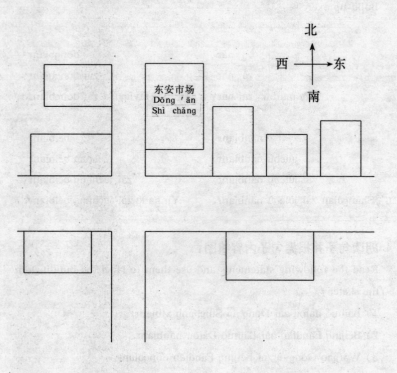

东安市场
Dōng ' ān
Shì chǎng

北
西 ← → 东
南

第十四课 DÌSHÍSÌ KÈ

Lesson 14

一、生词 Shēngcí New Words

1. 等 （动）děng to wait
2. 汽车 （名）qìchē automobile
3. 车 （名）chē vehicle
4. 那儿 （代）nàr there
5. 工作 （动）gōngzuò to work

   （名）gōngzuò work
6. 系 （名）xì department

   中文系 Zhōngwén xì department of Chinese literature and listerature

   外语系 Wàiyǔ xì department of foreign languages

   历史系 lìshǐ xì department of history

   哲学系 zhéxué xì department of philosophy

   经济系 jīngjì xì department of economics
7. 认识 （动）rènshi to know

8.	教授	（名） jiàoshòu	professor
9.	来	（动） lái	to come
10.	了	（助） le	*a modal particle used at the end of a sentence to show that sth. has already happened.*
11.	咱们	（代） zánmen	we, us (*inclusive first person plural*)
12.	上	（动） shàng	to get on
13.	吧	（语助） ba	*a modal particle used at the end of a sentence expressing a tone of suggestion*

专名 Zhuānmíng Proper Name

郑　Zhèng　　　　　a surname

二、课文 Kèwén Text

约翰在公共汽车站遇见一位老教授。他们边等车边谈话。

John meets an old professor at a bus stop. They chat while waiting for the bus.

约翰：您等汽车？

教授：等车。您上哪儿？

约翰：语言学院。我在那儿学习。您在哪儿
　　　工作？

教授：我在北京大学工作。

约翰：您在哪个系工作？

教授：我在中文系工作。

约翰：您认识郑教授吗？

教授：认识，他也在中文系工作。……您看，
　　　汽车来了，咱们上车吧。

Yuēhàn：Nín děng qìchē?

Jiàoshòu：Děng chē. Nín shàng nǎr?

Yuēhàn：Yǔyán xuéyuàn. Wǒ zài nàr xuéxí. Nín zài nǎr
　　　　gōngzuò?

Jiàoshòu：Wǒ zài Běijīng Dàxué gōngzuò.

Yuēhàn：Nín zài něige xì gōngzuò?

Jiàoshòu：Wǒ zài Zhōngwén xì gōngzuò.

Yuēhàn：Nín rènshi Zhèng jiàoshòu ma?

Jiàoshòu：Rènshi, tā yě zài Zhōngwén xì gōngzuò. ···Nín kàn,
　　　　qìchē lái le，zánmen shàng chē ba.

注释　Zhùshì　Notes：

1. 您等汽车？

这是一个只通过语气表示的疑问句。此处，约翰看到老教授在等车，还问他是否在等车，只是打招呼的意思。

This is a question expressed by intonation. In this particular case, it is used by John as a conversation starter.

2. 您上哪儿？

老人跟陌生的年轻人说话也常用"您"，表示自谦。

您 (nín) is used here by an old man to address a young stranger, expressing modesty.

3. 车

在上下文清楚的时候，"车"可代表任何"车"。此处"车"代表汽车。

车 （chē）, when the context is clear, can denote any vehicle; here, it denotes 汽车 （qìchē）.

4. 汽车来了。

语气助词"了"表示某事已经发生。

The modal particle 了 (le) expresses that something has happened.

5. 咱们上车吧。

代词"咱们"包括谈话的双方。

咱们 （zánmen） is an inclusive pronoun of the first person plural, i. e. it includes both the speaker and listener.

三、语音 Yǔyīn **Phonetics**

复合韵母发音特点总结

Summary of compound finals （including those with nasal ending） according to their features in pronunciation

（1）前响 Diphthongs with the first constituent louder and clearer than the second：

ai [ai]   ei [ei]   ao [ɑω]   ou [ou]   -ui [ui]

（2）后响 Diphthongs with the second constituent louder and clearer than the first：

ia [ia]   -ie [iɛ] -ua [ua] -uo [uo] -üe [ye]
-ian [iɛn]   -iong [iɵŋ]   üan [yan]   -iu [iu] -iang [iɑŋ]   -uan [uan]   -uang [uɑŋ]

（3）中响 Triphthongs with the middle constituent louder and clearer than the other two：

-iao [iɑω]   -uai [uai]

四、语法 Yǔfǎ　Grammar

介词短语"在十宾语"作状语
The prepositional phrase ″ 在 十 obj. ″ as adverbial

　　由介词及其宾语构成的介词短语可以做状语。介词短语作状语要放在谓语动词的前面。本课学的是介词"在"和宾语作地点状语。

　　A prepositional phrase composed of a preposition and its object may be used before verbs as adverbial. In this lesson，"在 十 obj."is used as a place adverbial.

S	P		V
	Adverbial		
	在 十 O		
Wǒ	zài Yǔyán Xuéyuàn		xuéxí
Tā	zài Běijīng Dàxué		gōngzuò.
Tā	yě zài nàr		gōngzuò.

　　句中还有副词状语，要放在介词前面。

　　When there is an adverb in the sentence，it usually occurs before the preposition.

五、练习　Liànxí　Exercises

1. 声调：

　　Tones：

　　半三声：

　　The half 3rd tone：

bǐfēn	bǐrú	bǐjiào	běnzi
hǎochī	hǎowánr	hǎokàn	hǎoba

guǎngbō	kěnéng	guǎnggào	yǒude
kǎoyā	Fǎláng	kǎoshì	nǎozi
yǐjīng	lǚxíng	lǚdiàn	nuǎnhuo
xiǎochī	xiǎoshí	xiǎomàibù	zěnme

2. 辨音：

Soud discrimination：

-un   -ün

1) dun   jun

    tun   qun

    gun   xun

    kun   yun

2) chūnsǔn   jūnxùn

    húndun   yúnyún

3) zūnxún   xúnshùn

    chūnxùn   qúnhūn

3. 扩展练习：

Build-up exercise：

xì   xuéyuàn

nǎge xì   wàiyǔ xuéyuàn

zài nǎge xì   zài wàiyǔ xuéyuàn

Tā zài nǎge xì?   Wǒ zài wàiyǔ xuéyuàn.

gōngzuò   xuéxí

zài nǎr gōngzuò   zài zhèr xuéxí

Nǐ zài nǎr gōngzuò?   Wǒ yě zài zhèr xuéxí.

                  tā   chē

             děng tā   děng chē

        zài nàr děng tā   zài qiánbianr děng chē

    Wǒmen zài nàr děng tā.   Tā zài qiánbianr děng chē.

4. 读后练习会话：

Read and actout the following dialogues：

1) A：Ní děng chē?

   B：Shì a, děng chē.

   A：Nín shàng nǎr?

   B：Wǒ shàng Wàiyǔ Xuéyuàn. Wǒ péngyou zài nàr xuéxí.

   A：Ò. Wǒ dìdi yě zài nàr xuéxí.

   B：Nǐ yě qù Wàiyuàn?

   A：Shì.

2) A：Nín děng chē?

   B：Bù, děng rén, děng yíge péngyou. Nín shàng nǎr?

   A：Wǒ qù Yǒuyì Shāngdiàn.

   B：Ā, chē láile, nín shàng chē ba.

   A：Nín péngyou······

   B：Nín kàn, ta láile.

5. 把下列句子改成有疑问词的问句：

Change the following statements into questions using interrogatives：

1) Tā zài lìshǐ xì.

2) Tā shì Zhèng jiàoshòu.

3) Tāmen zài Wàiyǔ Xuéyuàn xuéxí.

4) Yuēhàn xuéxí Hànyǔ.

5) Tā péngyou shì Rìběn rén.

6) Gāo lǎoshī zài tǐyùguǎn kàn qiúsài.

第十五课　DÌSHÍWǓ KÈ

Lesson 15

一、生词　Shēngcí　**New Words**

1. 今天　　（名）　jīntiān　　today
2. 号　　　（名）　hào　　　date，number
3. 月　　　（名）　yuè　　　month

一月　　　　　　yīyuè　　　January

二月　　　　　　èryuè　　　February

三月　　　　　　sānyuè　　March

四月　　　　　　sìyuè　　　April

五月　　　　　　wǔyuè　　May

六月　　　　　　liùyuè　　　June

七月　　　　　　qīyuè　　　July

八月　　　　　　bāyuè　　　August

九月　　　　　　jiǔyuè　　September

十月　　　　　　shíyuè　　October

十一月　　　　　shíyīyuè　November

十二月		shí'èryuè	December
4. 星期	（名）	xīngqī	week
星期一		xīngqīyī	Monday
星期二		xīngqī'èr	Tuesday
星期三		xīngqīsān	Wednesday
星期四		xīngqīsì	Thursday
星期五		xīngqīwǔ	Friday
星期六		xīngqīliù	Saturday
星期日		xīngqīrì	Sunday
5. 昨天	（名）	zuótiān	yesterday
6. 明天	（名）	míngtiān	tomorrow
7. 呢	（语助）	ne	*a modal particle used at the end of a sentence to form an elliptical question*

二、课文 Kèwén Text

约翰向田大年询问日期。

John asks Tian Danian for the date.

约翰：今天几号了？

田：今天十月六号了。

约翰：星期几？

田：星期六。

约翰：昨天几号？

田：昨天十月五号。

约翰：明天呢？

田：明天十月七号，星期日。

Yuēhàn：Jīntiān jǐhào le?
　Tián：Jīntiān shíyuè liùhào lè.
Yuēhàn：Xīngqījǐ?
　Tián：Xīngqīliù.
Yuēhàn：Zuótiān Jǐhào?
　Tián：Zuótiān shíyuè wǔhào.
Yuēhàn：Míngtiān ne?
　Tián：Míngtiān shíyuè qīhào，xīngqīrì.

十月

日	一	二	三	四	五	六
	1	2	3	4	5	6
7	8	9	10	11	12	13
14	15	16	17	18	19	20
21	22	23	24	25	26	27
28	29	30	31			

注释　Zhùshì　Notes：

1. 今天几号了？

1)"几"这里用来询问序数。

几 is used here to ask a question when the reply is some ordinal number:

2)"号"用于口语。

"号" is used in spoken Chinese for dates of the month.

2. 十月七号星期日

注意，当"月"、"号"、"星期"一起出现时顺序是：

Note when the month, date and day of the week come together,

the order is:

月	号	星期
Month	date	day of the week

三、语音　Yǔyīn　**Phonetics**

声母、韵母总结

Summary of Chinese initials and finals

1) 声母表　Table of initials:

b [p]　　p [pʻ]　　m [m]　　f [f]　　　z [ts]　　c [tsʻ]　s [s]

d [t]　　t [tʻ]　　n [n]　　l [l]　　　y [j]　　w [w]

g [k]　　k [kʻ]　　h [x]

j [tɕ]　　q [tɕʻ]　　x [ɕ]

zh [tʂ]　ch [tʂʻ]　sh [ʂ]　r [ʐ]

2) 韵母表　Table of finals:

单韵母　Simple finals

a [A] o [o] e [ɤ] -i [i] -u [u] -ü [y]

复韵母　Compound finals

ai [ai]　　ei [ei]　　ao [aɷ]　　ou [ou]　　-ia [ia]

-ie [iɛ]　　-iao [iaɷ] -iu [iu]　　-ua [ua]　　-uo [uo]

-uai[uai] -ui[ui] -üe[yɛ]

鼻韵母 Finals with nasal ending

an[an] en[ən] ang[ɑŋ] eng[eŋ] -ong[ωŋ]

-ian[iɛn] -in[in] -iang[iɑŋ] -ing[iŋ]

-iong[iωŋ] -uan[uan] -un[un] -uang[uɑŋ]

-üan[yan] -ün[yn]

卷舌韵母 Final with a retroflex -r

er[ər]

四、语法 Yǔ fǎ Grammar

1. 10—99 的称数法

Counting from 10—99

10	11	12	13	14	15
十	十一	十二	十三	十四	十五
16	17	18	19	20	21
十六	十七	十八	十九	二十	二十一
22	23	24	25	26	27
二十二	二十三	二十四	二十五	二十六	二十七
28	29	30	40	50	60
二十八	二十九	三十	四十	五十	六十
70	80	90			
七十	八十	九十			

10 至 99 的称数法，同时也是两位数字的读法。如：

Numbers in two figures are read in the same way an counting：

我住二十五号。(No. 25)

2. 用"呢"的省略问句

Elliptical questions using 呢 (ne)

"呢"是语气助词,可以用于省略问句中。

呢 (ne) is a modal particle used here to form elliptical questions.

Jīntiān shíyuè èrhào, míngtiān ne?

这个问题的意思是"明天几号?"

This question means " What date is tomorrow?"

其他例如:

Other examples are:

Wǒ shì Měiguó rén, nǐ ne?(Nǐ shì něiguó rén?)

Nǐ xuéxí Hànyǔ, tā ne?(Tā xuéxí shénme?)

Wǒ huí sùshè, nǐ ne?(Nǐ shàng nǎr?)

五、练习   Liànxí   Exercises

1. 在前响复韵母下面画"——":

Underline the diphthongs whose first component is louder and clearer than the second:

lǎoshī	huàbào	jiǔlóu	láojià
shuō	tóngxué	xiànzài	shǒudū
shéide	zuótiān	běibianr	zhéxué
yīnyuè	tóufa	pǎobù	

2. 扩展练习:

Build-up exercise:

hào	xīngqī'èr
jǐ hào	shì bu shì xīngqī'èr
Jīntiān jǐ hào?	Míngtiān shì bu shì xīngqī'èr?

nǎr	Yǒuyì Shāngdiàn
qù nǎr	qù Yǒuyì Shāngdiàn
nǐ qù nǎr	jīntiān qù Yǒuyì Shāngdiàn
Xīngqīrì nǐ qù nǎr?	Wǒ jīntiān qù Yǒuyì Shāngdiàn.

3. 看日历完成对话：

Complete the dialogues according to the picture：

1）A：Jīntiān jǐ hào?

　　B：_____；

2）A：Jīntiān shì xīngqīsān ma?

　　B：_____.

3）A：Xīngqīrì shìbushì shíqī hào?

　　B：_____.

```
┌─────────────────────┐
│        1986 年      │
│                     │
│  十          星     │
│  月   17    期     │
│  大          五     │
└─────────────────────┘
```

4. 你的生日是几月几号？

When is your birthday?

5. 在下列对话中用上带"呢"的疑问句：

Change the questions in the following dialogues to questions using 呢

(ne)：

1）A：Zhè shì shéi?

— 114 —

B: Zhè shì wǒ dìdi.

A: Nàge rén shì shéi?

B: Tā shì wǒ gēge.

2) A: Nǐ zhù jǐ lóu?

B: Bā lóu.

A: Tā zhù jǐ lóu?

B: Tā yě zhù bā lóu.

3) A: Nǐ qù nǎr?

B: Wǒ qù Wàijiāo Gōngyù.

A: Nǐ péngyou qù nǎr?

B: Tā qù kàn zájì.

4) A: Yuēhàn zài nǎge xì?

B: Tā zài Zhōngwén xì.

A: Xiàzǐ zài nǎge xì?

B: Tā zài lìshǐ xì.

第十六课　DÌSHÍLIÙ KÈ

Lesson 16

一、生词　Shēngcí　**New Words**

1. 一块儿　　　　（副）yíkuàir　　　together
2. 上（月、星期）　（形）shàng(yuè, xīngqī)　last（month, week）
3. 下（月、星期）　（形）xià (yuè, xīngqī)　next （month, week）
4. 时候儿　　　　（名）shíhour　　　time
5. 中学　　　　　（名）zhōngxué　　middle school
6. 小学　　　　　（名）xiǎoxué　　　primary school
7. 大学　　　　　（名）dàxué　　　　university
8. 毕业　　　　　（动）bìyè　　　　to graduate
9. 年　　　　　　（名）nián　　　　year
　　去年　　　　　　　qùnián　　　last year
　　今年　　　　　　　jīnnián　　　this year
　　明年　　　　　　　míngnián　　next year

专名　Zhuānmíng　**Proper Names**

颐和园	Yíhéyuán	The Summer Palace (An imperial garden of the Ching Dynasty in the western suburb of Beijing, it is now the largest park in Beijing.)
长城	Chángchéng	The Great Wall (This world-famous work of architecture covers a distance of over 6,000 kilometres.)
故宫	Gùgōng	The Palace Museum (It was formerly the imperial palace of the Ming and Ching Dynasties, generally known as the Forbidden City. It is the biggest and best—preserved group of ancient buildings in China and embodies the fine traditions and unique style of Chinese architecture.)
香山	Xiāngshān	The Xiangshan Park (one of the picturesque spots in the Western Hills region of Beijing.)

二、课文　Kèwén　Text

I

两个人在旅馆门口闲谈。

Two men are having a chat in front of their hotel.

A：今天您上哪儿了？

B：今天我们去颐和园了，您呢？

A：我们去香山了。您昨天上哪儿了？

B：昨天我们上长城了。您明天上哪儿？

A：我们明天去故宫。您呢？

B：我们也去故宫。

A：太好了！咱们一块儿去。

A：Jīntiān nín shàng nǎr le?

B：Jīntiān wǒmen qù Yíhéyuán le, nín ne?

A：Wǒmen qù Xiāngshān le. Nín zuótiān shàng nǎr le?

B：Zuótiān wǒmen shàng Chángchéng le. Nín míngtiān shàng
nǎr?

A：Wǒmen míngtiān qù Gùgōng, nín ne?

B：Wǒmen yě qù Gùgōng.

A：Tài hǎo le! Zánmen yíkuàir qù.

替换词　Tìhuàncí　Substitutes

上（个）星期	shàng （ge） xīngqī
这（个）星期	zhèi （ge） xīngqī
下（个）星期	xià （ge） xīngqī
上（个）星期日	shàng （ge） xīngqīrì
这（个）星期日	zhèi （ge） xīngqīrì
下（个）星期日	xià （ge） xīngqīrì
上（个）月	shàng （ge） yuè
这（个）月	zhè （ge） yuè
下（个）月	xià （ge） yuè

II

高开看夏子和弟弟、妹妹的照片。

Gao Kai is looking at a picture of Natsuko with her younger sister and younger brother.

夏子：我弟弟在中学学习，我妹妹在小学学习。

高开：你弟弟什么时候儿中学毕业？

夏子：他一九九四年中学毕业。我妹妹一九九五年小学毕业。

高开：你什么时候儿大学毕业？

夏子：明年七月。

Xiàzǐ：Wǒ dìdi zài zhōngxué xuéxí, wǒ mèimei zài xiǎoxué xuéxí.

Gāo kāi：Nǐ dìdi shénme shíhour zhōngxué bìyè?

Xiàzǐ：Tā yījiǔjiǔsì nián zhōngxué bìyè. Wǒ mèimei yījiǔjiǔwǔ nián xiǎoxué bìyè.

Gāo Kāi：Nǐ shénme shíhour dàxué bìyè?

Xiàzǐ：Míngnián qīyuè.

注释 Zhùshì Notes：

1. 上星期日，去年七月……

注意汉语中的"上星期日"、"去年七月"等的概念与英语不尽相同。

— 119 —

Note that 上星期日，去年七月，etc. are sometimes different in meaning from " last Sunday, last July", etc. in English.

上星期日	Sunday last week (last Sunday)
这星期日	this Sunday (coming Sunday)
下星期日	Sunday next week
去年七月	July last year (last July)
今年七月	last July (spoken after July within the year)
	next July (spoken before July within the year)
明年七月	July next year (next July)

2. 小学、中学、大学

中国的学制是小学六年，中学六年（初中三年、高中三年），大学（包括学院）四年或五年。

The durations of schooling in China are: 6 years for primary school, 6 years for middle school (3 for junior middle school and 3 for senior middle school) and 4 or 5 years for university or institute.

三、语音 Yǔyīn Phonetics

词重音

Word stress

汉语的双音节和多音节词中的一个音节读得比较重，相对地比较长，这个音节就叫词重音。大部分词的重音在最后一个音节上。本书用音节下面的黑点表示词重音。

One of the syllables in a dissyllabic or poysyllabic word is pronounced with more power and longer and that is known as the word stress. In most cases, the word stress, indicated in this book by a dot, falls on the last syllable:

wàiyǔ   xīngqīrì

xuéyuàn   wàiyǔxì

qìchē   Ālābóyǔ

xīngqī   Xībānyáyǔ

但也有一部分词的重音在第一个音节上。

However, there are cases in which the stress falls on the first sylla-
ble:

gōngrén   gōngzuò（v.）

zhīdào   jīnnián

非重读音节读得轻一些，短促一些，但又不同于轻声。

The unstressed syllable (s) of a word is (are) pronounced with less
power and shorter than the stressed syllable; but still with more stress
than a neutral tone syllable.

四、语法　Yǔfǎ　Grammar

1. "年" 的读法

How to tell the names of the year:

一九〇〇年   yījiǔlínglíng nián

一九〇五年   yījiǔlíngwǔ nián

一九二五年   yījiǔ′èrwǔ nián

一九五〇年   yījiǔwǔlíng nián

一九八五年   yījiǔbāwǔ nián

2. 表示时间的词语作状语

Time words as adverbial

　　表示时间的词语可以作状语，表示动作或情况发生的时间。时间状语与其他状语一样，一般也要放在谓语前边。

　　Time words as adverbial denote the time when an action or a state takes place. As with other adverbials, time adverbials normally precede the predicate.

S	P		
	Time Adverbial	V	(O)
您	昨天	上	哪儿了？
我	昨天	上	颐和园了。
你	什么时候	毕业？	
我	一九九五年	毕业。	

　　但时间状语也可放在句首。此时有强调的意味。

　　They also may be placed at the beginning of a sentence to indicate slight emphasis.

Time Adverbial S	P		
	(Other adverbial)	V	(O)
昨天　　　　您		上	哪儿了？
昨天　　　　我	(也)	上	颐和园了。

五、练习 Liànxí　Exercises

1. 朗读下列生词，注意词重音：

Read the following words aloud, with attention to correct stress:

lǎoshī   gōngrén   yīnyuè   zázhì

zhīdào   sùshè   tóngzhì   yóujú

shōuyīnjī   yīwùsuǒ   tǐyùguǎn

xiǎomàibù   zìxíngchē   diànshìjī

2. 扩展练习:

Build-up exercises:

北京大学	毕业了
去北京大学	大学毕业了
我去北京大学。	去年大学毕业了
星期日我去北京大学。	他去年大学毕业了。
京剧	音乐
看京剧	听音乐
去看京剧	去听音乐
我们去看京剧。	他们去听音乐。
明天我们去看京剧。	今天他们去听音乐。

3. 回答问题:

Answer the following questions:

1) 一年有多少个月? 有多少天?

2) 一个星期有几天?

3) 一个月有多少天?

4. 模仿例子造句:

Make sentences following the model below:

例 Model:听音乐 看电影

明天你去听音乐吗？

我不去听音乐，我去看电影。

(1) 看杂技　　　　看京剧

(2) 去友谊商店　　去外语学院

(3) 看球赛　　　　看朋友

(4) 去故宫　　　　去长城

5. **谈一谈下星期你打算做什么：**

Describe your plans for next week.

第十七课　DÌSHÍQĪ KÈ

Lesson 17

一、**生词**　Shēngcí　**New Words**

1. 现在　（名）xiànzài　now
2. 点　（量）diǎn　o'clock
3. 分　（量）fēn　minute
4. 刻　（量）kè　quarter of an hour
5. 半　（数）bàn　half
6. 差　（动）chà　to lack, less
7. 起床　qǐ chuáng　to get up
8. 饭　（名）fàn　meal
   早饭　zǎofàn　breakfast
   午饭　wǔfàn　lunch
   晚饭　wǎnfàn　supper
9. 上课　shàng kè　to have/start class
10. 下课　xià kè　class is over
11. 睡觉　shuì jiào　to go to bed, to sleep
12. 早上　（名）zǎoshang　early morning
13. 上午　（名）shàngwǔ　morning

14. 中午 （名）zhōngwǔ noon
15. 下午 （名）xiàwǔ afternoon
16. 晚上 （名）wǎnshang evening

二、课文 Kèwén Text

I

问时间。

Asking for the time.

A：现在几点了？

B：现在十一点了。

A：Xiànzài jǐdiǎn le?

B：Xiànzài shíyīdiǎn le.

替换词 Tìhuàncí Substitutes

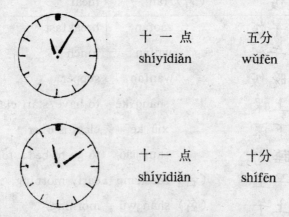

十一点 　 五分
shíyīdiǎn 　 wǔfēn

十一点 　 十分
shíyīdiǎn 　 shífēn

 十 二 点　　　一 刻
shí′ èrdiǎn　　yíkè

 十 二 点　　　二 十 六
shí′ èrdiǎn　　èrshíliù

 一 点 半
yìdiǎnbàn

两点　　　　四十五
liǎngdiǎn　　sìshíwǔ
（两点　　　三刻　）
（liǎngdiǎn　sānkè ）
（差　一刻　　三点）
（chà yíkè　　sāndiǎn）

五点　　　　五十
wǔdiǎn　　　wǔshí
（差　　　十分　六点）
（chà　　shífēn liùdiǎn）

七点　　　　四十七
qīdiǎn　　　sìshíqī
（差　　　十三分　八点）
（chà　　shísānfēn bādiǎn）

Ⅱ

问什么时候做什么。

Asking when and what to do.

A：你什么时候儿起床？

B：我早上六点起床。

A：Nǐ shénme shíhour qǐ chuáng?

B：Wǒ zǎoshang liùdiǎn qǐ chuáng.

替换词语　Tìhuàn cíyǔ　Substitutes

早　上	7：00	吃早饭	chī zǎofàn
上　午	8：00	上　课	shàng kè
	11：50	下　课	xià kè
中　午	12：00	吃午饭	chī wǔfàn
下　午	6：15	吃晚饭	chī wǎnfàn
晚　上	10：30	睡　觉	shuì jiào

注释　Zhùshì　Notes：

1. 十一点十分，差十分六点

　　在口语中，在十五分钟以内，要用"分"，十五分钟以上，一般不用"分"。

　　In spoken Chinese，分 most often is used for a time under 15 minutes，and usually not used for a time over 15 minutes.

2. 起床、上课、下课、睡觉

　　这些都是固定的动词词组，结构是"动词＋宾语"。

　　These are fixed verb phrases whose structure is "V ＋ O".

三、语音　Yǔyīn　Phonetics

句重音（1）

Sentence stress (1)

　　1）一句话中，总有一个成分在说话人的意念中是比较重要的，因而说得重一些。这个成分就是句重音。在一般情况下，句重音落在表示这个成分的词的重读音节上。

In a sentence, there always is one element which the speaker considers most important, and therefore is stressed. This is called the sentence stress. Normally the sentence stress falls on the stressed syllable of the word.

2）表示日期的句子的重音，在谓语中的最后一个数字上：

The stress in a sentence expressing a date or a month falls on the last numeral in the predicate.

现在 二月 。

现在 十二月 。

今天二月二号。

今天十二月十二号。

今天二月二十四号。

〔横线表示句重音所在的成分，"·"表示句重音所在的音节。〕

〔The underline indicates the stressed element and the dot the stressed syllable.〕

3）表示时间的句子的重音一般落在"点"或"分"上：

The stress in a sentence expressing the time of day falls on 点 (diǎn) or 分 (fēn).

现在十二点了。

现在十二点十分了。

但在回答"现在几点了？"时，重音也在谓语中的最后一个数字上：

However, when answering the question 现在几点了？ (Xiànzài jǐdiǎn le?), the stress is on the last numeral in the predicate.

现在 几点 了。

现在 两点 了。

现在 十二点 了。

四、语法 Yǔfǎ Grammar

表示日期、时间的句子的结构

The structure of a sentence expressing the date or the time of day

表示时间、日期的句子的结构是：

The structure of a sentence expressing the date or the time of day is：

S	P
今　天	十月七号星期三。
现　在	八点五分。

注意：在这种句子中不用动词。

Note that there is no verb in such a sentence.

五、练习　liànxí　Exercises

1. **朗读下列各句，并划出句重音：**

   Read the following sentences and underline their stresses：

   1）Jīntiān sānyuè bāhào.

   2）Míngtiān Xīngqīyī.

   3）Zuótiān shì shíyuè shíhào.

   4）Xiàge yuè shì shíyīyuè.

   5）Shídiǎn bàn.

   6）Jiǔdiǎn èrshífēn.

   7）Xiànzài shí'èrdiǎn le.

   8）Chà yíkè bādiǎn.

2. **扩展练习：**

   Build-up exercises：

   早饭
   吃早饭
   七点半吃早饭
   我七点半吃早饭。

   睡觉
   十点睡觉
   晚上十点睡觉
   我晚上十点睡觉。

十六号　　　　　　　　　　　　　　长城

二月十六号　　　　　　　　　　　去长城

一九八五年二月十六号　　　　　八点去长城

是一九八五年二月十六号　　　　上午八点去长城

今天是一九八五年二月十六号。　　我们上午八点去长城。

明天我们上午八点去长城。

3. 用疑问代词提问：

Turn the following statements into questions using interrogative pronouns：

    1）今天星期二。

    2）现在十点。

    3）明天十月十五号。

    4）他早上六点半起床。

    5）我弟弟明年大学毕业。

    6）这星期日我去香山。

4. 看看下边儿的时间错没错？错在哪儿？

Find out whether these clocks tell the correct time and, if not, what are their mistakes：

六点三十五　　　　　　　　　　九点一刻

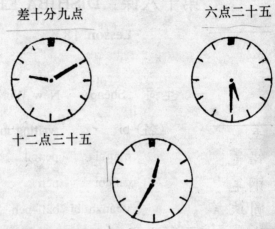

差十分九点　　　　　　六点二十五

十二点三十五

5. 根据图中的时间各造一个句子：

　Tell the times of the day as indicated by the clocks in Exercise 4：

6. 说说你一天的活动。

　Describe your daily routine.

第十八课 DÌSHÍBĀ KÈ

Lesson 18

一、生词　Shēngcí　**New Words**

1. 笔　　　　（名）bǐ　　　writing instrument
   铅笔　　　　qiānbǐ　　pencil
   钢笔　　　　gāngbǐ　　pen
   圆珠笔　　　yuánzhūbǐ　ball-pen
2. 钱　　　（名）qián　　money
3. 支　　　（量）zhī　　*a meaure word for* 笔
   　　　　　　　　　　(bǐ),*etc.*
4. 分　　　（量）fēn　　*a unit of Chinese money*
   　　　　　　　　　　(1/10 毛)
5. 一共　　（副）yígòng　altogether
6. 毛　　　（量）máo　　*a unit of Chinese money*
   　　　　　　　　　　(10 分 *or* 1/10 块)
7. 还　　　（副）hái　　still, moreover
8. 别的　　　　biéde　　other, else
9. 块　　　（量）kuài　　*the basic unit of Chinese*
   　　　　　　　　　　money （10 毛 *or* 100
   　　　　　　　　　　分）
10. 找　　　（动）zhǎo　　It makes ... change

— 134 —

11. 卖　　　　　（动）mài　　　　to sell

12. 怎么样　　（疑代）zěnmeyàng　　how (adj.)

二、课文　Kèwén　Text

I

约翰在商店买铅笔。

John buys pencils in a shop.

售货员：您买什么？

约翰：我要买铅笔。

售货员：您要哪种？

约翰：这种多少钱一支？

售货员：八分，您买几支？

约翰：给我六支。

售货员：一共四毛八。您还要别的吗？

约翰：不要了，给您钱。

售货员：这是五块，找您四块五毛二。

Shòuhuòyuán：Nín mǎi shénme?

　　Yuēhàn：Wǒ yào mǎi qiānbǐ.

Shòuhuòyuán：Nín yào něizhǒng?

　　Yuēhàn：Zhè zhǒng duōshao qián yìzhī?

Shòuhuòyuán: Bāfēn, nín mǎi jǐzhī?

　　Yuēhàn: Gěi wǒ liùzhī.

Shòuhuòyuán: Yígòng sìmáo bā. Nín hái yào biéde ma?

　　Yuēhàn: Bú yào le, gěi nín qián.

Shòuhuòyuán: Zhè shì wǔkuài, zhǎo nín sìkuài wǔmáo èr.

II

　　约翰在路旁的一个小摊子上看到一种圆珠笔,他很喜欢。他知道在这种小摊子上买东西是可以讨价还价的。

　　John sees a kind of ball—pen which he likes at a road side seller's. He knows that he can bargain roadside seller's.

约翰: 同志,这种圆珠笔多少钱一支?

小贩: 一块二。

约翰: 一块二?

小贩: 您给多少钱?

约翰: 七毛,卖不卖?

小贩: 您给八毛,怎么样?

约翰: 好,我买两支。

Yuēhàn: Tóngzhì, zhèizhǒng yuánzhūbǐ duōshao qián yìzhī?

Xiǎofàn: Yíkuài èr.

Yuēhàn: Yíkuài èr?

Xiǎofàn: Nín gěi duōshao qián?

Yuēhàn: Qīmáo, mài bú mài?

Xiǎofàn：Nín gěi bāmáo，zěnmeyàng?

Yuēhàn：Hǎo，wǒ mǎi liǎngzhī.

注释　Zhùshì　Notes：

1. 您买什么?

这是中国商店里的售货员招呼顾客时常用的话。

This is a sentence commonly used by Chinese shop assistants to greet their customers.

2. 问价钱　Asking how much sth. costs

问价钱可以说：

The following expressions may be used to ask how much sth. costs

这种……多少钱一……?

那种……多少钱一……?

这……多少钱?

那……多少钱?

多少钱一……?（同时指要买的东西。While pointing to the item which one wants to buy.）

多少钱?

3. 怎么样?

这里"怎么样"用来征求对方对自己提出的建议的意见。

怎么样 is used here to ask for an opinion regarding an offer or suggestion.

三、语音　Yǔyīn　Phonetics

1. 语调(1)

Intonation (1)

1)汉语基本语调有两种：升调和降调。在句子中,语调的升降主要表现在最后一个重读音节上,其后的非重读音节或轻声音节也随之升高或降低。汉语语调是在保持重读音节原来声调的基础上的升高或降低。这是汉语语调不同于许多西方语言的特点。一般来说,疑问句读升调,陈述句读降调。

There are two basic levels of pitch in Chinese intonation: the elevated pitch and the lowered pitch, which are most clearly distinguished in the last stressed syllable of a sentence. The neutral tone syllables that follow are also elevated or lowered. A syllable pronounced in the elevated or lowered pitch remains unchanged in tone; there lies the major difference between the Chinese intonation and that of most European languages. In general, Chinese questions are spoken in the elevated pitch and statements in the lowered pitch.

2) 第一声音节的升调和降调

The elevated pitch and the lowered pitch of a 1st tone syllable:

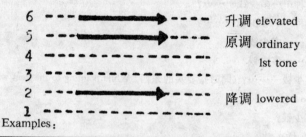

升 调 Elevated pitch	降 调 Lowered pitch
Nín děng chē ↑ ?	Wǒ děng chē ↓ .
Nín mǎi shū ↑ ?	Wǒ mǎi shū ↓ .
Tā qù Běijīng ↑ ?	Tā qù Běijīng ↓ .

举例　Examples:

2. 表示钱数的句子的重音

Stress in sentences expressing sums of money

表示钱数的句子的重音一般总是落在句中表示钱数的词组的最后一个

音节上（量词或数词）:

The stress in a sentence expressing a sum of money usually falls on the last syllable (a measure word or numeral) of the phrase denoting the sum of money.

Zhèizhī qiānbǐ bā fēn.

Zhèizhǒng bǐjìběnr sìmáo liù.

Nèiběnr shū yíkuài sānmáo jiǔ.

四、语法 Yǔfǎ **Grammar**

钱的计算

Counting Chinese money

中国的钱叫人民币,用 RMB 表示。人民币有三个单位,它们之间的关系和它们在口语中的名称如下:

Chinese money is known as *Renminbi* (RMB), and has three units. Here are their names in spoken Chinese and their respective conversions:

块	1块 = 10毛 = 100分
毛	1毛 = 10分 = 1/10块
分	1分 = 1/10毛 = 1/100块

下面的例子说明钱数的说法:

The following examples show how to count in *Renminbi*:

1) 0.03元 三分
  0.46元 四毛六
  1.30元 一块三
  1.39元 一块三毛九

2) 0.02元 二分

0.22元 两毛二

2.20元 两块二毛

2.22元 两块二毛二

3) 1.03元 一块零三

2.05元 两块零五

10.03元 十块零三分

五、练习 Liànxí Exercises

1.语调练习：

Intonation：

1) 用升调念下列句子：

Read the following sentences in the elevated pitch：

(1) Nǐ děng chē?

(2) Nǐ mǎi shū?

(3) Tā shì lǎoshī?

(4) Nǐ yě tīng?

(5) Sān kuài bā?

(6) Tā shì nǐ tóngwū?

2) 用降调念下列句子：

Read the following sentences in the lowered pitch：

(1) Děng chē.

(2) Wǒ mǎi shu.

(3) Tā shì lǎoshī.

(4) Wǒ yě tīng.

(5) Sān kuài bā.

(6) Tā shì wǒ tóngwū.

2. 扩展练习：

Build-up exercise：

<table>
<tr><td>铅笔</td><td>支</td></tr>
<tr><td>两支铅笔</td><td>一支</td></tr>
<tr><td>买两支铅笔</td><td>多少钱一支</td></tr>
<tr><td>要买两支铅笔</td><td>圆珠笔多少钱一支？</td></tr>
<tr><td>我要买两支铅笔。</td><td>这种圆珠笔多少钱一支？</td></tr>
</table>

<table>
<tr><td>四分</td><td>一分</td></tr>
<tr><td>三毛四</td><td>两毛一</td></tr>
<tr><td>七块三毛四</td><td>一块两毛一</td></tr>
<tr><td>一共七块三毛四。</td><td>找您一块两毛一。</td></tr>
</table>

3. 说下面的钱数：

Read out the following amounts of money：

元（yuán＝ 块）

0.01元　0.12元　0.07元　0.10元　0.23元　0.80元

1.00元　1.82元　2.00元　2.02元　2.2元　4.56元

3.10元　5.09元　10.01元　20.3元　43.89元　68.05元

4. 模仿例子写对话：

Compose dialogues following the model：

例 Model：铅笔　0.16/支　两毛

A：这种铅笔多少钱一支？

B：一毛六。

A：买一支。给您钱。

B：这是两毛,找您四分。

(1) 练习本　0.21元/本　一块

(2) 钢笔　1.53元/支　两块

(3) 桌子　89元/张　九十块

(4) 自行车　174元/辆　一百八十块(百 bǎi　hundred)

5. 去小卖部或学校旁边儿的商店买东西。

Speak as much Chinese as possible when you go shopping on campus or nearby.

6. 根据下列情景"怎么样"征求朋友、同学或同屋的意见。

How would you request an opinion from your friends, classmates or roommates, using 怎么样, in the following situations?

1) 今天晚上去看电影。

2) 明天下午去体育馆看球赛。

3) 星期天去香山。

4) 去北京大学看张教授。

第十九课 DÌSHÍJIǓ KÈ

Lesson 19

一、生词 Shēngcí New Words

1. 寄	（动）	jì	to post, to mail
2. 信	（名）	xìn	letter
航空信		hángkōngxìn	air mail
平信		píngxìn	ordinary mail
3. 封	（量）	fēng	*a measure word for letters*
一封信			a letter
4. 还是	（连）	háishi	or (*used in questions*)
5. 纪念	（动）	jìniàn	to commemorate
6. 邮票	（名）	yóupiào	postage stamp
一张邮票			a stamp
7. 套	（量）	tào	*a measure word*, a set
一套邮票			a set of stamps
8. 沓儿	（量）	dár	*a measure word*, a pile (of sheets, envelopes, etc.)

9. 信封　　　（名）xìnfēng　　envelope

一个信封　　　　　　an envelope

一沓儿信封　　　　　a pack of envelopes

10. 信纸　　　（名）xìnzhǐ　　letter paper

一张信纸　　　　　　a sheet of letter paper

一沓儿信纸　　　　　a pad of letter paper

11. 信箱　　　（名）xìnxiāng　letter box

12. 里边儿　　（名）lǐbianr　inside　（n.）

13. 外边儿　　（名）wàibianr　outside　（n.）

二、课文　Kèwén　Text

夏子去邮局寄信。

Natsuko posts letters at the post office：

夏子：同志，我要寄两封信。

工作人员：寄航空信，还是平信？

夏子：寄航空信。

工作人员：两毛五一封，两封五毛。

夏子：有纪念邮票吗？

工作人员：有，您要这种还是要那种？

夏子：两种都要，一共要两套。多少钱？

工作人员：一共两块五毛一。

夏子：多少？两块五毛一，还是两块五毛七？

工作人员：两块五毛一。还要别的吗？

　　夏子：我还要两沓儿信封，两沓儿信纸。

工作人员：我们卖信封，不卖信纸。

　　夏子：好，我买信封。一沓儿信封是十个还是十二个？

工作人员：十个。

　　夏子：请问，信箱在哪儿？在里边儿还是在外边儿？

工作人员：在里边儿。

　　夏子：谢谢。

工作人员：不谢。

Xiàzǐ：Tóngzhì, wǒ yào jì liǎngfēng xìn.

Gōngzuò rényuán：Jì hángkōngxìn, háishi píngxìn?

Xiàzǐ：Jì hángkōngxìn.

Gōngzuò rényuán：Liǎngmáowǔ yìfēng, liǎngfēng wǔmáo.

Xiàzǐ：Yǒu jìniàn yóupiào ma?

Gōngzuò rényuán：Yǒu, nín yào zhèizhǒng háishi yào nèizhǒng?

Xiàzǐ：Liǎngzhǒng dōu yào, yígòng yào liǎngtào. Duōshao qián?

Gōngzuò rényuán：Yígòng liǎngkuài wǔmáo yī.

Xiàzǐ:	Duōshao? Liǎngkuài wǔmáo yī, háishi liǎngkuài wǔmáo qī?
Gōngzuò rényuán:	Liǎngkuài wǔmáo yī. Hái yào biéde ma?
Xiàzǐ:	Wǒ hái yào liǎngdár xìnfēng, liǎng dár xìnzhǐ.
Gōngzuò rényuán:	Wǒmen mài xìnfēng, bú mài xìn zhǐ.
Xiàzǐ:	Hǎo, wǒ mǎi xìnfēng. Yìdár xìnfēng shì shíge háishishí'èrge?
Gōngzuò rényuán:	Shíge.
Xiàzǐ:	Qǐng wèn, xìnxiāng zài nǎr? Zài lǐbianr hái shi zài wàibianr?
Gōngzuò rényuán:	Zài lǐbianr.
Xiàzǐ:	Xièxie.
Gōngzuò rényuán:	Bú xiè.

注释 Zhùshì **Note**:

夏子去邮局寄信

中国的邮局可以寄信,也可以打长途电话、打电报、订报刊。

At a post office, one may post letters, make long distance calls, send teltgraphs or subscribe to newspapers or magazines.

三、语音 Yǔyīn **Phonetics**

1.语调 (2)

Intonation (2)

第一声音节读升调或降调时,其后的轻读或轻声音节也随之升高或降低。

When a 1st tone syllable is in the elevated or lowered pitch, the unstressed or neutral tone syllables following it are also elevated or lowered:

升　　调 Elevated pitch	降　　调 Lowered pitch
Zhè shì shū ma ↑ ? Wǒ qù, tā ne ↑ ? Nín děng chē ma: ↑ Tā shì nǐ gēge ma ↑ :	Zhè shì tāde ↓ . Wǒmen qù Xiāngshān le ↓ . Wǒ zài Zhōngwén xì ↓ . Zhè shì wǒ māma ↓ .

2. SVO 句的重音

Stress in SVO sentences

1) SVO 句的重音一般在宾语的主要成分上。

The stress in a SVO sentence falls on the main element of the object.

S	P	
	V	O
Wǒ	yào jì	liǎngfēng xìn 。

Zhè	shì	shū .
Xìnxiāng	zài	lǐbianr.
Wǒ	mǎi	xìnfēng.

2) 当句子没有 O 的时候，重音在 V 上。

The verb should be stressed when the object is absent.

| S | P |
	V
Nǐ	kàn.
Wǒ	qù .

3） 在回答不同问题时，句子重音也有变化。

The position of the stress depends on the question being answered.

Nǐ kàn diànyǐng ma？ Wǒ kàn diànyǐng.

Nǐ kàn diànyǐng bú kàn？ Wǒ kàn diànyǐng.

Nǐ kàn diànyǐng háishi kàn diànshì？ Wǒ kàn diànyǐng.

Nǐ kàn shénmediànyǐng？ Wǒ kàn Zhōngwén diànyǐng.

四、语法 Yǔfǎ Grammar

连词"还是"

The conjunction 还是（háishi）

"还是"用于选择疑问句。

还是（háishi）is a conjunction used in alternative questions.

你寄航空信，还是（寄）平信？

信箱在里边儿，还是（在）外边儿？

你买一套，还是（买）两套？

在以上各例中，"还是"连接的是两个动宾结构。在动词相同时，后一个动词可省略，下面的例子中，后一动词不可以省略：

In the above examples，还是 （háishì) is used to connect two verb—object constructions. When the verbs of the two constructions are the same，the second one may be ómitted. In the following example，the second verb can not be left out.

你看电影，还是听音乐？

五、练习　Liànxí　Exercises

1.语调练习：

Intonation

1)用升调读下列各句：

Read the following sentences in the elevated pitch：

    （1）Zhè shì zhuōzi?

    （2）Zhè shì zhuōzi ma?

    （3）Tā ne?

    （4）Tā māma ne?

    （5）Nǐ chī ma?

2)用降调读下列各句：

Read the following sentences in the lowered pitch：

    （1）Zhè shì zhuōzi.

    （2）Gěi tā ba.

    （3）Nà shì wǒ gēge.

    （4）Nǐ chī ba.

    （5）Nǐ shuō ba.

2.句重音：

Sentence stress：

1)朗读下列各句,划出句重音：

Read the following sentences and underline elements of the sentnece which are stressed：

    （1）Nǐ tīng!　　　　（6）Nǐ xiěxie.

    （2）Nǐ lái.　　　　　（7）Wǒ mǎi huàbào.

    （3）Wǒ qù.　　　　（8）Tā jì xìn.

    （4）Nǐ xiǎngxiang.　（9）Wǒ chī fàn.

    （5）Wǒmen zhǎozhao.（10）Tā xué Hànyǔ.

2)写出答句并划出句重音：

Give answers to the following questions and indicate the sentence stress for each answer：

　　　　(1) Nǐ tīng yīnyuè ma?

　　　　(2) Nǐ mǎi shénme yóupiào?

　　　　(3) Tā huì shuō Hànyǔ ma?

　　　　(4) Nǐ qù bu qù yínháng?

　　　　(5) Nǐ kàn jīngjù háishì kàn zájì?

　　　　(6) Tā yǒu shéme huàbào?

3. 扩展练习：

Build-up exercise：

信	邮票
航空信	纪念邮票
一封航空信	两套纪念邮票
寄一封航空信	买两套纪念邮票
我寄一封航空信。	他买两套纪念邮票。

4. 用"还是"造选择问句：

Write questions using 还是（háishì）and the following sets of words：

1）航空信　平信　　　　　　4）米饭　糖包儿

2）一张　两张 邮票　　　　　5）南边儿　北边儿

3）七块两毛一　一块两毛一　6）中文　历史

5. 记一次你寄信的情况：

Write about an experience posting a letter.

6. 就下述情景写一段对话：

Compose a dialogue based on the following situation：

晚上你写完一封信,你要寄信,邮局已经关门了,你怎么办?

Suppose you wrote a letter one evening and you intended to post it,
but the post office was closed. What do you do then?

第二十课　DÌ'ÈRSHÍ KÈ
Lesson 20

一、生词　Shēngcí　**New Words**

1. 能	（能动）	néng	can
2. 换	（动）	huàn	to change
3. 外币	（名）	wàibì	foreign currency
法郎		fǎláng	franc
马克		mǎkè	mark
美元		měiyuán	U. S. dollar
日元		rìyuán	yen (*Japanese currency*)
英镑		yīngbàng	pound sterling
4. 人民币	（名）	rénmínbì	*Renminbi (Chinese currency)*
5. 牌价	（名）	páijià	exchange rate, list price
6. 万	（数）	wàn	ten thousand
7. 千	（数）	qiān	thousand
8. 百	（数）	bǎi	hundred
9. 填	（动）	tián	to fill in
10. 表	（名）	biǎo	form (*a printed paper with spaces to be filled in*)

11. 数　　　（动）shǔ　　　to count

专名　Zhuānmíng　**Proper Names**

中国工商银行　Zhōngguó Gōngshāng Yínháng

Chinese Industrial and Commercial Bank

中国银行　Zhōngguó Yínháng　Bank of China, a bank under the State Council dealing in foreign exchange.

二、课文　Kèwén　Text

夏子去银行换钱。

Natsuko goes to a bank to change money.

夏子：请问，这儿能换钱吗？

工作人员：这儿是中国工商银行，不能换外币。请您去中国银行吧。

（夏子来到中国银行）

夏子：同志，我要换钱。

工作人员：您换什么钱？

夏子：我有日元，换人民币。今天牌价多少？

工作人员：十万日元换三千〇三十五块一毛八人民币。您换多少？

夏子：我换两万二千日元。

工作人员：请您填这张表。

夏子：好。

工作人员：两万二千日元换六百六十七块
七毛四人民币，您数数。

夏子：（数完钱）对了。

Xiàzǐ：Qǐng wèn, zhèr néng huàn qián ma?

Gōngzuò rényuán：Zhèr shì Zhōngguó Gōngshāng Yínháng, bù néng huàn wàibì. Qǐng nín qù Zhōngguó Yínháng ba.
(Natsuko goes to the Bank of China.)

Xiàzǐ：Tōngzhì, wǒ yào huàn qián.

Gōngzuò rényuán：Nín huàn shéme qián?

Xiàzǐ：Wǒ yǒu rìyuán, huàn rénmínbì. Jīntiān páijià duōshao?

Gōngzuò rényuán：Shíwàn rìyuán huàn sānqiān líng sānshíwǔkuài yīmáo bā rénmínbì. Nín huàn duōshao?

Xiàzǐ：Wǒ huàn liǎngwàn èrqiān Rìyuán.

Gōngzuò rényuán：Qǐng nín tián zhèzhāng biǎo.

Xiàzǐ：Hǎo.

Gōngzuò rényuán：Liǎngwàn èrqiān rìyuán huàn liùbǎi liùshí qīkuài qīmáo sì rénmínbì, nín shǔshu.

Xiàzǐ：(Having counted the money) Duì le.

替换词语　Tìhuàn cíyǔ　Substitutes

2000　英镑 3200美元	牌	100英镑→680.36元人民币 100美元→371.271元人民币
7050　法国法郎 12400马克	价	100法国法郎→68.18元人民币 100马克→213.80元人民币

注释　Zhùshì　**Note**：

数数：

　　这是动词的重叠用法,此处起缓和语气的作用。重叠的动词读轻声,"数数"读作 shǔshu。

　　This is the reduplicated form of verb, functioning here to make the tone moderate. The reduplicated verb is in the neutral tone, thus 数数 is read shǔshu.

三、语音　Yǔyīn　Phonetics

语调 （3）

Intonation （3）

　　第二声音节的升调和降调图示如下：

　　The elevated and lowered pitches of a 2nd tone syllable are shown below：

升调 elevated

原调 ordinary 2nd tone

降调 lowered

举例 Examples：

升　　调 Elevated pitch	降　　调 Lowered pitch
Zhè shì shéi↑?	Zhè shì Tián Dànán↓.
Duōshao qián↑?	Xiàzǐ qù yínháng↓.
Nǐ shénme shíhour qǐ chuáng↑?	Gěi nín qián↓.

四、语法 Yǔfǎ Grammar

"百、千、万"的称数法

Counting from 100—100,000

1)　100　　200　　　　300 ······　900

　　一百　　二百　　　三百　　　九百

　　1,000　2,000　　3,000······ 9,000

　　一千　　两千　　　三千　　　九千

　　10,000 20,000　 30,000······ 90,000　　　100,000

　　一万　　两万　　　三万　　　九万　　　　　十万

2)　101

　　一百零一

　　1,001　　　　　1,010

　　一千零一　　　　一千零一十

　　10,001　　　　　10,010　　　　　　10,100

　　一万零一　　　　一万零一十　　　　　一万零一百

3)　110　　　　　111　　　　　　121

　　一百一(十)　　一百一十一　　　　一百二十一

　　1,100　　　　　1,110　　　　　　1,221

一千一(百)	一千一百一(十)	一千二百二十一
12,000	12,200	12,210
一万二(千)	一万二千二(百)	一万二千二百一

4)
220	2,200	22,000
二百二(十)	两千二(百)	两万二(千)

注意：第3) 4)组中，数字后面没有量词时，最后一个单位(十，百，千)可以省略。但第2)组中各数字的最后一个单位不能省略。

Note that the last unit of the numbers in 3) and 4) can be omitted when not followed by a measure word. However, the last unit of the numbers in 2) can not be left out.

五、练习 Liànxí Exercises

1. 语调练习：

Intonation drills：

1) 用升调读下列名句：

Read the following sentences in the elevated pitch：

(1) Tā zhù nǎ ge lóu?

(2) Tā shì Rìběnrén?

(3) Míngtiān tā bù lái?

(4) Wǒ mèimei shì nǐ tóngxué?

(5) Nǐ qù Běijīng Dàxué?

2) 用降调读下列各句：

Read the following sentences in the lowered pitch：

(1) Tā zhù jiǔ lóu.

(2) Tā shì Rìběn rén.

(3) Míngtiān tā bù lái.

(4) Nǐ mèimei shì wǒ tóngxué.

(5) Wǒ qù Běijīng Dàxué.

3)把(1)和(2)组成对话朗读,注意语调。

Read the sentences in (1) and (2) in pairs, paying attention to the intonation.

2. 扩展练习:

Build-up exercise:

钱	表
换钱	这张表
能换钱	填这张表
不能换钱	您填这张表。
这儿不能换钱。	请您填这张表。

3. 念下列数字或"数 + 量"词组:

Read out the following numbers and "numeral + measure word" phrases:

7,400	5,600	82,010	60,102
201本	20,100张	7,010人	20,101个
98,021本	1,000把	43,124个	3,400封

4. 朗读下列对话,并模仿对话自己编写两段对话,用上"数数"、"换":

Read the following dialogues and then compose two dialogues of your own using the words 数数 and 换:

1) A:车来了,上车吧! 一共多少人,你数数。

   B:一、二、三、四、五、……一共四十个人。

   A:好。开车吧!(kāichē to start, to drive)

2) A:同志,我买苹果(píngguǒ apple)

   B:要多少?

A：一斤。对不起，这个不好，请换一个。

B：行。

5. **请听广播记下当天的外汇牌价。**

Listen to a news broadcast and take down the conversion rate of RMB for different foreign currencies.

6. **去银行换钱。**

Go to a bank and convert some foreign money into RMB.

第二十一课 DÌ'ÈRSHÍYĪ KÈ

Lesson 21

一、生词　Shēngcí　New Words

1. 小 　　（形）xiǎo　　little, small, young

2. 叔叔 　（名）shūshu　　uncle (*one's father's borther*), *a form of address used by children to call a man about his parents' age*

3. 阿姨 　（名）āyí　　aunt, *a form of address used by children to call a woman about his parents' age*

4. 多 　　（副、形）duō　　how (adv.), many, much, more

5. 大 　　（形）dà　　big

　　多大了 　　duō dà le　　How old…?

6. 岁 　　（量）suì　　year of age

7. 个子 　（名）gèzi　　stature

8. 真 　　（形）zhēn　　real, really

9. 高 　　（形）gāo　　tall, high

10. 有	（动）yǒu	to get to, to reach (a certain standard)
11. 米	（量）mǐ	meter
12. 胖	（形）pàng	(of a person) fat
13. 重	（形）zhòng	heavy, weighty
14. 几	（数）jǐ	some, several (*used in statements*)
15. 公斤	（量）gōngjīn	kilogram
16. 老	（形）lǎo	old
17. 先生	（名）xiānsheng	gentleman, Mr.
18. 年纪	（名）niánjì	age
19. 猜	（动）cāi	to guess

专名 Zhuānmíng **Proper Names**

| 王兰 | Wáng Lán | name of Gāo Kāi's wife |

二、课文 Kèwén Text

高开和他爱人王兰逛公园,看见一位老人带着两个小孩儿,那两个小孩儿很可爱。他们走上去说话。

Gao Kai and his wife Wang Lan go to a park and meet an old man with two children there. They find the two children very cute and go up to speak to them.

王：你好，小朋友！
高：

女孩儿：叔叔、阿姨好！

王：你多大了？

女孩儿：我七岁了。

高：（对老人）她个子真高！

王：她有多高？

老人：她一米多了。

高：这是她弟弟吧？几岁了？

老人：他三岁多了。

王：他真胖，他有多重？

老人：二十几公斤。

高：老先生，您多大年纪了？

老人：我？你们猜猜。

高：您六十几岁了吧？

王：不对，七十几岁！

老人：七十几岁？

高：七十一二岁！

老人：不对，我今年七十九了。

王：
高： 是吗？

Wáng：
　　　Nǐ hǎo, xiǎo péngyou！
Gāo：

Nǚháir：Shūshu、āyí hǎo！

Wáng：Nǐ duō dà le？

Nǚháir：Wǒ qīsuì le.

Gāo：(To the old man) Tā gèzi zhēn gāo！

Wáng：Tā yǒu duō gāo？

Lǎorén：Tā yìmǐ duō le.

Gāo：Zhè shì tā dìdi ba？ Jǐsuì le？

Lǎorén：Tā sān suì duō le.

Wáng：Tā zhēn pàng, tā yǒu duō zhòng？

Lǎorēn：Èr shíjǐ gōngjīn.

Gāo：Lǎo xiānsheng, nín duō dà niánjì le？

Lǎorén：Wǒ？ Nǐmen cāicai.

Gāo：Nín liùshíjǐsuì le ba？

Wáng：Bú duì, qīshíjǐsuì！

Lǎorén：Qīshíjǐ suì？

Gāo：Qīshíyī—èr suì！

Lǎorén：Bú duì, wǒ jīnián qī shǐjiǔ le.

Wáng：
　　　Shì ma？
Gāo：

— 162 —

注释 Zhùshì Notes：

1. 小朋友

这是对不认识的儿童的称呼。

This is a form of address for a child who is a stranger.

2. 这是她弟弟吧? 您六十几岁了吧?

"吧"表示不肯定、揣测的语气。

The modal particle 吧（ba）expresses conjecture.

3. 老先生

这是对陌生的老年男子的一种称呼。

This is a form of address for an old man who is a stranger.

三、语音 Yǔyīn Phonetics

1. 语调 （4）

Intonation （4）

第二声音节读升调或降调时，后面的轻读或轻声音节也随之升高或降低。

When a 2nd tone syllable is spoken in the elevated or lowered pitch，the unstressed or neutral tone syllables that follow it are also raised or lowered.

升 调 Elevated pitch	降 调 Lowered pitch
Zhè shì shénme ↑ ?	Tā shì wǒ biéde le ↓ .
Nín duō dà niánjì le ↑ ?	Yìdár xìnfēng shì shíge ↓ .
Hái yào biéde ma ↑ ?	Bú yào bié de le ↓ .

2. "几"的重读和轻读

The stressed and unstressed 几 (jǐ)

"几"在疑问句中，重读；在陈述句中轻读。

In questions, 几, which means "how many", is stressed; in statements, it means "several" and is unstressed.

    1) Nǐ jǐsuì le?   2) Tā èrshijǐsuì le.

    Nín qīshijǐsuì le?   Wǒ liùshijǐ gōngjīn.

    Nín yào jǐge ?

3. 表示年龄、身高、体重的句子的重音

Stress of sentences indicating age, height and weight

1) Tā qīsuì.   2) Tā qīshísuì.   3) Tā qīshíwǔsuì.

    Tā yìmǐ .   Tā yìmǐqī.   Tā yìmǐqīwǔ.

    Tā shígōngjīn.   Tā liùshígōngjīn.   Tā liùshígōngjīn.

四、语法 Yǔfǎ Grammar

1. 概数表示法

Approximate numbers

1) 用"多"表示，"多"有两个位置：

多 (duō) expressing approximate numbers may be placed in two positions：

    A. "十""百"等整数

    With integrals such as 十, 百, etc.

数　　词 Numeral	多	量　　　词 Measure word
二十	多	岁
七十	多	公斤
三百	多	米

B. "个"位：

With digits：

数　　词 Numeral	量　　词 Measure word	多
七	岁	多
二十三	岁	多
一	米	多
七十二	公斤	多

2)用"几"代表不定的数位：

几 may be used in different digital of a number：

A.

数　　词 Numeral	几	量　　词 Measure word
二十	几	岁
二十	几	公斤
十	几	米

B.

几	数　　词 Numeral	量　　词 Measure word
几	十	岁
几	百	公斤
几	十	米

3)用两个相邻数字：

Approximation also may be expressed by juxtaposing two

consecutive numbers：

一两个	一二十斤	二十二三个
两三个	二三十个	三十三四岁

2. 年龄、身高、体重的表示法

How to tell age，height and weight

1) 询问年龄：

Asking about age：

① 这个小朋友多大了？几岁了？（他七岁了。）

② 你二十几了？（我二十二了。）

③ 他今年二十三四了吧？（对了，他二十三了。）

④ 您多大年纪了？（我六十多了。）

注意：在口语中省去"岁"。

N. B. 岁（suì）is often omitted in spoken Chinese．

2) 询问身高、体重：

Asking about height and weight：

① 他有多高？（他一米七。）

② 他有多重？（他七十公斤。）

"有"这里是"达到"的意思。

In the above examples，有 means "to reach"．

这种句子的谓语是数量词：

The "numeral-measure word" phrases are the predicates of these sentences：

S	P
他	七岁。
他	一米七。
他	七十公斤。

五、练习　Liànxí　**Exercises**

1. 朗读下列各句，注意语调：

Read the following sentences, paying attention to the intonation：

1) Zhè xiē dōngxi shì shéide?

Zhè xiē dōngxi shì nínde.

2) Jīntiān tā lái ma?

Jīntiān tā bù lái le.

3) Nǐ hái yào biéde ma?

Wǒ bú yào biéde le.

4) Zhè jiàn yīfu féi ma?

Nǐ kàn, bù féi ba?

2. 朗读下列各句，注意"几"的重读和轻读：

Read the following sentences, paying attention to the stressed and unstressed 几 (jǐ)：

1) Tā èr shí jǐ le?

Tā dàgài yǒu èrshí jǐ suì.

2) Nín wǔshí jǐ le?

Nà wèi xiānshēng wǔshí jǐ suì le.

3) Zhè xiē dōngxi yǒu sānshí jǐ gōngjīn?

Zhè xiē dōngxi yǒu sānshí jǐ gōngjīn.

4) Zhè gè lóu yǒu shíjǐ mǐ gāo?

Zhè gè lóu yǒu shíjǐ mǐ gāo.

5) Tā yǒu jǐge gēge?

Tā yǒu jǐge gēge.

3. 扩展练习：

Build-up exercise：

<table>
<tr><td>重</td><td>高</td></tr>
<tr><td>多重</td><td>十米高</td></tr>
<tr><td>有多重</td><td>有十米高</td></tr>
<tr><td>你有多重？</td><td>那个楼有十米高？</td></tr>
<tr><td></td><td></td></tr>
<tr><td>胖</td><td>岁</td></tr>
<tr><td>真胖</td><td>几岁</td></tr>
<tr><td>弟弟真胖。</td><td>二十几岁</td></tr>
<tr><td>小王的弟弟真胖。</td><td>有二十几岁。</td></tr>
<tr><td></td><td>他有二十几岁。</td></tr>
</table>

4. 用概数回答下列问题：

Answer the following questions, using approximate numbers：

1）他今年多大了？

2）这张桌子有多重？

3）他们班有多少学生？

4）他妹妹几岁？

5）那位老人多大年纪了？

6）你们学校有多少外国学生？

7）你有多高？

8）这些东西有多重？

5. 练习会话并记下对话：

Have conversations based on the following topics：

1）问你朋友的身高和体重。

Ask your friend of his/her height and weight.

2）问一个中国人长城的长度和高度。

Ask a Chinese of the length and height of the Great Wall.

3）你去买水果或者买菜，问重量。

Ask of the weight of fruit or vegetables you buy.

第二十二课 DÌ'ÈRSHÍ'ÈR KÈ

Lesson 22

一、生词　Shēngcí　New Words

1. 哈哈　　（象声）hāhā　　*a word imitating the sound of laughter*

2. 笑　　　（动）xiào　　to laugh

3. 小孩儿　（名）xiǎoháir　child

4. …的时候儿　…de shíhour　when…

5. 这么　　（代）zhème　　this way, so

6. 对不起　　duìbuqǐ　Sorry!

7. 别　　　（副）bié　　don't

8. 生气　　shēng qì　to get angry

9. 千万　　（副）qiānwàn　be sure not

10. 老人　（名）lǎorén　old folk

11. 那么　（代）nàme　then, in that case

12. 应该　（能动）yīnggāi　should, ought to

13. 呢　　（助）ne　　*an interrogative modal particle to give a moderate tone*

14. 或者	（连）huòzhě	or（*used in statements*）
15. 岁数	（名）suìshù	year of age
16. 别人	（代）biéren	other people, others
17. 年轻	（形）niánqīng	young
18. 女人	（名）nǚrén	woman
19. 年龄	（名）niánlíng	age
20. 一般	（形）yìbān	usually, ordinary

二、课文　Kèwén　Text

高开告诉约翰问中国人年龄的时候,应该注意什么。

Gāo kāi tells John what should be careful about when he asks a Chinese of age.

约翰：老师,您几岁了?

高：哈哈…

约翰：您笑什么?

高：我们问小孩儿的时候儿,这么问。

约翰：对不起,我不知道,您别生气。

高：没什么。你千万别问老人"几岁了"。

约翰：那么,应该怎么问呢?

高：应该问"多大年纪了",或者"多大岁

数了"。

约翰：老师，您多大岁数了？

高：对了。我今年四十五了。

约翰：我还听别人问我"多大了"。

高：问小孩儿或者年轻人的时候儿可以这么问。

约翰：在中国，能不能问女人年龄？

高：一般不问年轻女人。老人可以问年轻人、或者小孩儿，年轻人也可以问老人或者小孩儿。

Yuēhàn：Lǎoshī, nín jǐsuì le?

Gāo：Hāhā…

Yuēhàn：Nín xiào shénme?

Gāo：Wǒmen wèn xiǎoháir de shíhour, zhème wèn.

Yuēhàn：Duìbuqǐ, wǒ bù zhīdào, nín bié shēngqì.

Gāo：Méi shénme. Nǐ qiānwàn bié wèn lǎorén "jǐsuì le".

Yuēhàn：Nàme, yīnggāi zěnme wèn ne?

Gāo：Yīnggāi wèn "Duō dà niánjì le", huòzhě "Duō dà suì shù le".

Yuēhàn：Lǎoshī, nín duō dà suìshù le?

Gāo：Duì le. Wǒ jīnnián sìshíwǔsuì le.

Yuēhàn：Wǒ hái tīng biérén wèn wǒ ″Duō dà le″.

Gāo：Wèn xiǎoháir huòzhě niánqīng rén de shíhour，kěyǐ
zhème wèn.

Yuēhàn：Zài Zhōngguó，néng bu néng wèn nǔrén niánlíng?

Gāo：Yìbān bú wèn niánqīng nǔrén. Lǎorén kěyǐ wèn
niánqīng rén huòzhě xiǎoháir，niánqīng rén yě kěyǐ
wèn lǎorén huòzhě xiǎoháir.

注释 Zhùshì **Notes**：

1. 笑什么

这是询问原因。"笑"要重读。

This is used to ask for reason. 笑 is stressed.

2. 没什么

"没什么"用来回答别人的抱歉。

没什么 is a reply to an apology.

3. 别

"别"用来表示制止：

别 means to stop someone from doing something.

你别问老人"几岁了"。

你今天别去看电影了。

三、语音 Yǔyīn Phonetics

语调 (5)

Intonation (5)

第三声音节的升调和降调：

The elevated and lowered pitches of a third tone syllable is shown as follows:

5 ---------------------------- 升调 elevated
4 ---------------------------- 原调 ordinary 3rd tone
3 ----------------------------
2 ----------------------------
1 ---------------------------- 降调 lowered

第三声音节读升调时,下降部分短促,然后升到五度音高;读降调时,跟半三声差不多。

When read in the elevated pitch, the falling of the third tone sylla-ble is shortened and the rising should reach the high pitch. The lowered pitch of a third tone syllable is like the half—third tone.

升　调 Elevated pitch	降　调 Lowered pitch
Nǐ shàng nǎr ↑ ?	Wǒ qù kàn diànyǐng. ↓
Xìnxiāng zài nǎr?	Xiànzài chà shífēn liùdiǎn. ↓
Nǐ　èrshijǐ ↑ ?	Wǒ yào mǎi　qiānbǐ ↓ .
Liǎngkuàiwǔ ↑ ?	Wǒmen bú mài xìnzhǐ ↓ .

四、语法　Yǔfǎ　Grammar

1. "或者"和"还是"

或者 and 还是

"或者"和"还是"都是 or 的意思,但"或者"用于陈述句,"还是"用于疑问句（见第19课）。

Both 或者 and 还是 mean "or" in English. 或者 is used in statements while 还是 is used in questions. (Please refer to Lesson 19.)

或者：

老人可以问年轻人或者小孩儿年龄。

还是：

您寄平信还是寄航空信？

2. 这么、那么、怎么

Pronouns 这么、那么 and 怎么

"这么、那么、怎么"都是代词，"这么、那么"用于表示方式，"怎么"用于询问方式，在句中都作状语，要放在谓语前面。

这么、那么 and 怎么 are pronouns. 这么 and 那么 express manner and 怎么 is used to ask about manner. All three precede the predicate as adverbials.

应该怎么问人年龄？

应该这么问。

"那么"还可以做连词。

那么 also may be used as a conjunction.

那么，应该怎么问呢？

3. 呢

The modal particle 呢

"呢"是表示疑问的语气助词，用于下面几种问句中表示深究：

呢 is a modal particle expressing interrogation, used in the following types of questions to make a detailed inquiry or to obtain further information：

1) 应该怎么问呢？

这是什么地方呢？

— 175 —

我上体育场，他上体育馆，你上哪儿呢？

你什么时候儿去呢？

2）您寄平信呢，还是寄航空信呢？

你去看戏呢，还是看电影呢？

你学中文呢，还是学历史呢？

3）你去不去呢？

能不能问女人年龄呢？

注意："呢"不能用于带"吗"的疑问句。

Note that 呢 cannot occur in questions using 吗。

五、练习 Liànxí **Exercises**

1. 朗读下列各句，注意语调：

Read the following sentences, paying attention to the intonation：

1）Zhè shì nǐde bǐ?

Tā sìshí jǐ?

Nǐ mǎi jǐ běn?

Jīntiān xīngqījǐ?

Nǐ zěnme bú kàn diànyǐng?

2）Zhè bú shì wǒde bǐ.

Tā sìshí wǔ.

Wǒ mǎi sān běn.

Jīntiān Xīngqīwǔ.

Wǒ bù xǐhuan kàn diànyǐng.

2. 扩展练习：

Build-up exercise：

问	说
怎么问	这么说
应该怎么问	应该这么说

生气	年龄
很生气	问年龄
她很生气。	问她年龄
今天她很生气。	别问她年龄。

千万别问她年龄。

3. **用"或者"、"还是"填空**：

Fill in the blanks with 或者 or 还是：

1) 这本英文杂志是你的_____高老师的？

2) 晚上我在宿舍作练习_____看电视。

3) 你要买一套纪念邮票_____七套？

4) 星期一_____星期二去长城，都可以。

5) 他个子高，_____他弟弟个子高？

6) 用圆球笔_____钢笔填这张表。

4. **用"别"完成下列句子**：

Complete the following sentences using 别：

1) 现在上课了，_____。

2) 你已经有钢笔了，_____。

3) 他也不知道这个字怎么写，_____。

4) 上星期你看杂技了，今天_____。

5. **用下列词组与"…的时候儿"一起造句**：

Make sentences using the following phrases and "…的时候儿" as the adverbial clause of time of each sentence：

1) 吃饭   5) 来中国

2) 寄信   6) 买东西

3) 等车   7) 问年龄

4) 换钱   8) 去故宫

6. **用"怎么"提问，用"这么"、"那么"回答**：

Ask questions with "怎么" and answer them with "这么" or "那么"：

1) 写   汉字   4) 寄   航空信

2) 做   练习   5) 吃   这种东西

3) 走　　　　去俱乐部

7. 请你说一说中国人问年龄的方法，谈谈你们的习惯。

Speak about the Chinese customs and your native customs of asking a person's age.

8. 根据下列情景编对话，用上"对不起"：

Compose dialogues on the following situations in which 对不起 is used：

1) 你看见一个学生，你问他是中国人不是，他说不是。

2) 你去银行换钱，工作人员说得太快，你听不懂。

3) 你找414号房间，但是你敲了441号房间的门。

4) 你的词典跟你同屋的一样，你拿错了。

第二十三课　DÌ'ÈRSHÍSĀN KÈ

Lesson 23

一、生词　Shēngcí　New Words

1. 在　　　（副）zài　　　*an adverb indicating an action in progress*

2. 做　　　（动）zuò　　　to do

3. 复习　　（动）fùxí　　　to review (one's lessons)

   　　　　（名）fùxí　　　review, revision

4. 语法　　（名）yǔfǎ　　　grammar

5. 呢　　　（助）ne　　　　*a modal particle indicating the progress of an action*

6. 休息　　（动）xiūxi　　　to rest

7. 打球　　　　dǎ qiú　　　to play a ball game

8. 一块儿　（副）yíkuàir　　together

9. 行　　　（形）xíng　　　That'll do, all right

   不行　　　　bù xíng　　That won't do

10. 考试　（动、名）kǎoshì　　to have an examination, examination

11. 录音　（名、动）lùyīn　　recording, to have one's voice recorded by a tape recorder

12. 写	（动）xiě	to write
13. 汉字	（名）Hànzì	Chinese characters
14. 念	（动）niàn	to read (aloud)
15. 课文	（名）kèwén	text
16. 练习	（动）liànxí	to practice
	（名）liànxí	exercises
17. 刚才	（副）gāngcái	just now
18. 广播	（名、动）guǎng bō	broadcasting, to broadcast

二、课文　Kèwén　Text

I

约翰到阿里宿舍来找他一起去打球。

John stops by Ali's room to see if he wants to go to play a ball game.

约翰：阿里，你在做什么？

阿里：我在复习语法呢。

约翰：休息休息吧。你想打球吗？咱们一块儿去，好吗？田大年也去。

阿里：现在？不行。明天考试，我今天不能休息。

— 180 —

Yuēhàn：Ālǐ, nǐ zài zuò shénme?

Ālǐ：Wǒ zài fùxí yǔfǎ ne.

Yuēhàn：Xiūxixiūxi ba. Nǐ xiǎng dǎ qiú ma?Zánmen yíkuàir
qù, hǎo ma? Tián Dànián yě qù.

Ālǐ：Xiànzài? Bù xíng. Míngtiān kǎoshì, wǒ jīntiān bú
néng xiūxi.

替换词　Tìhuàncí　Substitutes

听	录音	tīng	lùyīn
写	汉字	xiě	Hànzì
念	课文	niàn	kèwén
做	练习	zuò	liànxí

II

约翰从阿里宿舍出来，在操场找到田大年。

John goes to the sports field from Ail's room and finds Tian Dani-
an there.

田：阿里来吗？

约翰：他不来。

田：刚才你去的时候儿，他在做什么？

约翰：你猜猜。

田：他在看电视。

约翰：没有。

田：他在做什么呢？

约翰：他在复习语法呢。他说明天要考试，
今天不打球。

Tián：Ālǐ lái ma？
Yuēhàn：Tā bù lái.
Tián：Gāngcái nǐ qù de shíhour，tā zài zuò shénme？
Yuēhàn：Nǐ cāicai.
Tián：Tā zài kàn diànshì.
Yuēhàn：Méiyou.
Tián：Tā zài zuò shénme ne？
Yuēhàn：Tā zài fùxí yǔfǎ ne. Tā shuō míngtiān yào kǎoshì,

jīntiān bù dǎ qiú.

替换词 Tìhuàncí Substitutes

听	广播	tīng	guǎngbō
听	音乐	tīng	yīnyuè
写	信	xiě	xìn
睡	觉	shuì	jiào

三、语音 Yǔyīn Phonetics

语调 （6）

Intonation (6)

半三声也可读升调和降调。读升调时，其后的轻读或轻声音节也随之升高，大致相当于五度音高。

A half-third tone syllable also may be pronounced in an elevated or lowered pitch. When it is elevated, the unstressed and neutral tone syllables following it are raised towards the high pitch.

Yǒu xìnzhǐ ma ↑ ?

Nǐ kàn diànyǐng ma ↑ ?

Jīntiān nín shàng nǎr le ↑ ?

Xiànzài jǐ diǎn le ↑ ?

Zhè shì tā jiějie ba ↑ ?

半三声读降调时，其后的轻读或轻声音节降到一度音高。

When a half-third tone syllable is in a lowered pitch, the unstressed and neutral tone syllables which follow also fall to a low pitch.

Xìnxiāng zài lǐbianr ↓ .

Zhè shì ta jiějie ↓ .

Xiànzài bādiǎn le ↓ .

Wǒ jīnnián qīshijiǔ le ↓ .

四、语法 Yǔfǎ **Grammar**

表示动作的进行

Expressing actions in progress

表示动作的进行有几种方法。本课学的是用副词"在"和语气助词"呢"

表示。

Progressive actions may be expressed in several ways. In this lesson, the adverb 在 (zài) and the modal particle 呢 (ne) are used to express an action in progress.

1) 你 在 做 什么?

我 在 复习 语法。

我 在 看 电视。

2) 你 做 什么 呢?

我 复习 呢。

他 看 电视 呢。

3) 你 在 做 什么 呢?

我 在 复习 语法 呢。

他 在 看 电视 呢。

我们可以用"没有"来否定这样的句子。回答问题时,可以简单地说"没有"。

没有 (méiyou) is used to negate such sentences and it may serve as a short reply to a question.

他在复习语法吗?

没有。

他看电视呢吗?

没有。

五、练习 Liànxí Exercises

1. **朗读下列各句,注意语调:**

Read the following sentences, paying attention to the intonation:

1) Tóngzhì, yǒu xìnzhǐ ma?

Tā shì nǐ nǎinai ma?

Zhèigè zì nǐ huì xiě ma?

Jīntiān nǐmen xuéxí yǔfǎ le?

Nǐ bàba liùshí jǐ le?

2) Yǒu a, nǐ yào nǎ zhǒng?

Tā bú shì wǒ nǎinai.

Wǒ huì xiě le.

Duì, wǒmen xuéxí yǔfǎ le.

Tā jīnnián liùshí jiǔ le。

2. 扩展练习:

Build-up exercise:

什么 语法

做什么 复习语法

在做什么 在复习语法

你在做什么? 我在复习语法。

打球 考试

去打球 要考试

一块儿去打球 明天要考试

咱们一块儿去打球。 他说明天要考试。

3. 用所给词语写对话:

Compose dialogues, using the words given below:

例 Model:

看书,写汉字

A:你看书的时候,他在做什么?

B:他写汉字呢。

1) 写信　　听音乐　　　4) 吃饭　　喝茶

2) 复习课文　听录音　　5) 寄信　　买邮票

3) 听广播　　看报　　　6) 作练习　休息

4. **完成下列对话：**

Complete the following dialogues：

1) A：你找（zhǎo look for）谁？

B：＿＿＿＿＿＿＿＿＿＿＿。

A：他们都不在宿舍。

B：＿＿＿＿＿＿＿＿＿＿＿？

A：一个在换钱，一个在寄信，你说他们在哪儿？

B：＿＿＿＿＿＿＿＿＿＿＿。

2) A：＿＿＿＿＿＿＿＿＿＿＿？

B：我复习语法呢，你呢？

A：＿＿＿＿＿＿＿＿＿＿＿。

B：我这儿有两支，给你一支。你还找什么？

A：＿＿＿＿＿＿＿＿＿＿＿。

B：那不是吗？现在你要做什么？

A：＿＿＿＿＿＿＿＿＿＿＿。

5. **你去商店，看见你朋友正在买东西，你们说什么？**

What do you say when you meet a friend shopping in a shop?

6. **你去朋友的宿舍，他正在写信，你们说什么？**

What do you say to a friend who you find writing a letter in his/her room?

7. **你去邮局看见你的老师正在寄信，你们说什么？**

What do you say to a teacher who you encounter as he is posting a letter at the post office?

第二十四课　DÌ'ÈRSHÍSÌ KÈ

Lesson 24

一、生词　Shēngcí　New Words

1. 准备　（动、名）zhǔnbèi　to prepare, preparation

2. 第　（头）dì　*a prefix indicating an ordinal number*

3. 节　（量）jié　*a measure word, period*

4. 完　（动）wán　to finish

5. 还没（有）…呢　hái méi(you)…ne　not…yet

6. 到　（动）dào　to come to, to reach

7. 课　（量、名）kè　lesson, class

8. 问题　（名）wèntí　question, problem

9. 互相　（副）hùxiāng　each other, mutually

10. 帮助　（动、名）bāngzhù　to help, help

11. 意思　（名）yìsī　meaning

12. 词　（名）cí　word

13. 生词　（名）shēngcí　new word

14.	页	（名、量）yè	page
15.	懂	（动）dǒng	to understand
16.	用	（动）yòng	to use
17.	告诉	（动）gàosù	to tell

二、课文 Kèwén Text

晚上，阿里还在复习，约翰又来了，他们谈起复习的情况。

In the evening, Ali is still reviewing his lessons for the examination when John comes in. They talk about their reviewing.

约翰：你在做什么呢？

阿里：我在复习呢，准备明天的考试。

约翰：咱们明天什么时候儿考试？

阿里：明天第三节和第四节考试。你复习完了吗？

约翰：我复习完了。你呢？

阿里：我还没复习完呢。

约翰：你复习到第几课了。

阿里：我复习到第十五课了。约翰，我有一个问题，可以问你吗？

约翰：可以，可以。咱们是同学，应该互相帮助。什么问题？

阿里："我还要两沓儿信封"，"还"是什么意思？

约翰："还"？哪儿有这个词？在第几课？

阿里：在第十八课。你看第十八课的生词。

约翰：在第几页？

阿里：在第一百三十四页，第七个生词，我不懂这个词的意思，也不知道怎么用。你能告诉我吗？

约翰：我……也不懂。

Yuēhàn：Nǐ zài zuò shénme ne?

Ālǐ：Wǒ zài fùxí ne, zhǔnbèi míngtiānde kǎoshì.

Yuēhàn：Zánmen míngtiān shénme shíhour kǎoshì?

Ālǐ：Míngtiān dìsān jié hé dìsì jié kǎoshì. Nǐ fùxíwán le ma?

Yuēhàn：Wǒ fùxíwán le. Nǐ ne?

Ālǐ：Wǒ hái méi fùxíwán ne.

Yuēhàn：Nǐ fùxídào dìjǐ kè le?

Ālǐ：Wǒ fùxídào dìshíwǔ kè le. Yuēhàn, Wǒ yǒu yíge wèntí, kěyi wèn nǐ ma?

Yuēhàn：Kěyi, kěyi. Zánmen shì tóngxué, yīnggāi hùxiāng bāngzhù. Shénme wèntí.

Ālǐ: "Wǒ hái yào liǎng dár xìnfēng", "hái" shì shénme yìsi?

Yuēhàn: "Hái"? Nǎr yǒu zhèige cí? Zài dìjǐ kè?

Ālǐ: Zài dìshí kè. Nǐ kàn dìshí kè de shēngcí.

Yuēhàn: Zài dìjǐ yè?

Ālǐ: Zài dìqīshí yè, dìqīge shēngcí. Wǒ bù dǒng zhèige cíde yìsi, yě bù zhīdào zěnme yòng. Nǐ néng gàosù wǒ ma?

Yuēhàn: Wǒ······yě bù dǒng.

三、语音 Yǔyīn Phonetics

语调 (7)

Intonation (7)

第四声音节的升调和降调:

The elevated and lowered pitch of a 4th tone syllable are shown below:

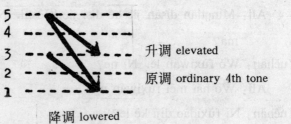

5
4
3 — 升调 elevated
2 — 原调 ordinary 4th tone
1

降调 lowered

升　　调 Elevated pitch	降　　调 Lowered pitch
Nín guì xìng ↑?	Wǒ xìng Fù ↓.
Nǐ qù bu qù ↑?	Wǒ bú qù ↓.
Nǐmen xuédào dìjǐ kè ↑?	Jì liǎngfēng xìn ↓.
Zhège xiǎoháir jīnnián jǐsuì ↑?	Wǒ bú huì yòng ↓.

四、语法　Yǔfǎ　Grammar

1. "第"表示序数

第 indicating an ordinal number

"第"是一个表示序数的词头：

第（dì）is a prefix indicating an ordinal number：

第一　　　　first

第二　　　　second

第三　　　　third

第四　　　　fourth

序数可与量词合用：

Ordinal numbers may be used with measure words：

第一课　　第三本　　第五页

第二节　　第四个　　第六张

"序数＋量词"可作名词的定语：

An "ordinal number ＋ measure word" may be used as attributive：

第二节课　　　第四个问题

第三本书　　　第六张纸

注意，并非所有的序数都用"第"表示：

Note that ordinal numbers are not necessarily always indicated by 第：

我住九楼。(Building 9 or the 9th floor)

他住304号。(Room 304)

2. 动词"完'、"到"表示动作的结果

The verbs 完 and 到 used to indicate the result of actions

动词"完"、"到"可以用在其他动词后面，作为补充成分说明动作所达到的结果 (RC)。

The verbs 完 and 到 may follow other verbs as complements to indicate the result of the action described by the first verb (RC).

V	RC	O	V	RC	O
复习	完	十五课	复习	到	第十五课
学	完	二十三课	学	到	第二十四课
写	完	汉字	写	到	第十个生词
念	完	课文	念	到	第七课课文
听	完	录音			
看	完	电影			
上	完	课			
睡	完	觉			
吃	完	饭			

否定形式一般用"没（有）"。

没（有）(méi (you)) is used for the negative form：

没复习完　　没看完　　没复习到

没学完　　　　　　　没学到

没写完　　　　　　　没写到

没念完　　　　　　　没念到

没听完

正反疑问句形式是：

The affirmative-negative question forms are：

> 复习完…没有？
>
> 学完…没有？
>
> 写完…没有？
>
> 复习到…没有？
>
> 学到…没有？
>
> 写到…没有？

"还没（有）…呢"的用法如下：

"还没（有）…呢" is used in the following way，meaning "not yet"：

> 复习完没有？还没（有）复习完呢。
>
> 写完没有？还没（有）写完呢。
>
> 写到第六个没有？还没（有）写到 第六个呢。

还没有呢。

五、练习 Liànxí Exercises

1. **语调练习：**

Intonation drills：

1）用升调朗读下列各句：

Read the following sentences in the elevated pitch：

(1)   Nín guì xìng?

(2)   Nǐ bú huì?

(3)   Nǐ yě qù jùlèbù?

(4)　Tā zài xiě Hànzì?

(5)　Tāmen míngtiān kǎoshì?

(6)　Zhège cí zài dìjǐ yè?

2) 用降调朗读下列各句:

Read the following sentences in the lowered pitch:

(1) Wǒ xìng Xià.

(2) Wǒ bù huì.

(3) Wǒ yě qù jùlèbù.

(4) Tā zài xiě Hànzì.

(5) Bù, tāmen hòutiān kǎoshì.

(6) Zài dìshí yè.

3) 把 (1) 和 (2) 组成对话朗读, 注意语调:

Read the sentences in (1) and (2) in pairs, paying attention to the intonation.

2. 扩展练习:

Build-up exercise:

页	问题
第108页	什么问题
在第108页	一个什么问题
生词在第108页。	有一个什么问题
这个生词在第108页。	你有一个什么问题。

书	课
这本书	二十课
看完这本书	第二十课
明天看完这本书	到第二十课
我明天看完这本书。	复习到第二十课

帮助 意思

互相帮助 词的意思

应该互相帮助 这个词的意思

我们应该互相帮助。 知道这个词的意思

不知道这个词的意思

3. 写出下列句子的疑问形式和否定形式：

Turn the following sentences interrogative and negative：

1) 我们学完这本书了。 6) 我看到第八页了。

2) 这种邮票卖完了。 7) 他复习到第五课了。

3) 他喝完两杯（bēi）茶了。 8) 我刚写到第六个生词。

4) 这课的生词我写完了。 9) 他们学到第十课了。

5) 他们复习完第二十课了。 10) 我听到第四课了。

4. 用"还没有…呢"完成下列对话：

Complete the following dialogues using 还没有…呢：

1) A：你写完信了吗？

B：＿＿＿＿＿＿＿＿＿＿＿。

2) A：你有英文小说吗？

B：＿＿＿＿＿＿＿＿＿＿＿。

A：我想借一下，行吗？

B：＿＿＿＿＿＿＿＿＿＿＿。

A：没关系，你看完了，我再借。

3) A：今天的练习你作完了吗？

B：＿＿＿＿＿＿＿＿＿＿＿。

A：我作完了。你有问题吗？

B：你看这个生词是什么意思？

A：_____。

4）A：阿里，咱们去上课吧。

　　　B：_____。

　　　A：什么？你还没有吃饭呢？

5. **请你写一下你现在学习的情况。**

　　Write about your studies.

第二十五课　DÌ'ÈRSHÍWǓ KÈ

Lesson 25

一、生词 Shēngcí　New words

1.	和	（连）hé	and (*used to connect two noun phrases*)
2.	里	（名）lǐ	inside，in
3.	书架	（名）shūjià	book shelf
4.	东西	（名）dōngxi	thing
5.	都	（副）dōu	all
6.	很	（副）hěn	very
7.	干净	（形）gānjìng	clean
8.	整洁	（形）zhěngjié	neat
9.	脏	（形）zāng	dirty
10.	上	（名）shàng	on，on top of
11.	土	（名）tǔ	dust，earth，soil
12.	被子	（名）bèizi	cotton — patted quilt
13.	枕头	（名）zhěntou	pillow

14.	哦	（叹）o	*an interjection expressing understanding, etc.*
15.	地	（名）dì	floor, earth
16.	下	（名）xià	under, down
17.	衣服	（名）yīfu	clothes
18.	双	（量）shuāng	*a measure word, pair*
19.	鞋	（名）xié	shoes
20.	只	（量）zhī	*a measure word*
21.	爱	（动）ài	to like, to love

专名 Zhuānmíng Proper Name

| 史密斯 | Shǐmìsī | Smith |

二、课文 Kèwén Text

请看，这是约翰和史密斯的房间。房间不大。房间里有床、桌子、椅子、书架、柜子。右边儿是史密斯的东西。他的东西都很干净、整洁。左边儿是约翰的东西。他的东西都很脏，不整洁。桌子上、椅子上有很多土。这是他的床。床上有被子、枕头。被子、枕头也都不干净。

约翰和史密斯都有很多书。看，史密斯的书都在书架上。约翰的书架上没有书。他的书都在哪儿呢？哦，他的书在桌子上、地上、床上。他的床下也有很多书。你们想看看？不行。书上有很多土。我还告诉你们：床下还有很多脏衣服。

约翰刚才买了一双新鞋。鞋在哪儿呢？哈哈，一只鞋在床上，一只鞋在椅子上。

你们说，约翰和史密斯，谁爱干净，爱整洁？

Qǐng kàn, zhè shì Yuēhàn hé Shǐmìsīde fángjiān. Fángjiān bú dà. Fángjiānli yǒu chuáng、zhuōzi、yǐzi、shūjià、guìzi. Yòubiānr shì Shǐmìsīde dōngxi. Tāde dōngxi dōu hěn gānjìng、 zhěngjié. Zuǒbianr shì Yuēhànde dōngxi. Tāde dōngxi dōu hěn zāng, bù zhěngjié. Zhuōzishang, yǐzishang yǒu hěn dūo tǔ. Zhè shì tāde chuáng. Chuángshang yǒu bèizi、zhěntou. Bèizi、zhěntou yě dōu bù gānjìng.

Yuēhàn hé Shǐmìsī dōu yǒu hěn duō shū. Kàn, Shǐmìsīde shū dōu zài shūjiàshang. Yuēhànde shūjiàshang méi yǒu shū. Tāde shū zài nǎr ne? Ò, Tāde shū zài zhuōzishāng、dìshang、chuángshang. Tāde chuángxià yě yǒu hěn duō shū. Nǐmen xiǎng kànkan? Bù xíng. Shūshang yǒu hěn duō tǔ. Wǒ hái gàosu nǐmen: Chuángxia hái yǒu hěn duō zāng yīfu.

Yūehàn gāngcái mǎile yìshuāng xié. Xié zài nǎr ne? Hāhā, yìzhī xié zài chuángshang, yìzhī xié zài yǐzishang.

Nǐmen shuō, Yūehàn hé Shǐmìsī, shéi ài gānjìng, ài zhěngjié?

注释 Zhùshì **Note:**

桌子上、椅子上有很多土

形容词"多"一般不能单独作定语，前边要有"很"。

The adjective 多 usually can not function as attributive unless it is preceded by 很

三、语音　　Yǔyīn　**Phonetics**

1. **语调** （8）

Intonation　　（8）

第四声音节读升调或降调时，其后的轻读或轻声音节也随之升高或降低。

When a 4th tone syllable is in the elevated or lowered pitch, the unstressed or neutral tone syllables following it are also raised or lowered.

升　　调 Elevated pitch	降　　调 Lowered pitch
Zhè shì bào ma ↑?	Tāde shū zài zhuōzishang dìshang ↓.
Nín yě qù ma ↑?	Xiànzài qīdiǎn èrshí liù le ↓.
Zhè shì nǐ mèimei ma ↑?	Bú yào le ↓.

2. **形容词作谓语的句子的重音**

Stress in a sentence with an adjective predicate：

形容词作谓语的句子的重音在谓语形容词上。

The stress in a sentence with an adjective predicate falls on the predicate adjective：

　　　　Nǐmen hǎo!

　　　　Fángjiān bú dà.

　　　　Tāde dōngxi dōu hěn gānjìng.

四、语法　　Yǔfǎ　Grammar

1. 形容词作谓语的句子

Sentences with adjective predicates

形容词作谓语的句子的结构是：

The structure of sentences with adjectives predicates is：

肯定形式：

The affirmative form：

S	P	
	Adj.	
房间	很	大。
他的东西	很	干净。
被子、枕头	很	脏。

注意：在肯定形式中，形容词前面常用"很"。"很"不表示程度高。也不重读。(但当"很"重读时，表示程度高。)

Note that in the affirmative form, the predicate adjective is usually preceded by 很 (hěn) which does not espress a high degree and is not stressed. (When it is stressed, it shows a high degree.)

否定形式：

The negative form：

S	P	
	不＋Adj.	
房间	不	大。
他的东西	不	干净。
被子、枕头	不	脏。

2. 表示方位的名词"里"、"上"、"下"

Locality nouns 里，上 and 下

"里"、"上"、"下"是表示方位的名词，常受其他名词修饰，构成名词词组：

里 (-lǐ)，上 (-shàng) and 下 (-xià) are nouns of locality which are modified by other nouns to form locality noun phrases：

房间里	词典里	报上	地上	画儿上
学校里	电影里	被子上	桌子上	桌子下
柜子里	电影院里	车上	床上	床下

五、练习　Liànxí　Exercises

1. 朗读下列各句，注意语调：

Read the following sentences，paying attention to the intonation：

1）Zhè shì tāde bèizi ?

2）Nǐ xiǎng kàn ma?

3）Tā yě qù ma?

4）Nà shì nǐde guìzi?

5）Zhège shūjià shì Xièlì de.

6）Wǒmen kàn diànshì ba.

7）Tā zài xiě Hànzi ne.

8）Jīntiān shì Xīngqīsì ba.

2. 扩展练习：

Build-up exercise：

<table>
<tr><td>干净</td><td>脏</td></tr>
<tr><td>很干净</td><td>不脏</td></tr>
<tr><td>房间很干净。</td><td>衣服不脏。</td></tr>
<tr><td>他们的房间很干净。</td><td>他的衣服不脏。</td></tr>
</table>

<table>
<tr><td>下</td><td>土</td></tr>
<tr><td>床下</td><td>很多土</td></tr>
<tr><td>在床下</td><td>有很多土</td></tr>
<tr><td>鞋在床下</td><td>桌子上有很多土。</td></tr>
<tr><td>那双鞋在床下。</td><td></td></tr>
</table>

3. 回答下列问题：

Answer the following questions：

1）你的房间里有什么？

2）桌子上有录音机吗？

3）柜子里有几件衣服？

4）书架上有什么书？

5）床上有被子吗？

6）床下有什么？

4. 模仿下例造句：

Make sentences after the model：

例 Model：

　　　　房间　　大

　　这个房间很大。

　　那个房间不大。

1) 中文杂志　　　　多

2) 宿舍　　　　　　干净

3) 书架　　　　　　新

4) 弟弟　　　　　　高

5) 钢笔　　　　　　好

6) 邮票　　　　　　少

7) 被子　　　　　　脏

8) 剧场　　　　　　小

5. 根据下面几个问题写一段话：

Write a passage to answer the following questions：

1) 你的家在哪儿？

2) 有几个房间？

3) 房间大不大？

4) 房间里有什么？

6. 用"也"、"都"、"和"、"一块儿"、"还"（hái）填空：

Fill in the blanks with 也，都，和，一块儿 or 还：

1) 约翰的房间不大，我的房间＿＿＿＿＿不大。

2) 他要买一沓儿信封，＿＿＿＿＿要买一套邮票。

3) 我们班明天考试，他们班_____考试。

4) 高老师_____王老师，_____在音乐学院工作。

5) 咱们_____去首都体育馆吧！

6) 今天的练习，我_____做完了。

第二十六课 DÌ'ÈRSHÍLIÙ KÈ

Lesson 26

一、生词 Shēngcí New words

1.	介绍	（动）jièshào	to introduce
		（名）jièshào	introduction
2.	上边儿	（名）shàngbianr	on，above
3.	怎么	（代）zěnme	why is it that…
4.	好看	（形）hǎokàn	good-looking，beautiful
5.	放	（动）fàng	to put，to place
6.	回答	（动、名）huídá	to answer，answer
7.	回来	（动）huílai	to come back
8.	一下儿	（量）yíxiàr	*a verbal measure word used to make the tone moderate*
9.	班	（名）bān	class（a group of students studying together）
10.	找	（动）zhǎo	to look for
11.	没关系		méi guānxi	It doesn't matter
12.	咖啡	（名）kāfēi	coffee
13.	牛奶	（名）niúnǎi	cow milk

14. 汽水儿　　（名）qìshuǐr　　aerated water
15. 啤酒　　　（名）píjiǔ　　　beer

专名　Zhuānmíng　Proper Name

安娜　　　　Ānnà　　　　　Anna

二、课文　Kèwén　Test

　　上一课我们介绍了约翰和史密斯的房间。今天约翰的新同学安娜（Ānnà）来看他。

约翰：你坐在这把椅子上吧。这把椅子干
　　　净。

安娜：那把椅子是谁的？那把椅子不太干
　　　净。上边儿怎么还有一只鞋？

约翰：哦，那把椅子是……史密斯的。

安娜：鞋也是他的吗？他的鞋很好看。

约翰：那只鞋不是他的，是我的。

安娜：你的鞋怎么放在他的椅子上？

　　　约翰不知道怎么回答她。这时候儿，史密斯回来了。

约翰：我介绍一下儿。这是我们班的新同学
　　　安娜。这是我同屋史密斯。

安娜：你好！

史密斯：你好！……对不起，我要在桌子上
　　　　找一本书，请在那把椅子上坐坐。

安娜：哦，这张桌子和这把椅子都是你
　　　的。

史密斯：没关系，请坐吧。

约翰：对，对！他的也是我的。这个房间是
　　　我们的，房间里的东西都是我们
　　　的。请坐！请喝茶！要糖吗？

　　安娜和史密斯笑了。约翰也笑了。

Shàng yíkè wǒmen jièshàole Yuēhàn hé Shǐmìsīde
fángjiān. Jīntiān Yuēhànde xīn tóngxué Ānnà lái kàn tā.

Yuēhàn：Nǐ zuòzài zhèibǎ yǐzishang ba, zhèibǎ yǐzi gānjìng.

　Ānnà：Nèibǎ yǐzi shì shéide? Nèibǎ yǐzi bú tài gānjìng.
　　　　Shàngbianr zěnme hái yǒu yìzhī xié?

Yuēhàn：Ò, nèibǎ yǐzi shì… Shǐmìsīde.

　Ānnà：Xié yě shì tāde ma? Tāde xié hěn hǎokàn.

Yuēhàn：Nèizhī xié bú shì tāde, shì wǒde.

　Ānnà：Nǐde xié zěnme fàngzài tāde yǐzishang?

　　Yuēhàn bù zhīdào zěnme huídá tā. Zhè shíhour, Shǐmìsī huílai le.

Yuēhàn：Wǒ jièshào yíxiàr. Zhè shì wǒmen bān de xīn tóngxué

Ānnà. Zhè shì wǒ tóngwū Shǐmìsī.

Ānnà: Nǐ hǎo!

Shǐmìsī: Nǐ hǎo!··· Duìbùqǐ, wǒ yào zài zhuōzishang zhǎo
yìběn shū, qǐng zài nèibǎ yǐzishang zuòzuo.

Ānnà: Ò, zhèizhāng zhuōzi hé zhèibǎ yǐzi dōu shì nǐde.

Shǐmìsī: Méi guānxi, qǐng zuò ba.

Yuēhàn: Duì, duì. Tāde yě shì wǒde. Zhèige fángjiān shì
wǒmēnde, fángjiānlide dōngxi dōu shì wǒmende.
Qǐng zuò! Qǐng hē chá! Yào táng ma?

Ānnà hé Shǐmìsī xiào le. Yuēhàn yě xiào le.

注释 Zhùshì **Notes**:

1. 坐在，放在

"在"是补充成分，表示结果，后面常跟方位宾语。

在 (zài) is a complement which shows result; it is often followed
by a locality object.

坐在椅子上　　　　坐在床上

放在床下　　　　　放在桌子上

写在笔记本上·　　　放在柜子里

2. 下边儿怎么还有一只鞋？

"怎么"是状语，用来询问原因。

Here 怎么 (zěnme) is used as adverbial to ask for a reason.

3. 我介绍一下儿

"一下儿"本是动量词，但也常用在动词后面，起和缓语气的作用。

一下儿 (yíxiàr) is a verbal measure word which often also functions to make the tone moderate.

说一下儿	介绍一下儿
听一下儿	来一下儿
写一下儿	去一下儿
填一下儿	看一下儿

三、语音 Yǔyīn **Phonetics**

对比重音

Contrastive stress

句子中有对比成分时，重音在对比成分上。这就是对比重音。在下列情况下，对比重音与词重音落在同一音节上：

The elements in contrast in a sentence are stressed. This is known as the contrastive stress. Undter the following circumstances, the contrastive stresses and the word stresses fall on the same syllables of the words concerned：

1）对比成分是单音节词：

The contrastive elements are：

Nín hē chá háishi chī táng?

Nǐ qù háishi tāqù?

2）对比成分是包括一个轻声音节的双音节词：

The contrastive elements are dissyllables followed by neutral syllables.

Nèizhī xié bú shì tāde，shì wǒde.

3）对比成分没有相同词素：

The contrastive elements have no common morphemes：

Nǐ hē kāfēi háishi hē niúnǎi?

对比成分中有相同词或词素，对比重音往往落在表示对比意义的词或词素上：

When the elements in contrast do have one or more common words or morphemes, the contrastive stress is on the words or morphemes expressing the contrast：

Nǐ xuéxí Yīngwén, háishi xuéxí Fǎwén?

Liǎngkuài wǔmáo yī, háishi liǎngkuài wǔmáoqī?

Nín mǎi gāngbǐ, háishi mǎi qiānbǐ?

换句话说，汉语合成词的重音在有对比的情况下，会有变化，请注意下列各句中合成词重音的变化：

In other words, the stress of a compound word will shift when it is contrasted against another compound word. Notice the shift in the stresses of the compounds in the following sentences：

Nǐ huì Yīngwén ma? Huì.

Nǐ huì Yīngwén, háishi huì Fǎwén? Wǒ huì Yīngwén.

Tóngzhì, wǒ mǎi gāngbǐ.

Nín mǎi gāngbǐ, háishi mǎi qiānbǐ?

Wǒ mǎi gāngbǐ.

四、语法　Yǔfǎ　Grammar

带 "的" 的名词性结构　（1）
Nominal constructions using 的　（1）

名词、人称代词或疑问代词"谁"后面加"的"构成名词性结构。这样的名词性结构可以作主语和宾语。

Nouns, personal pronouns and the interrogative pronoun 谁 (shéi) can be followed by 的 (de) to form nominal constructions which may function as the subject or object of a sentence:

我的	mine	这把椅子是我的。
你的	yours	这张桌子是你的吗？
他的	his	这双鞋是他的。
她的	hers	这本书是她的。
我们的	ours	我们的也是你们的。
你们的	yours	你们的干净，他们的不干净。
他们的	theirs	这个房间是他们的
她们的	theirs	那个房间是她们的。
咱们的	ours	这个教室是咱们的
谁的	whose	这本书是谁的？
约翰的	John's	这本书是约翰的。
老师的	teacher's	那本书是老师的。

五、练习　Liànxí　Exercises

1. **朗读下列各句，注意对比重音：**

Read the following sentences aloud, paying attention to the contrastive stresses:

1) Nǐ zhǎo wǒ, háishi zhǎo tā?

2) Nǐ mǎi zhǐ, háishi mǎi chǐ?

3) Tā shì nǐ gēge, háishi nǐ dìdi?

4) Zhèi běn shū bú shì wǒde, shì tāde.

5) Nǐ xǐhuan hē qìshuǐr háishi píjiǔ?

6) Wǒmen bān míngtiān kǎoshì, jīntiān bù kǎoshì.

7) Tā huì Yīngwén, tā mèimei huì Fǎwén.

8) Wǒ qù yīyuàn, bú qù diànyǐngyuàn.

9) Tāde xié bú zài chuáng xiàbianr, zài chuáng shàngbianr.

10) Wǒ mǎi máoyī, bù mǎi dàyī.

2. **扩展练习**:

Build-up exercise:

<table>
<tr><td>我的</td><td>谁的</td></tr>
<tr><td>是我的</td><td>是谁的</td></tr>
<tr><td>椅子是我的。</td><td>桌子是谁的?</td></tr>
<tr><td>那把椅子是我的。</td><td>这张桌子是谁的?</td></tr>
<tr><td></td><td></td></tr>
<tr><td>安娜的</td><td>高老师的</td></tr>
<tr><td>是安娜的</td><td>是高老师的</td></tr>
<tr><td>鞋是安娜的。</td><td>杂志是高老师的。</td></tr>
<tr><td>这只鞋是安娜的。</td><td>那本杂志是高老师的。</td></tr>
</table>

3. **回答问题**:

Answer the following questions:

1) 这本英文书是谁的?

2) 那个照相机是你的吗?

3) 这支铅笔是她的吗?

4) 那张床是你的还是他的?

5) 这辆自行车是谁的?

6) 这本法文杂志是图书馆的吗?

7) 那双鞋是你的吗?

8) 这封信是王老师的吗?

9) 这本画报是英文的,还是法文的?

10) 那杯牛奶是谁的?

4. **按照下边的例子改写句子**:

Rewrite the following sentences after the model:

例　Model：这是我的照相机。这个相机是我的。

1) 这是我朋友的中文书。

2) 那是他的新摩托车。

3) 这是安娜的毛衣。

4) 那是他们班的录音机。

5) 这是我妹妹的照相机。

6) 那是小王的椅子。

7) 这是英文杂志。

8) 这是中文电影，不是英文电影。

9) 那是他的桌子，不是我的桌子。

10) 这是高老师的信，还是郭老师的信？

5. **朗读下列词组并选择适当的填空：**

Read the following phrases and fill in the blands with the appropriate ones：

等一下儿　　看一下儿　　找一下儿　　借一下儿

来一下儿　　念一下儿　　介绍一下儿

1) 老师，这个汉字怎么念，请您_____。

2) 我_____，这是我的老朋友史密斯。

3) 汽车还没有来，请_____。

4) 你有自行车吗？我想_____。

5) 阿里，_____，有你的信。

6) A：我的词典在哪儿？

   B：我也不知道，你_____。

7) A：同志，您_____，这张表这么填，对吗？

   B：对。

6. **请你说一下儿，你们宿舍的东西，哪些是你的，哪些是你同屋的，这些东西都放在哪儿？**

第二十七课　DÌ'ÈRSHÍQĪ KÈ

Lesson 27

一、生词　Shēngcí　New Words

1.	爱人	（名）	àiren	husband or wife , spouse
2.	皮鞋	（名）	píxié	leather shoes
3.	件	（量）	jiàn	*a measure word for clothes*
4.	衬衫	（名）	chènshān	shirt , blouse
5.	样子	（名）	yàngzi	style , design , fashion
6.	试	（动）	shì	to try , to have a fitting
7.	合适	（形）	héshì	well-fitted , suitable
8.	黑	（形）	hēi	black
9.	黄	（形）	huáng	yellow
10.	贵	（形）	guì	expensive
11.	便宜	（形）	piányi	inexpensive
12.	蓝	（形）	lán	blue
13.	长	（形）	cháng	long
14.	短	（形）	duǎn	short

15. 肥	（形） féi	(of clothes, shoes) loose, (of animals) fat
16. 瘦	（形） shòu	(of clothes, shoes) tight, thin, lean
17. 红	（形） hóng	red
18. 白	（形） bái	white
19. 颜色	（名） yánsè	colour
20. 深	（形） shēn	deep
21. 浅	（形） qiǎn	light, shallowb

二、课文 Kèwén Text

星期日上午高开和他爱人王兰去买东西。高开要买一双皮鞋，王兰想买一件衬衫。

I

买 皮 鞋

王：你看，这双皮鞋样子很好看。

高：对，这双鞋样子好。……同志。这个样子的皮鞋，请给我看看。

售货员：您要多大号的？

高：27号的。

售货员：您看看这双。

高：可以试试吗？

售货员：可以。

王：合适吗？

高：这双太大了。有小一点儿的吗？

售货员：您试试26号半的。

高：这双合适。哦，这是黑的。同志，有
　　黄的吗？

售货员：有。

王：多少钱？

售货员：三十块。

高：太贵了。有便宜一点儿的吗？

售货员：有。这种二十四块钱。

高：好，这种也很好。我买这种。

Xīngqīrì shàngwu Gāo Kāi hé tā àiren Wáng Lán qù mǎi dōngxi,
Gāo Kāi yào mǎi yìshuāng píxié, Wáng Lán xiǎng mǎi yíjiàn chènshān.

I

Mǎi píxié

Wáng：Nǐ kàn, zhèishuāng píxié yàngzi hěn hǎokàn.

Gāo：Duì, zhèishuāng xié yàngzi hǎo ··· Tóngzhì,
　　　qǐng gěi wǒ kànkan zhèige yàngzi de píxié.

Shòuhuòyuán：Nǐ yào duō dà hào de?

Gāo: Èrshiqī hào de.

Shòuhuòyuán: Nín kànkan zhèishuāng.

Gāo: Kěyǐ shìshi ma?

Shòuhuòyuán: kěyǐ.

Wáng Héshì ma?

Gǎo: Zhèishuāng tài dà le. Yǒu xiǎo yìdiǎnr de ma?

Shòuhuòyuán: Nín shìshi Èrshiliù háo bàn de.

Gāo: Zhèishuāng héshì. Ò, zhè shì hēide. Tóngzhì,

yǒu huángde ma?

Shòuhuòyuán: Yǒu.

Wáng: Duōshao qián?

Shòuhuòyuán: Sānshikuài.

Gāo: Tài guì le. Yǒu piányi yìdiǎnr de ma?

Shòuhuòyuán: Yǒu. Zhèizhǒng èrshisìkuài qián.

Gāo: Hǎo, zhèizhǒng yě hěn hǎo. Wǒ mǎi

zhèizhǒng.

Ⅱ

买　衬　衫

售货员：您买什么？

王：我想买一件衬衫。那件蓝的，您给我

看看。

售货员：给您。

高：这件太长了。有短一点儿的吗？

售货员：这件短一点儿，您看怎么样？

王：这件太肥了。有瘦一点儿的吗？

售货员：红的和白的有瘦一点儿的。

王：我试试那件红的。

高：这件合适。

王：这件颜色太深了吧？

售货员：这件颜色浅一点儿，您看行不行？

王：好，这件好，样子、颜色都很好。

Mǎi chènshān

Shòuhuòyuán：Nín mǎi shénme?

Wáng：Wǒ xiǎng mǎi yíjiàn chènshān. Nèijiàn lánde, nín gěi wǒ kànkan.

Shòuhuòyuán：Gěi nín.

Gāo：Zhèjiàn tài cháng le. Yǒu duǎn yìdiǎnr de ma?

Shòuhuòyuán：Zhèijiàn duǎn yìdiǎnr, nín kàn zěnmeyàng?

Wáng：Zhèijiàn tài féi le. Yǒu shòu yìdiǎnr de ma?

Shòuhuòyuán：Hóngde hé báide yǒu shòu yìdiǎnr de.

Wáng：Wǒ shìshi nèijiàn hóngde.

Gāo：Zhèjiàn héshì.

Wáng： Zhèjiàn yánsè tài shēn le ba?

Shòuhuòyuán： Zhèjiàn yánsè qiǎn yìdiǎnr，nín kàn xíng bù

xíng.

Wáng： Hǎo，zhèjiàn hǎo，yàngzi、yánsè dōu hěn hǎo.

注释 Zhùshì **Notes**：

1. 27号的（鞋），26号半的（鞋）

中国现行的统一鞋号以脚长为基础。27号的即脚长为27公分，26号半的即脚长为26.5公分。

The uniform shoesizes used in China today are based on the length of feet：size 27 fits feet that are 27 cm. long，and size $26\frac{1}{2}$ is for feet that are 26.5 cm. long.

2. 太…了

语气助词"了"在这里表示达到某种程度。

In the phrasses below，the modal particle 了 expresses that sth. has reached a certain degree.

太长了　　　　太浅了　　　　　太小了

太短了　　　　太肥了

太贵了　　　　太瘦了

太深了　　　　太好了

在下各例中，"太…了"表示赞叹：

In the following examples，太…了 expresses praise：

太好看了！

太便宜了！

太好了！

太合适了！

3. 有…一点儿的吗？

"形＋一点儿"表示比某个标准在程度上高或低一点。

"Adjective ＋ 一点儿" means higher or lower in degree by a certain standard.

长一点儿　　　　短一点儿

大一点儿　　　　小一点儿

肥一点儿　　　　瘦一点儿

贵一点儿　　　　便宜一点儿

深一点儿　　　　浅一点

高一点

好一点

4. 黄（皮鞋）

按照中国的颜色词系统,黄颜色的皮鞋实际上指的是棕色的。

According to the Chinese colour term system，黄皮鞋（yellow shoes）means brown leather shoes.

三、语音　　Yǔyīn　Phonetics

SP 谓词句的重音

Stress in sentences with SP phrases as predicate

以 SP 短语作谓语的句子,其重音在 SP 短语的 P 上。

The stress in sentences with SP phrases as predicate falls on the predicate of the SP phrase.

Zhèishuāng xié yàngzi hǎokàn.

Zhèijiàn chènshān yànsè tài shēn le.

四、语法　　Yǔfǎ　Grammar

1. 带"的"的名词性结构 （2）

Nominal constructions using 的 （2）

形容词（或形容词短语）也可与"的"构成名词性结构:

Adjectives（or abjective phrases）also may be combined with 的 to form nominal constructions：

长的	短的	长一点儿的	短一点长的
大的	小的	大一点儿的	小一点儿的
贵的	便宜的	贵一点儿的	便宜一点儿的
肥的	瘦的	肥一点儿的	瘦一点儿的
深的	浅的	深一点儿的	浅一点儿的
红的	蓝的	白的　黄的	黑的
好的	高的	高一点儿的	

2. SP 谓语句的结构

Structure of sentences with SP phrases as predicate

SP 谓语句的结构是：

The structure of sentences with SP phrases as predicate is：

S	P	
	S'	P'
这双鞋	样子	很好看。
这件衬衫	样子	很好。
这件衬衫	颜色	很好。

五、练习　Liànxí　Exercises

1. 朗读下列各句, 划出句重音：

Read the following sentences and mark the sentence stresses：

1) Zhèijiàn shàngyī tài féi le ba?

   Zhèijiàn shàngyī tài fèi le.

2) Nàzhī qiānbǐ duǎn bu duǎn?

   Nàzhī qiānbǐ tài duǎn le.

3) Zhèijián chènshān yánsè shēn le ba?

Zhèijiàn chènshān yánsè shēn le yìdiǎnr.

4) Nàshuāng píxié héshì ma?

　Nàshuāng píxié hěn héshì.

5) Zhèiběn cídiǎn tài guì le ba?

　Zhèiběn cídiǎn tài guì le.

6) Nàzhǒng diànshìjī piányi ma?

　Nàzhǒng diànshìjī hěn piányi.

2. 扩展练习：

Build-up exercise：

<table>
<tr><td>的</td><td>的</td></tr>
<tr><td>红的</td><td>白的</td></tr>
<tr><td>是红的</td><td>是白的</td></tr>
<tr><td>衬衫是红的。</td><td>皮鞋是白的。</td></tr>
<tr><td>我的衬衫是红的。</td><td>他的皮鞋是白的。</td></tr>
</table>

<table>
<tr><td>深</td><td>的</td></tr>
<tr><td>太深</td><td>便宜的</td></tr>
<tr><td>颜色太深</td><td>有便宜的</td></tr>
<tr><td>这件颜色太深。</td><td>没有便宜的</td></tr>
</table>

3. 回答下列问题：

Answer the following questions：

1) 你的皮鞋是黑的吗？

2) 那双鞋是不是新的？

3) 他的自行车是蓝的，还是黑的？

4) 小王的衬衫是黄的吗？

5) 你的衣服是什么颜色的？

6) 安娜的汽车是不是红的？

7) 你们宿舍的电视是黑白的吗？

8)那支钢笔是红的还是蓝的？

4. 用每个词提三个问题并回答：

Ask three questions using each of the following words and answer
them：

1)照相机   4)摩托车

2)皮鞋   5)杂志

3)衬衫   6)铅笔

5. 熟读下列词组，选择适当的填空：

Read the following phrases and choose the appropriate one for each
of the blanks in the sentences below：

大一点儿的   好一点儿的

小一点儿的   高一点儿的

肥一点儿的   浅一点儿的

瘦一点儿的   深一点儿的

长一点儿的   贵一点儿的

短一点儿的   便宜一点儿的

1)这件衬衫太肥，有＿＿＿＿＿＿吗？

2)这双鞋太小，我有＿＿＿＿＿＿你可以试试 。

3)这辆自行车太贵，我要＿＿＿＿＿＿。

4)他爱买颜色＿＿＿＿＿＿衣服。

5)这支圆珠笔不太好，有没有＿＿＿＿＿＿？

6. 编写在商店买东西的对话：

Compose dialogues based on the following topics：

1)买衬衫

2)买鞋

3)买钢笔

第二十八课　DÌ'ÈRSHÍBĀ KÈ

Lesson 28

一、生词　Shēngcí　New Words

1. 从	（介）	cóng	from
2. 服装	（名）	fúzhuāng	garments
3. …店	（名）	…diàn	…shop
4. 出来	（动）	chūlai	to come out
5. 遇见	（动）	yùjiàn	to meet by chance
6. 是啊		shì a	yes , right
7. 对	（介）	duì	to , towards
8. 离	（介）	lí	from
9. 远	（形）	yuǎn	far , distant
10. 跟	（介）	gēn	with
11. 一起	（副）	yìqǐ	together
12. 电车	（名）	diànchē	trolley bus
13. 近	（形）	jìn	near
14. 站	（名）	zhàn	（bus） stop, （railway） station
15. 公共	（形）	gōnggòng	public

16. 售票员　　（名）shòupiàoyuán　　bus conductor
17. 票　　　　（名）piào　　　　　ticket

　　　　　　专名　Zhuānmíng　Proper Name

琉璃厂　　　　Liúlichǎng　　　a street in South Beijing where, for several centuries, books, antiques, paintings, etc. have been sold

二、课文　Kèwén　Text

高开和王兰从服装店出来,遇见了张正生。

高：小张,你也来买东西了？

张：是啊,我想去琉璃厂买两张画儿。

高：(对王兰)琉璃厂离这儿不太远,咱们跟他一起去看看吧？

王：好吧。我也想去看看。

张：太好了,咱们一起去。老高,咱们怎么去？坐汽车,还是坐电车去？

高：坐汽车吧。汽车站离这儿近,电车站离这儿远。

高开、王兰、张正生三个人上了公共汽车。

高：(对售票员)同志,我买三张票。

张：我买吧。

高：别客气，我买。

售票员：到哪儿？

张：到琉璃厂。

售票员：一毛一张，三张三毛。给您票。

王：到琉璃厂几站？

售票员：三站。

Gāo Kāi hé Wáng Lán cóng fúzhuāngdiàn chūlai, yùjiànle Zhāng Zhèngshēng.

Gāo： Xiǎo Zhāng, nǐ yě lái mǎi dōngxi le?

Zhāng： Shì a, wǒ xiǎng qù Liúlichǎng mǎi liǎngzhāng huàr.

Gāo： (Duì Wáng Lán) Liúlichǎng lí zhèr bú tài yuǎn, zánmen gēn tā yìqǐ qù kànkan ba?

Wáng： Hǎo ba. Wǒ yě xiǎng qù kànkan.

Zhāng： Tài hǎo le, zánmen yìqǐ qù. Lǎo Gāo, zánmen zěnme qù? Zuò qìchē qù, háishi zuò diànchē qù?

Gāo： Zuò qìchē ba. Qìchēzhàn lí zhèr jìn, diànchēzhàn lí zhèr yuǎn.

Gāo Kāi, Wáng Lán, Zhāng Zhèngshēng sānge rén

shàngle gōnggòng qìchē.

Gāo: (Duì shòupiàoyuán) Tóngzhì, wǒ mǎi sānzhāng

piào.

Zhāng: Wǒ mǎi ba.

Gāo: Bié kèqi, wǒ mǎi.

Zhāng: Wǒ mǎi.

Shòupiàoyuán: Dào nǎr?

Zhāng: Dào liúlichǎng.

Shòupiàoyuán: yìmáo yìzhāng, sānzhāng sānmáo. wǔ Gěi

nín piào.

Wáng: Dào Liúlichǎng jǐzhàn?

Shòupiàoyuán: Sānzhàn.

注释 Zhùshì **Notes**:

1. 小张、老高

"小+姓"用来称呼年纪轻的熟人,"老+姓"用来称呼中年以上的熟人,
表示随便、亲切。但对身份比自己高的人一般不用这样的称呼。

"小+surname" is used for a young acquaintance and "老+sur-
name"for a middle—aged or older person as an informal and friendly
form of address. The latter usually is not used when addressing a superi-
or.

2. 买两张画儿

这里"两"表示不确定的数量,要轻读。试比较:

Here,两,which is unstressed, indicates a number that is not fix—ed. Compare the following sentences:

你买了几张画儿?

我买了两张画儿。

你去琉璃厂做什么?

我去买两张画儿。

3. 坐汽车去

"坐汽车"是 VO 结构作状语,修饰"去",表示方式。

坐汽车 is a VO phrase used as an adverbial of manner modifying the verb 去.

4. 售票员

中国公共汽车和电车上都设售票员一至二人。

In China, each bus is provided with one or two conductors, in addition to the driver, who are in charge of selling tickets.

5. 表示推让(Expressing reluctance to accept a favor)

按照中国的习惯,吃饭时别人给自己布菜,或别人替自己付什么钱(饭费、车费、电影票等)时,应表示推让。例如本课在汽车上买票的一段就是一例。

It is Chinese custom that one should express reluctance to accept a favor, as when a host helps him at dinner, or pays for his meal, busfare, or cinema ticket. An example of this is the conversation between Gao and Zhang when they pay the fares in the bus.

三、语音　Yǔyīn　**Phonetics**

"几"和"两"的轻读与重读

The stressed and unstressed 几 and 两

"几"和"两"在不同的上下文中有时轻读，有时重读，表示不同的意义。

In different contexts，both 几 and 两 have different meanings when they are stressed or unstressed.

	轻　读 Unstressed	重　读 Stressed
几	several，some	how many
两	several，some	two

Wǒ qù mǎi jǐzhāng huàr.

Wǒ qù mǎi liǎngzhāng huàr.

Nǐ mǎile jǐzhāng huàr?

Wǒ mǎile liǎngzhāng huàr.

四、语法　Yǔfǎ　**Grammar**

介词的用法

Usage of prepositions

在汉语中介词与其宾语结合起来构成介词短语，在句中可作状语。下面举例说明本课的几个介词的用法：

In Chinese，prepositions and their objects are combined into prepositional phrases used as adverbials. The following examples show the usage of the prepositions from this lesson.

	S	P	
		Prep. ＋O	V/Adj.
1) 从	他们 史密斯 我	从商店里 从外边儿 从这儿	出来。 回来。 去。
2) 跟	咱们	跟他(一起) 跟我	去。 念。
3) 对	他	对我	说
4) 离	车站 这儿	离这儿 离学校	很近。 很远。

五、练习　Liànxí　Exercises

1. 朗读下列各句，注意"几"和"两"的轻读和重读：

Read the following sentences aloud paying attention to the stressed and unstressed 几 and 两：

1) A：Nǐ mǎile jǐběn huàbào?

　　B：Wǒ mǎile liǎngběn huàbào.

2) A：Nǐ qù nǎr?

　　B：Wǒ qù Běijīng Fàndiàn kàn jǐge péngyou.

3) A：Xiànzài jǐ diǎn?

　　B：Liǎng diǎn.

4) A：Wǒ xiǎng qù shūdiàn mǎi liǎngzhāng huàr.

　　B：Wǒ gēn nǐ yìqǐ qù.

5) A：Yǒuyì Shāngdiàn dàole mā?

　　B：Méi dào, hái yào zuò jǐzhàn.

6）A：Dào Liùlichǎng jǐzhàn？

　　B：Liǎngzhàn．

2.扩展练习：

Build-up exercise：

进去 　　　　　　　　说

从这儿进去 　　　　　对我说

咱们从这儿进去 　　　他们对我说

去 　　　　　　　　　远

一起去 　　　　　　　很远

跟你一起去 　　　　　离这儿很远

我跟你一起去 　　　外交公寓离这儿很远

3. 根据划线部分用疑问代词提问：

Ask questions about the underlined parts of the following sentences，

using interrogative pronouns：

1）　我跟王兰一起去百货大楼。

2）　今天下午他从上海回来。

3）　他明天跟他哥哥一起进城。

4）　友谊商店离我们学校很近。

5）　这个新学生是从美国来的。

6）　我们班的同学都在食堂吃饭呢。

7）　我跟他一起去看足球比赛。

8）　他在那个商店买了一件红衬衫。

9）　我对小王说："今天我不能来。"

10）　北京大学离这儿很近。

4. 改正下列错句：

Correct the following incorrect sentences：

1)我学习汉语在语言学院。

2)国际俱乐部很近从这儿。

3)他的皮鞋是黑。

4)我们去看京剧明天。

5)他去买衬衫跟他的爱人。

5.**今天下午你要去电影院看电影,用下列词语写一篇短文。**

Suppose you are going to a movie this afternoon. Write a short composition about the outing, using the following words.

离、跟、从、新、中文、两点、票、好看

6.**根据下列情景练习对话,注意用上"别客气"、"是啊"**

Talk about the following situations, using 别客气 and 是啊:

1)你跟一个中国朋友一起坐车进城,上车后,他要给你买票。

2)你跟朋友去饭店吃饭,吃完饭,你要给钱。

3)你去体育馆看球赛,在门口看见一个同学也来了。

4)你在邮局寄信,你们班的老师也来寄信。

第二十九课 DÌ'ÈRSHÍJIǓ KÈ

Lesson 29

一、生词 Shēngcí New Words

1. 谈话		tán huà	to talk
2. 比较	（动、形、名）	bǐjiào	to compare, compareative, comparison
3. 才	（副）	cái	only
4. 出租汽车	（名）	chūzū qìchē	taxi
5. 地铁	（名）	dìtiě	subway
6. 方便	（形）	fāngbiàn	convenient
7. 挤	（形、动）	jǐ	crowded, jostle
8. 有时候儿		yǒushíhour	sometimes
9. 下（车）	（动）	xià(chē)	to get off (the bus)
10. 以后	（名）	…yǐhòu	after
11. 往	（介）	wǎng	towards
12. 南	（名）	nán	south
东	（名）	dōng	east

西	（名）	xī	west
北	（名）	běi	north
13. 走	（动）	zǒu	to walk, to go
14. 过	（动）	guò	to cross
15. 马路	（名）	mǎlù	road
16. 拐	（动）	guǎi	to turn to
17. 一直	（副）	yìzhí	straight
18. 前	（名）	qián	front
19. 该	（能动）	gāi	should, ought to

二、课文 Kèwén Text

高开、王兰和张正生在公共汽车上谈话。

张：老高，北京的汽车票比较便宜，是不是？

高：是啊，坐六站一毛，十二站两毛。

张：坐十八站才三毛钱，真不贵？

高：北京有电车、公共汽车、出租汽车、地铁，现在还有小公共汽车，比较方便。

王：北京车比较挤，是不是，小张？

张：是，有时候儿比较挤。

王：(对售票员)同志，我们到琉璃厂，是不
　　　是这一站下车？

售票员：这一站下、下一站下，都可以。

王：下车以后，是不是往南走？

售票员：是。下车以后过马路，往南拐，一直
　　　往前走。

王：谢谢！我们是不是该下车了？

售票员：是。请下车吧。

Gāo Kāi、Wáng Lán hé Zhāng Zhèngshēng zài gōnggòng qìchēshang tán
huà.

Zhāng：Lǎo Gāo, Běijīng de qìchēpiào bǐjiào piányi, shì
　　　bu shì?

Gāo：Shì a, zuò liù zhàn yìmáo, shí'èrzhàn
　　　liǎngmáo.

Zhāng：Zuò shíbāzhàn cái sānmáo qián, zhēn bú guì!

Gāo：Běijīng yǒu diànchē、gōnggòng qìchē、chūzū
　　　qìchē、dìtiě, xiànzài hái yǒu xiǎo gōnggòng
　　　qìchē, bǐjiào fāngbiàn.

Wáng：Běijīng chē bǐjiào jǐ, shì bu shì, Xiǎo Zhāng?

Zhāng：Shì, yǒu shíhour bǐjiào jǐ.

Wáng：（Duì shòupiàoyuán） Tóngzhì， wǒmen dào

   Liúlichǎng， shì bu shì zhè yízhàn xià chē?

Shòupiàoyuán：Zhè yízhàn xià、xià yízhàn xià， dōu kěyǐ.

Wáng：Xià chē yǐhòu，shì bu shì wǎng nán zǒu?

Shòupiàoyuán：Shì，xià chē yǐhòu guò mǎlù，wǎng nán guǎi，

   yìzhí wǎng qián zǒu.

Wáng：Xièxie！Women shì bu shì gāi xià chē le?

Shòupiàoyuán：Shì. Qǐng xià chē ba.

注释 Zhùshì Note：

小公共汽车

  中国近几年新发展起来的一种公共交通工具。

  Minibus，a relatively new mode of public transportation in China.

三、语音　　Yǔyīn　Phonetics

用"是不是"的问句的语调

Intonation of questions using 是不是

  用"是不是"的问句也要读升调，不管"是不是"放在什么位置上。

  Questions using 是不是 are spoken in the elevated pitch no matter where 是不是 is placed.

  当"是不是"在句尾时，它前边的陈述句读降调，"是不是"读升调：

  When 是不是 comes at the end of the question，it is spoken in the elevated pitch，while the statement before 是不是 is in the lowered pitch

  Qìchēpiào hěn piányi ↓ ，shì bu shì ↑ ?

Qìchē bǐjiào jǐ ↓ , shì bu shì ↑ ?

当"是不是"在句首或谓语前时,问句的最后一个重读音节读升调。

When 是不是 is at the beginning of the question, or before the predicate, the last stressed syllable of the question is elevated.

Shì bu shì zài zhèyízhàn xià chē ↑ ?

Shì bu shì wǎng nán zǒu ↑ ?

Tā shì bu shì xià chē le ↑ ?

四、语法 Yǔfǎ Grammar

1. 用"是不是"提问

Questions using 是不是

用"是不是"的问句表示提问人对某事已有比较肯定的估计,希望得到证实。"是不是"可以用在一个陈述句的谓语前,也可用在句首或句尾。用在句尾时,陈述句后要用逗号。

Questions using 是不是 imply that the speaker is almost sure of something but wants a confirmation. 是不是 may be placed before the predicate of a statement, or at the beginning or the end of the sentence; when it is used at the end, a comma should follow the statement.

北京的汽车票比较便宜,是不是?

北京车比较挤,是不是?

咱们是不是在这一站下车?

是不是往南走?

回答这种问题,常先说"是"或"不(是)"。

是 and 不是 are used in the beginning of the affirmative or negative answers to such questions.

北京的汽车票比较便宜,是不是?

是,比较便宜。

咱们是不是在这一站下车？

不是，下一站下。

2. "往＋方位词"作状语

"往＋locality noun" as adverbial

介词"往"的宾词往往是方位词，二者构成的短语作状语。下面列举"往"和已学过的方位词的搭配。

The preposition 往 is often followed by a locality noun to form a prepositional phrase used as adverbial. Here are the possible cominations of 往 and locality nouns from previous lessons.

往东(边儿)	往上(边儿)	往前(边儿)
往南(边儿)	往下(边儿)	往后(边儿)
往西(边儿)	往左(边儿)	往中间儿
往北(边儿)	往右(边儿)	往旁边儿

五、练习　Liànxí　Exercises

1. 朗读下列各句：

Read the following sentences aloud：

1) Tā bù xǐhuan hē kāfēi, shì bu shì?

2) Zhèijiàn chènshān tài shòu le, shì bu shì?

3) Tāmende sùshè hěn zāng, shì bu shì?

4) Xīngqītiān qìchē hěn jǐ, shì bu shì?

5) Shì bu shì nǐ bù zhīdào jīntiān méi yǒu kè?

6) Shì bu shì cóng zhèr wàng dōng zǒu?

7) Tā shì bu shì zài Yǔyán Xuéyuàn xuéxí Hànyǔ?

8) Nǐ gēge shì bu shì míngtiān huílai?

2. 扩展练习：

Build-up exercise：

走	挤
往南走	比较挤
从这儿往南走	汽车比较挤。
咱们从这儿往南走。	北京的汽车比较挤。

车	分
下车	五分
这一站下车。	六站五分
是不是这一站下车？	坐六站五分。

3. **选择适当的介词填入下列各句的空白中：**

Choose appropriate prepositions to fill in the blanks：

1）她妹妹＿＿＿＿＿＿医院工作。

2）那个银行＿＿＿＿＿＿友谊商店很近。

3）明天，我＿＿＿＿＿＿你一起去音乐厅。

4）星期天他们＿＿＿＿＿＿宿舍休息。

5）＿＿＿＿＿＿北一直走，过马路就到了。

6）老师＿＿＿＿＿＿安娜说："下午来这儿听录音"

4. **把下列问句改成用"是不是"的问句：**

Turn the following into questions using "是不是"：

1）他的皮鞋太小了吧？

2）这种电视很贵吧？

3）明天我们班考试吧？

4）今天二十号了吧？

5）咱们该往南走吧？

6）王兰的衬衫太肥了吧？

5. 用"有时候儿"完成下列对话：

Complete the following dialogues with 有时候儿：

1）A：你每天（měitiān everyday）都听录音吗？

B：_____。

2）A：你在哪儿吃晚饭？

B：_____。

3）A：友谊商店人很多，是不是？

B：_____′。

6. 你常坐公共汽车吗？ 请记一次你坐公共汽车的情况。

Do you often take buses? Write/tell about an experience on the bus.

第三十课 DÌSÀNSHÍ KÈ

Lesson 30

一、 生词 Shēngcí **New Words**

1. 话剧　　　（名）huàjù　　　play, modern drama
2. 售票处　　（名）shòupiàochù　booking office
3. 排　　　　（名、量）pái　　　row
4. 最　　　　（副）　zuì　　　most
5. 座位　　　（名）zuòwèi　　　seat
6. 快…了　　　kuài…le　　　to be about to …
   　快要…了　　kuài yào…le　to be about to…
   　要…了　　　yào…le　　　to be about to…
   　就要…了　　jiù yào…le　to be about to…
7. 开演　　　　kāi yǎn　　　（of performance）to start
8. 快　　　　（形）kuài　　　quick
9. 进去　　　（动）jìnqu　　　to go in, to enter
10. 以前　　　（名）yǐqián　　　before, ago
11. 告别　　　（动）gàobié　　　to say good — bye to …

12. 送	（动）sòng	to see…off
13. 忙	（形）máng	busy
14. 火车	（名）huǒchē	train
15. 开（车）	（动）kāi(chē)	to start, to drive
16. 一定	（副）yídìng	must （ *expressing certainty*）
17. 家	（名）jiā	home, family
18. 玩儿	（动）wánr	to play
19. 一路平安	yílù píng'ān	have a good journey

专名 Zhuānmíng Proper Name

| 张子强 | Zhāng Zǐqiáng | a personal name |
| 上海 | Shànghǎi | Shanghai, a major city in east China |

二、课文 Kèwén Text

I

高开的朋友张子强从上海来北京。高开、王兰跟他一起去看话剧。他们来到剧场的售票处。

高：同志，还有票吗？

售票员：有，您要几张？

高：三张。请您给我们好一点儿的票。

售票员：您看，这是十四排二号、四号、六

号，是最好的座位。话剧快要开演
了，你们快进去吧。

高：(对张子强) 对，子强，咱们快进去吧。
就要开演了。

Gāo Kāide péngyou Zhāng Zǐqiáng cóng Shànghǎi lái Běijīng. Gāo
Kāi, Wáng Lán gēn tā yìqǐ qù kàn huàjù. Tāmen láidào jùchǎngde
shòupiàochù.

Gāo: Tóngzhì, hái yǒu piào ma?

Shòupiàoyuán: Yǒu, nín yào jǐzhāng?

Gāo: Sānzhāng. Qǐng nín gěi wǒmen hǎo yìdiǎnr de
piào.

Shòupiàoyuán: Nín kàn, zhè shì shísì pái èrhào、sìhào、liùhào,
shì zuì hǎode zuòwèi. Huàjù kuài yào kāi yǎn
le, nǐmen kuài jìnqu ba.

Gāo: (Duì Zhāng Zǐqiáng) Duì, Zǐqiáng, zánmen kuài
jìnqu ba. Jiù yào kāi yǎn le.

Ⅱ

张子强要回上海了，走以前，他来跟高开告别。

张：老高，我明天就要回上海了。

高：明天就要走了? 怎么这么快? 我明天
去送你。

张：你工作很忙，别送了。

高：你走，我怎么能不送？

Zhāng Zǐqiáng yào huí Shànghǎi le, zǒu yǐqián, tā lái gēn Gāo Kāi gàobié.

Zhāng：Lǎo Gāo, wǒ míngtiān jiù yào huí Shànghǎi le.

Gāo：Míngtiān jiù yào zǒu le? Zěnme zhème kuài? Wǒ míngtiān qù sòng nǐ.

Zhāng：Nǐ gōngzuò hěn máng, bié sòng le.

Gāo：Nǐ zǒu, wǒ zěnme néng bú sòng?

III

高开到火车站送张子强。

列车员(Conductor)：同志，就要开车了，快请上车吧。

高：火车要开了，上车吧。

张：好，再见！你去上海的时候儿，一定到我家里去玩儿。

高：一定、一定。再见，一路平安！

Gāo Kāi dào huǒchēzhàn sòng Zhāng Zǐqiáng.

Lièchēyuán: Tóngzhì, jiù yào kāi chē le, qǐng kuài shàng chē

    ba.

  Gāo: Huǒchē yào kāi le, shàng chē ba.

 Zhāng: Hǎo, zàijiàn! Nǐ qù Shànghǎi de shíhour, yídìng

    dào wǒ jiāli qu wánr.

  Gāo: Yídìng、yídìng. Zàijiàn, yílù píng'ān!

注释 Zhùshì   Notes:

1. 十四排二号、四号、六号

  在中国看球赛、看影剧要对号入座。电影院、剧院座位号有两种排法。一种是从左向右顺序排；更多的是按单、双号从中间向两边排。

  In China, the spectators at a stadium and the audience at a cinema should take their seats according to the numbers on the tickets. Seat numbers in a row in a theater or a cinema are arranged in two ways: 1) starting from the left; 2) dividing a row of seats in the middle, starting from the middle, those on the left being odd-numbered seats and those on the right being even-numbered seats.

2. 走

  这里"走"是"离开"的意思。

  走 means "to leave" here.

3. 别送了

  这是表示推让的意思。

This is a phrase used to decline an offer politely

4. 一路平安

这是送行时的用语。

This is an expression used to bid farewell to a person leaving on a journey.

三、语音　　Yǔyīn　**Phonetics**

表示情况即将发生的句子的重音

Stress in sentences expressing sth. which is about to happen

表示情况即将发生的句子的重音与一般陈述句一样，在谓语动词上。表示即将发生的情况的结构"要…了"等都不重读。

The stress in a sentence espressing sth. which is about to happen is as in an ordinary statement on the predicate verb, The constructioh 要 …了 is not stressed：

Diànyǐng kuài <u>kāiyǎn</u> le.

Wǒ míngtiān jiù yào huí <u>Shànghǎi</u> le.

Huǒchē kuài yào <u>kāi</u> le.

Tā yào <u>huíqu</u> le.

四、语法　　Yǔfǎ　**Grammar**

表示即将发生的情况

Ways to express sth. which is about to happen

下面几个结构都表示即将发生的情况：

The following constructions are used to express sth. which is about to happen：

要…了	话剧要开演了。
就要…了	话剧就要开演了。
快…了	话剧快开演了。
快要…了	话剧快要开演了。

"要"、"就要"、"快"、"快要"要放在谓语的前边。"就要"、"快要"表示时间更为迫近。

要、就要、快、快要 are placed in front of the predicate. 就要 and 快要 indicate that the event or action will happen particularly soon.

用"就要…了"时，"就要"前边还可以用时间状语。

When 就要…了 is used，就要 may be preceded by a time adverbial.

话剧七点就要开演了。

他明天就要回上海了。

火车八点半就要开了。

五、练习　Liànxí　Exercises

1. **朗读下列各句：**

Read the following sentences aloud：

1）Huàjù kuài kāiyǎn le.

2）Bǐsài jiù yào kāishǐ le.

3）Huǒchē kuài yào kāi le.

4）Xīnnián kuài dào le.

5）Chūzū qìchē kuài lái le.

6）Xiǎo Wáng jīntiān wǎnshang jiù yào huílai le.

2. 扩展练习：

Build—up exercise：

<table>
<tr><td>号</td><td>票</td></tr>
<tr><td>四号</td><td>话剧票</td></tr>
<tr><td>十排四号</td><td>两张话剧票</td></tr>
<tr><td>是十排四号</td><td>买两张话剧票</td></tr>
<tr><td>这是十排四号。</td><td>我买两张话剧票。</td></tr>
<tr><td>告别</td><td>送人</td></tr>
<tr><td>跟朋友告别</td><td>去送人</td></tr>
<tr><td>来跟朋友告别</td><td>我去送人</td></tr>
<tr><td>他来跟朋友告别。</td><td>明天我去送人。</td></tr>
</table>

3. 用每组词造两个句子。要用上"要…了、"快要…了"、"就要…了"、"快…了"：

Make two sentences using each group of words and 要…了，快要…了，就要…了, or 快…了：

1）火车　　　　　开　　　　　4）他　　　　　回国

2）球赛　　　　　开始　　　　5）我朋友　　　回来

3）电影　　　　　开演　　　　6）汽车　　　　　来

4. 用"出来"、"进去"、"回来"填空：

Fill in the blanks with 出来，进去 or 回来：

1）杂技快开演了，咱们_____吧。

2）我朋友明天从美国_____。

3）他从书店_____的时候，遇见一个老朋友。

4）下午你去琉璃厂，你什么时候_____?

5）你是不是想买皮鞋?这是鞋店，我们_____看看。

5. 根据下列情景用"就要…了"、"快要…了"、"快…了"、"要…了"造句：

Make sentences based on the following information，using 就要…了，快要…了，快…了 or 要…了：

1）六点吃晚饭，现在五点三刻了。

2）这本书一共三十课，我们班正在学习三十课。

3）汽车八点半开，现在八点二十五分。

4）高老师十五号从上海回来，今天十二号了。

5）一月一号是新年，今天十二月二十七号。

6）杂技七点一刻开演，现在七点十分了。

7）排球比赛三点开始，现在两点五十了。

8）史密斯的家在英国，他明天走。

6. 你现在学习怎么样?生活怎么样?根据你自己的情况用"快…了"、"要…了"、"就要…了"、"快要…了"写五个句子。

Write five sentences about your studies and daily life，using 快…了，就要…了，要…了，or 快要…了。

7. 根据下列情景对话：

Compose a dialogue based on the following situation：

下午你和朋友一起去看电影，电影票有下午两点的，有四点半的，还有晚上七点的。现在一点半，你们要买两点的票。

第三十一课 DÌSĀNSHÍYĪ KÈ

Lesson 31 *

一、生词 Shēngcí New Words

1. 门口儿	（名）ménkǒur	gate, doorway
2. 邻居	（名）línjū	neighbour
3. 师傅	（名）shīfu	master worker
4. 哟	（叹）yō	Oh! *an exclamation expressing recognition with slight surprise*
5. 车站	（名）chēzhàn	bus stop, railway station
6. 街	（名）jiē	street
7. 刚	（副）gāng	just

---

* 从本课起，课文只给汉字，不给拼音。不再出语音注释，但语音练习仍然每课都有。

From this lesson on, the texts will be given only in Chinese characters. No more phonetic points will be explained, but there are phonetic exercises in every lesson.

8. 下班		xià bān	off work
9. 顺便	（副）	shùnbiàn	in passing（do sth. while doing sth. else without making extra effort）
10. 洗澡		xǐ zǎo	to take bath
11. 做饭		zuò fàn	to cook（a meal）
12. 水果	（名）	shuǐguǒ	fruit
13. 苹果	（名）	píngguǒ	apple
14. 橘子	（名）	júzi	orange
15. 梨	（名）	lí	pear
16. 葡萄	（名）	pútao	grapes
17. 看见	（动）	kànjiàn	to see
18. 不错		bú cuò	quite good, not bad
19. 好	（副）	hǎo	good, *an adverb expressing high degree, large amount, long time, etc.*
20. 斤	（量）	jīn	*a Chinese unit of weight equal to 1/2 kg.*
21. 呢	（助）	ne	*a modal particle used at the end of a sentence expressing confirmation of a fact*

二、课文 Kèwén Text

I

高开送走了张子强回家,走到门口儿,遇见了邻居王师傅。

王:高老师,您上哪儿了?

高:哟,是王师傅啊!我上车站送人去了。您上街了。

王:没有。我刚下班,顺便洗了个澡。

II

高开回到家,他爱人在做晚饭。

王兰:回来了?

高:回来了。

王:刚才门口儿的水果店里卖苹果。你回来的时候儿,看见了没有?

高:没有,我没看见。苹果好吗?

王:不错,老李买了好几斤呢?

高:明天咱们也去买几斤。

注释 Zhūshì Notes:

1. 高老师／王师傅

这种称呼不一定表示人之间的关系(师生、师徒等),而表示对于对方的尊重。

Such forms of address do not necessarily indicate interpersonal relations (like student vs. teacher, apprentice vs. master) but show respect.

2. 我…送人去了。

"人"为泛指。"去"在这里表示目的。

人 means "someone" of generic reference. 去 shows purpose here.

3. 顺便洗个澡。

中国住房里一般没有洗澡设备,洗澡要到公用浴室去。

Chinese houses usually have no bathing facility, so people take baths at public bath houses.

宾语中作定语的"一＋量词"词组中的"一"可以省略。

一 in the "一＋measure word" phrase modifying an object can be omitted.

> 洗 (一) 个澡
> 看 (一) 个电影
> 买 (一) 支钢笔
> 寄 (一) 封信

三、语法 Yǔfǎ Grammar

"了"的用法小结

Summary of the usages of 了

到目前为止,课文中出现了两个"了":一个是用在句尾的助词"了",一个是词尾"了"。

Up to now, we have learned two 了 in the previous texts: the particle 了 which is used at the end of a sentence and the suffix 了。

1. 助词"了"表示在某段时间内（句中常有时间词表示）出现的情况或发生的事情。

The particle 了 expresses that sth. has already happened at the time indicated by a time word.

昨天您上哪儿了？

我昨天去颐和园了。

如果句中没有时间状语，句子表示说话时刚刚出现或发生的事情。

If the time is not specifically indicated, the sentence expresses that sth. has occurred or happened by the time of speaking.

我顺便洗了个澡。

汽车来了。

带句尾"了"的句子的否定式是在动词前用"没"。注意：否定式中不能用"了"。

The negative form of a sentence with the particle 了 is formed by using 没 before the verb but 了 is dropped.

我没上街。

我没看见。

在回答问题时，可以简单地说"没有"（méiyou）。

没有（miéyou）alone can be used as a simple answer to a question.

您上街了吗？

没有。

你看见了没有？

没有。

2. 词尾"了"主要用在动词后面强调动作的完成。

The suffix 了 is attached to a verb to emphasize the completion of an action.

我买了三张票。

我看了一个电影。

注意：动词带上词尾"了"，其宾语往往有数量定语。

Note that the object of a verb with the suffix 了 is often modified by a "numeral + measure word" phrase.

否定式也用"没"。"了"和宾语中的定语应去掉。

没 is used for the negative form with 了 and the "numeral + measure word" phrase of the object dropped.

四、练习 Liànxí Exercises

1. 朗读下列各句：

Read the following sentences：

1) Wǒ méi yǒu shíjiān a.

2) Nǐ shuō shénme a.

3) Kuài diǎnr zǒu a.

4) Shì nǐ a .

5) Tā mǎile sìzhāng piào.

6) Wǒ méi mǎi júzi, wǒ mǎile yìjīn lí.

7) Jīntiān wǒ méi zuò fàn.

8) Tā chīle liǎngge tángbāor.

2. 扩展练习：

Build-up exercise：

水果	不错
买水果	苹果不错。
上街买水果	买的苹果不错。
我上街买水果。	他买的苹果不错。
书店	衣服
门口儿的书店	几件衣服
学校门口儿的书店	好几件衣服
	洗了好几件衣服

3. 选择一个正确答案：

Choose the correct answer to each question：

1) 你上哪儿了？

   A： 我上了车站。

   B： 我上车站了。

2) 刚才你去哪儿了？

   A： 刚才我去小王那儿了。

   B： 刚才我去了小王那儿。

3) 昨天晚上你们看电视了没有？

   A： 昨天晚上我们看电视了。

   B： 昨天晚上我们看了电视。

4) 他买了几张中国画儿？

   A： 他买一张中国画儿了。

   B： 他买了一张中国画儿。

5) 上午他寄信了吗？

   A： 上午他寄信了。

   B： 上午他寄了信。

6) 你买水果了吗？

   A： 我买了水果。

   B： 我买水果了。

4. 模仿造句：

Make sentences after the model：

例　Model：买　电影票

   A：我们买了电影票了。

   B：买了几张？

   A：买了两张。

1）吃	馒头	4）写	信
2）喝	汽水	5）念	课文
3）买	火车票	6）买	衬衫

5. **根据下列情景会话：**

Compose dialogues on the following situations：

1）刚才你去商店了，回来的时候遇见了同学。

2）你同屋正在宿舍做练习，你刚打完球回来。

3）高老师进城了，他下车的时候你看见他了。

4）明天晚上有电影，你不知道你朋友买票了没有。

6. **用"顺便"完成下列各句：**

Complete the following sentences with "顺便"：

1）昨天我去北京饭店看朋友了，＿＿＿＿＿＿＿＿＿＿＿。

2）我去邮局寄信了，＿＿＿＿＿＿＿＿＿＿＿。

3）他刚下班，＿＿＿＿＿＿＿＿＿＿＿。

4）你明天进城吗？＿＿＿＿＿＿＿＿＿＿＿。

5）你去借书，＿＿＿＿＿＿＿＿＿＿＿

第三十二课 DÌSĀNSHÍ'ÈR KÈ

Lesson 32

一、生词　Shēngcí　**New Words**

1. 女儿　　（名）nǚ'ér　　daughter

2. 作业　　（名）zuòyè　　homework

3. 儿子　　（名）érzi　　son

4. 先　　　（副）xiān　　firstly

5. 一会儿　（名）yíhuìr　　a short while

6. 多（么）（副）duō (me)　how (*used in exclamatory sentences*)

7. 就　　　（副）jiù　　*an adverb expressing the concept that two actions take place in close succession*

8. 带　　　（动）dài　　to take, to bring, to lead sb. to do

9. 天　　　（名）tiān　　sky, weather

10. 阴　　　（形）yīn　　overcast

11. 过	（动）	guò	to pass，after
12. 下雨		xià yǔ	it rains
13. 爬	（动）	pá	to climb
14. 山	（名）	shān	mountain，hill
15. 果然	（副）	guǒrán	it happens that …，as expected
16. 停	（动）	tíng	to stop
17. 晴	（形）	qíng	（of weather）fine
18. 太阳	（名）	tàiyáng	sun

专名 Zhuānmíng **Proper Names**

青青	Qīngqing	given name of Gao Kai's daughter
冬冬	Dōngdong	given name of Gao Kai's son

二、课文 Kèwén Text

I

星期六晚上，高开的女儿青青在做作业，儿子冬冬在看电视。

王兰：冬冬，你做作业了没有？

冬冬：还没有呢。我看一会儿电视。您看，多
　　　（么）有意思啊！

王兰：你什么时候儿做作业啊？

冬冬：我看了电视就做。

王兰：先做作业，今天晚上做完作业，明天
　　　我带你们去香山。

冬冬：好！妈妈明天带我们上香山！

Ⅱ

　　第二天，王兰带冬冬和青青来到香山。早上从家里出来的时候儿，天还很好，到了香山，天阴了，过了一会儿，下雨了。

青青：冬冬，你看，下雨了。

冬冬：不能爬山了。

王兰：没关系，过一会儿就不下了。

　　　　过了一会儿，果然雨小了。

冬冬：雨小了，可以爬山了！

王兰：哟，雨停了，去爬山吧！

青青：雨停了！天晴了！太阳出来了！咱们
　　　走吧。

注释　Zhùshì　**Notes：**

1. 看一会儿电视/过（了）一会儿：

　"一会儿"用在动词后面表示动作经历很短的时间。

　Used after a verb，一会儿 shows that the action lasts for a short

while.

2. 多（么）有意思啊！

　"有意思"是"有趣"的意思。

　The phrase 有意思 means "interesting"．

三、语法　Yǔfǎ　Grammar

1. **表示两件事相接的句型**

　A pattern showing two things occurring in succession

　表示两件事前后相接发生，用下面的句型：

　To show two things occurring one after the other ，this pattern is

used：

S	P				
	V_1 了	O_1	（就）V_2	O_2	
我	看 了	电视	（就）做	作业。	
我	做 了	作业	（就）睡	觉。	

例中的词尾"了"表示完成，"V_1 了 O_1"不必带数量定语。

In the above examples，the suffix 了 shows completion and O_1 in "V_1 了 O_1" is not necessarily preceded by a "numeral ＋ measure word" phrase as an attributive.

2. 助词"了"表示变化

The particle 了 expresses change

用在句尾的助词"了"还可以表示变化或新情况的发生。

The particle 了 at the end of a sentence can also indicate a change or the emergence of sth. new.

天阴了。

下雨了。

下大了。

下小了。

不下了。

天晴了。

3. 感叹句的结构

Structure of the exclamatory sentences

S	P		
	多（么）	adj. phrase	啊！
电视	多	有意思	啊！
这个房间	多	大	啊！
山	多	高	啊！

四、练习 Liànxí Exercises

1. 朗读下列各句，注意语调：

   Read the following sentences，paying attention to intonation：

   1）Nàge diànyǐng duō yǒuyìsi a!

   2）Jīntiān tiān duō hǎo a!

   3）Nǐ kàn，zhèjiàn yīfu duō hǎokàn a!

   4）Chē duō jǐ a!

   5）Duō yuǎn a，wǒ bú qù le.

2. 扩展练习：

   Build-up exercises：

了
停了
雨停了。

了
阴了
天阴了。

了
大了
下大了。

了
出来了
太阳出来了。

雨下大了。

作业	山
做作业	爬山
先做作业	去爬山
应该先做作业	我们去爬山。
你应该先做作业。	星期日我们去爬山。

3. 选择一个正确的答案：

Choose the correct answer to each question：

1）你什么时候做练习？

　　A：我下了课就做。

　　B：我下课了就做。

2）你们什么时候去香山？

　　A：我们吃了饭就去了。

　　B：我们吃了饭就去。

3）足球比赛什么时候开始？

　　A：他们到了就开始。

　　B：他们到了就开始了。

4）你明天什么时候去火车站？

　　A：我明天起了床就去火车站。

　　B：我明天起床了就去火车站。

4. 完成句子：

Complete the following sentences：

1）_____，该起床了。　（太阳）

2) _____, 我们快进楼里去。 （雨）

3) _____, 可以走了。 （雨）

4) _____, 快下雨了。 （天）

5) _____, 咱们去公园吧。 （天）

5. 熟读下列词组，并模仿例子用每一个词组编写一段话：

Read the following phrases and use each one of them in a short dia-

logue following the model：

听一会儿　看一会儿　念一会儿　等一会儿　过一会儿

休息一会儿　打一会儿球

例：Model：

A：你想作什么？

B：我想去打一会儿球。

A：你什么时候做练习？

B：过一会儿做。

6. 根据下列情景对话，注意用"了"和"一会儿"：

Compose a dialogue on each of the following situations with 了 and

一会儿：

1) 你还没有做完练习，你朋友想跟你一起去银行换钱。

2) 你正在吃饭，你同学请你一起去看京剧。

3) 今天是星期日，跟你同屋谈谈什么时候进城。

第三十三课 DÌSĀNSHÍSĀN KÈ

Lesson 33

一. 生词　Shēngcí　**New Words**

1. 时间　（名）shíjiān　time
2. 表　（名）biǎo　watch
3. 开始　（动）kāishǐ　to begin
4. 整　（形）zhěng　(…o'clock) sharp
5. 刻钟　（名）kèzhōng　quarter of an hour
6. 累　（形）lèi　(physically) tired
7. 可是　（连）kěshì　but
8. 渴　（形）kě　thirsty
9. 冷饮　（名）lěngyǐn　cold drinks
10. 分钟　（名）fēnzhōng　minute
11. 开　（动）kāi　to open
12. 门　（名）mén　door

　开门　　kāi mén　(of a shop),opens

13. 钟头	（名）zhōngtóu	hour
14. 小时	（名、量）xiǎoshí	hour（more formal than 钟头）
15. 忽然	（副）hūrán	suddenly
16. 牌子	（名）páizi	sign，board
17. 可不是！	kěbushì！	That's it！
18. 注意	（动）zhùyì	to notice，to pay attention to

二、课文 Kèwén Text

1

王兰他们爬上了香山。

青青：妈妈，咱们爬了多少时间？

王兰：我看看表。咱们九点一刻开始爬，现在是十点整。

冬冬：咱们爬了三刻钟。

王兰：你们累不累？我累了。

青青：我也累了。

冬冬：我不累。可是我渴了。

王兰：那边有个冷饮店，离这儿不太远。咱

们在这儿休息几分钟,上那儿喝一点
儿汽水。

II

冬冬先到了冷饮店,可是冷饮店没开门。旁边儿有一位老人在看报。

冬冬：老爷爷,请问,您知道冷饮店什么
　　　时候开门吗?我们爬了一个钟头
　　　(的)山,都累了,想买点儿冷饮。

老爷爷：不知道。我也想吃冷饮。我等了半
　　　　个钟头了。

冬冬忽然看见门上有一块牌子。

冬冬：老爷爷,您看,冷饮店今天休息一
　　　天。

老爷爷：可不是!我在这儿看报,没注意这
　　　　块牌子。

这时候儿,王兰和青青也到了。

冬冬：妈妈,我等了你们十分钟了。这个冷
　　　饮店不开门。

王兰：没关系,那边儿还有一个冷饮店,已

经开门了。咱们到那儿去买。

青青： 好吧！
冬冬：

注释 Zhùshì **Notes**：

1. 王兰他们爬上了香山。

"王兰他们"的意思是王兰和跟她一起的人（青青、冬冬）。

王兰他们 means 王兰 and those who are with her（her daughter and her son）。

"爬上"的"上"表示"爬"这个动作的结果。

In the phrase 爬上，上 shows the result of the action of 爬.

2. 我等了半个钟头了。

"钟头"可以换用"小时"。"钟头"和"小时"用法上有区别。"钟头"只用于口语，"小时"口语、书面语都用。"小时"还是量词，因此可以说"半个小时"、或"半小时"；"钟头"只是名词，不是量词，只能说"半个钟头"、而不能说"半钟头"。

钟头 can be replaced by 小时. However，there are differences between the two：钟头 is used exclusively in spoken Chinese whereas 小时 can be used in both speaking and writing. 小时 is a measure word as well as a noun，therefore，either 半个小时 or 半小时 are correct forms；钟头 is a noun，so we can only say 半个钟头 but not 半钟头。

三、语法 Yǔfǎ **Grammar**

1. 时段表示法

How to indicated periods of time：

五分钟	一个小时(一小时)
十分钟	三个半钟头(小时)
十五分钟(一刻钟)	一会儿
半个钟头	一天
半个小时(半小时)	一个星期
四十五分钟(三刻钟)	一个月
一个钟头	两年

2. 动作持续时间的表示法

How to express how long an action lasts

1)动词不带宾语时：

When the verb takes no object：

等　　一刻钟

等　　半个钟头　（小时）

爬了三个钟头　（小时）

休息一会儿

2)动词的宾语为代词时：

When the pronoun serves as the object of the verb：

等　他　半个小时　（钟头）

3)动词的宾语为名词时：

When the noun serves as the object of the verb：

等　半个小时　（的）　车

爬了三个钟头　（的）　山

看了一刻钟　（的）　书

写了一刻钟　（的）　信

4)用"多少时间"、"多长时间"询问动作持续的时间。

多少时间 or 多长时间 can be used to ask how long an action lasts。

他等多少(多长)时间了？

咱们爬了多少（多长）时间了？

你等了我们多少（多长）时间？

你们爬了多少（多长）时间（的）山？

四、练习 Liànxí Exercises

1. 朗读下列词组和句子，注意重音：

Read the following phrases and sentences paying attention to their stresses：

1) wǔ fēnzhōng   yíge xiǎoshí   liǎngtiān

   yíkè zhōng   shíge yùe   sānnián   bànge zhōngtóu

2) Tā xiěle sìshíwǔ fēnzhōng hànzì.

   Wǒ dǎle wǔ fēnzhōng diànhuà.

   Wǒmen děngle bànge xiǎoshí.

   Tā xuéle yìnián Hànyǔ.

2. 扩展练习：

Build-up exercise：

<table>
<tr><td>分钟</td><td>小时</td></tr>
<tr><td>十分钟</td><td>三个小时</td></tr>
<tr><td>休息了十分钟</td><td>复习了三个小时</td></tr>
<tr><td>我们休息了十分钟。</td><td>我复习了三个小时。</td></tr>
<tr><td>刻钟</td><td>钟头</td></tr>
<tr><td>一刻钟</td><td>半个钟头</td></tr>
<tr><td>走了一刻钟</td><td>听了半个钟头</td></tr>
<tr><td>他们走了一刻钟。</td><td>他们听了半个钟头。</td></tr>
</table>

3. 回答问题：

Answer the following questions：

1）你看了几个小时球赛？　（从七点到九点）

2）你听了多长时间音乐？　（从两点到三点）

3）你们等了多长时间？　（从一点到一点一刻）

4）他学了几年汉语？　（从一九八五年到一九八六年）

5）他写了多长时间汉字？　（从七点到七点半）

4. 回答问题：

Answer the following questions：

1）你来中国多长时间了？

2）你每天上几个小时汉语课？

3）你下午打球吗？你打多长时间？

4）晚上你学习吗？你学习几个小时？

5）你几点睡觉？你睡几个小时？

5. 用"可不是"完成下列对话：

Complete the following dialogues with"可不是"：

1）A：你看，已经七点五十五了。

　　B：＿＿＿＿＿＿＿＿＿＿。

2）A：电影快开演了吧？

　　B：＿＿＿＿＿＿＿＿＿＿。

3）A：香山公园离这儿很远，是吗？

　　B：＿＿＿＿＿＿＿＿＿＿。

4）A：今年水果很贵。

　　B：＿＿＿＿＿＿＿＿＿＿。

6. 谈谈你一天的生活，注意用上表示动作持续的词语。

Speak of a day in your life，paying attention to expressions of time periods.

第三十四课 DÌSÀNSHÍSÌ KÈ

Lesson 34

一. 生词 Shēngcí **New Words**

1. 公园　　　（名）gōngyuán　　park

2. 约会　　　（名）yūehùi　　appointment

3. 高兴　　　（形）gāoxìng　　happy，glad

4. 都　　　　（副）dōu　　already

5. 其实　　　（副）qíshí　　actually，as a matter of fact

6. 就　　　　（副）jiù　　*an adverb expressing that sth. happens early, quickly or smoothly*

7. 才　　　　（副）cái　　*an adverb expressing that sth. happens late, slowly or unsmoothly*

8. 一……就……　　yī……jiù……　　as soon as……

9. 跑　　　　（动）pǎo　　to run

10.	湿	(形) shī	wet
11.	扇子	(名) shànzi	fan
12	冰淇淋	(名) bīngqílín	ice-cream
13.	好	(形) hǎo	easy to…
14.	排队	pái duì	to stand in the queue
15.	有（一）点儿	yǒu (yì) diǎnr	a little, a bit (adverbial)
16.	可能	(形、名、能愿) kěnéng	possible, possibility, can
17.	提前	(动) tíqián	ahead of schedule, before the time due

专名 Zhuānmíng **Proper Name**

玲玲　Língling　a girl's given name

二、课文 Kèwén Text

　　张正生是个年轻的老师。今天是星期日,他跟女朋友玲玲在公园有个约会,可是他来到公园的时候儿,玲玲已经等他半天了。她不高兴了。

玲玲：你看看,已经几点了？

正生：哟，都十点了，真对不起！ 其实，我七
　　　点半就出来了。没想到，等了半个钟
　　　头才上了汽车。一下车，我就跑来了。
　　　你等了我半天了吧？

玲玲：看你，衣服都湿了。给你扇子。这儿有
　　　个冷饮店，咱们先去吃冰淇淋吧。

正生：公园里也有冷饮店，我先去买票吧。

玲玲：我一来就买了。

正生：票好买吗？

玲玲：不好买。我排了十分钟的队，才买到
　　　票。我买了票，等了你半个钟头，你才
　　　来。我刚才都有点儿生气了。我想你--
　　　定不来了。

正生：我怎么可能不来？ 以后，我提前两个
　　　半小时就出来！……咱们进去吧！

注释　Zhùshì　Notes：

1. …等了他半天了。

　　"半天"在这里是表示时间长的意思。

　　半天(half a day)means"a long time"here.

2. 我怎么可能不来？

　　这是一个反问句,这里表示强调的否定的意思:"我不可能不来"。

　　This is a rhetorical question which is not to be answered and gives emphasis to a negation. It means "How could I not come?"

三、语法　Yǔfǎ　Grammar

1."就"和"才"的用法

The usage of 就 and 才

　　这两个词都是副词,作状语。"就"表示说话人觉得动作发生得快、早、顺利;"才"表示动作发生得慢、晚、不顺利。试比较:

　　Both 就 and 才 are adverbs used as adverbials. 就 expresses that the action takes place quickly, early or smoothly; 才 slowly, late or unsmoothly. Compare the following:

　　我七点钟就出来了。　　　　　　我七点钟才出来。

　　排了十分钟的队,就买到票　　　排了十分钟的队,才买到
了。　　　　　　　　　　　　　　票。

　　"一…就…":"一"也是副词,作状语;"就"的意思同前。整个结构的意思是 as soon as…。

　　In the construction 一…就…, 一 is also an adverb as adverbial and 就 means the same as stated above. The whole construction means "as soon as…".

　　　　我一下车,就跑来了。

　　　　我一来就买了。

2."一点儿"和"有(一)点儿"

The difference between 一点儿 and 有(一)点儿

"一点儿"可单独使用,也可作定语。

一点儿 can be used by itself or as an attributive.

我买(一)点东西。

你喝(一)点儿汽水吧。

他会(一)点儿英语。

在"有肥一点儿的吗"中,"一点儿"起补语作用。

In 有肥一点儿的吗, 一点儿 functions as complement.

"有(一)点儿"作状语,多用于不如意的事情。

有(一)点儿 is used as an adverbial chiefly with sth. dissatisfying or against one's wish.

我都有(一)点生气了。

这件衣服有(一)点儿瘦。

他的房间有(一)点儿脏。

四、练习 Liànxí Exercises

1. 朗读下列各句,注意"才"和"就"的轻读:

Read the following sentences, paying attention to the unstressed 才 and 就:

1) Lěngyǐndiàn jiǔ diǎn kāi mén, tā bā diǎn bàn jiù lái le.

2) Wǒ páile èrshí fēnzhōng duì cái mǎi dào piào.

3) Rénmín Jùchǎng lí zhèr bù yuǎn, zǒu shí fēnzhōng jiù dǎo le.

4) Wǒ děngle bànge xiǎoshí, nǐ cái lái.

2. 扩展练习:

Build—up exercise:

来	开演
不来	提前开演
可能不来	电影提前开演。
怎么可能不来	今天电影提前开演。
我怎么可能不来？	

队	车
十分钟队	一个钟头车
排了十分钟队	等了一个钟头车
我排了十分钟队。	他等了一个钟头车

了	了
生气了	湿了
有点儿生气了	都湿了
都有点儿生气了	衣服都湿了
我都有点儿生气了。	他衣服都湿了。

3. 用"就"或"才"填空：

Fill in the blanks with 就 or 才：

1) 汽车十分钟＿＿＿＿＿＿来一辆，太少了。

2) 我等了十分钟，他＿＿＿＿＿＿来了。

3) 明天我提前半个小时＿＿＿＿＿＿出来。

4) 我排了半个小时队＿＿＿＿＿＿买到这本书。

5) 都九点了，商店＿＿＿＿＿＿开门。

6) 食堂还没开门呢，你＿＿＿＿＿＿来了。

7) 今天张师傅九点＿＿＿＿＿＿下班呢。

8) 火车都开了他＿＿＿＿＿＿来。

9）明天我六点_____起床。

10）他累了，八点半_____睡觉了。

4. 熟读下列词组，并选择适当的填空：

Read the following phrases and choose the proper one from among them to fill in each blank：

有点儿冷　　　　　有点儿生气　　　有点儿大　　　　　有点儿瘦

有点儿不高兴　　　有点儿难　　　　有点儿快　　　　有点儿忙

有点儿累　　　　　有点儿渴

买（一）点儿水果　　做点儿饭　　　　会点儿汉语

喝点儿茶　　　　　吃点冰淇淋

肥（一）点儿　　　　小（一）点儿　　　慢（一）点儿

1）你怎么九点才来，我都_____了。

2）那本书生词太多，_____。

3）这件衣服_____，有没有_____的。

4）天阴了，_____我不想去香山玩了。

5）坐一会儿，_____。

6）我_____，快去买几瓶汽水。

5. 用"一…就…"完成下列句子：

Complete the following sentences with 一…就…：

1）我一到北京，_____。

2）_____，就进城去了。

3）首都体育馆在汽车站旁边，_____。

4）我用一下你的词典，_____。

5）明天早上我们一起去打球，_____。

6. 根据下列情景对话，用上"就"、"才"、"有点儿"、"一点儿"：

Compose dialogues on the following situations, using 就、才、有点儿 and 一点儿：

1) 你请朋友去体育馆看球赛。你骑自行车去，你先到，在门口儿等他。你朋友坐公共汽车后到。

2) 下午你跟同屋去饭店吃饭。他从学校去，你从朋友家去，你同屋在饭店门口等你。

第三十五课 DÌSĀNSHÍWǓ KÈ

Lesson 35

一. 生词 Shēngcí New Words

1. 坐下	（形）	zuòxia	to sit down
2. 姑娘	（名）	gūniang	girl
3. 是…的		shì…de	*an emphatic construction*
4. 前天	（名）	qiántiān	the day before yesterday
5. 前年	（名）	qiánnián	the year before last
6. 说话		shuō huà	to talk, to speak
7. 随便	（形）	suíbiàn	to do sth. as one pleases
8. 艺术	（名）	yìshù	art
9. 代表团	（名）	dàibiǎotuán	delegation
10. 翻译	（名）	fānyì	interpreter (translator), translation, to interpret (to translate)
11. 给	（介）	gěi	to, for
12. 蛋糕	（名）	dàngāo	cake

13. 访问	（动、名）fǎngwèn	to visit a person or a place（implies contact with peole there）
14. 相片儿	（名）xiàngpiānr	photo
15. 照	（动）zhào	to take（a photo）
照相	zhào xiàng	to take a picture
16. 离开	（动）líkāi	to leave，to depart
17. 后天	（名）hòutiān	the day after tomorrow
18. 也许	（副）yěxǔ	perhaps

专名 Zhuānmíng **Proper Names**

广州	Guǎngzhōu	capital of Guangdong Province in South China
乌鲁木齐	Wūlumuqí	*Ulumuqi*，capital of the Xinjiang Uygur Autonomous Region in Northwest China
敦煌	Dūnhuáng	a major city in Gansu Province in Northwest China，where the famous Dunhuang Caves, dating from 366 A.D.，containing Buddhist statues, frescoes, and valuable manuscripts are located.

二、课文 Kèwén Text

张正生跟玲玲在公园里的一个冷饮店买了冰淇淋。刚坐下，一个外国姑娘走到桌子前边，说："张老师，您好！您还认识我吗？"

正生：哦，安娜，你好！你是什么时候儿来的？

安娜：我是前天来的。

正生：来，一块儿坐！这是我朋友玲玲。（对玲玲）安娜是我的学生，她是前年毕业回国的。

玲玲：你好！请坐吧！

正生：你吃（一）点儿什么？冰淇淋还是汽水？

安娜：不客气，我说一会儿话就走。

正生：随便吃一点儿。

玲玲去买东西了。

正生：你是一个人来的吗？

安娜：不是，我是跟艺术代表团一起来的。我是他们的翻译。

玲玲回来了。她给安娜买了冰淇淋,还买了汽水、蛋糕。

正生：你们访问了哪些地方？

安娜：广州,上海、乌鲁木齐、敦煌。

玲玲：你们去了敦煌？你们是怎么去的？

安娜：我们是从乌鲁木齐坐火车去的。哦, 您看这张相片儿是在敦煌照的。

正生：真好! 你们什么时候儿离开北京？有 时间请去学校玩儿。

安娜：我们后天就要回国了。我也许明天去 学校。对不起,我该走了,代表团的人 在那儿等我。谢谢你们。

三、语法　Yǔfǎ　Grammar

1."是…的"结构

The construction 是…的

"是…的"结构可以用来强调已经发生的动作的时间、地点、方式。句型 是：

The construction of 是…的 can be used to emphasize the time, place or manner of an action which has already taken place. The pattern is：

S	P				
	是 +	Adverbial of time/place/manner	+ V + (O)	+的	
我	是	前天	来	的。	(时间 Time)
这张相片	是	在敦煌	照	的。	(地点 Place)
我们	是	从上海	来	的。	(地点 Place)
我	是	跟艺术代表团一起	来中国	的。	(方式 Manner)
我们	是	坐火车	来	的。	(方式 Manner)

否定句中，否定词"不"放在"是"前面：

In the negative form, the negative adverb 不 is placed before 是：

>   我不是前天来的。
>
>   我不是一个人来的。
>
>   我不是坐火车来的。
>
>   我们不是从上海来的。
>
>   这张照片儿不是在敦煌照的。

这种句子回答的问题经常是：

This kind of sentence usually answers questions like：

什么时候儿	你是什么时候儿来的？
在哪儿	这张相片儿是在哪儿照的？
从哪儿	你们是从哪儿来的？
怎么	你是怎么去的？
跟谁一起	你是跟谁一起去的？

2. 介词"给"

The preposition 给

"给"是动词，也是介词。作介词时，"给"表示行为的对象或受益者。

给 is a preposition as well as a verb. As a preposition, 给 indicates the receiver or benificiary of an action.

她给安娜买了冰淇淋。

她给安娜打电话。

请给我翻译这个句子。

请给我换一件深一点儿的。

我给你们介绍一下儿。

我给他借了一本书。

我给你录音，好吗？

请给我算算，多少钱？

我给他写了一封信。

她给安娜照了一张相。

四、练习 Liànxí **Exercises**

1. **朗读下列各句，注意有 "是…的" 结构的句子的重音：**

   Read the following sentences, paying attention to their stresses：

   1）Wǒ shì zuò qìchē qù de Yíhéyuán.

   2）Tā shì zuò huǒchē lái de Běijīng.

   3）Wǒ shì shàngyuè bā hào qù de Shànghǎi.

   4）Tā shì qùnián lái Zhōngguó de.

   5）Zhèzhāng huàr shì zài Liúlichǎng mǎi de.

   6）Nàběn zázhì shì cóng túshūguǎn jiè de.

2. **扩展练习：**

   Build-up exercise：

翻译	北京
代表团的翻译	离开北京
艺术代表团的翻译	后天离开北京
是艺术代表团的翻译	也许后天离开北京
她是艺术代表团的翻译	我也许后天离开北京
相片儿	坐
一张相片儿	随便坐
给你一张相片儿	大家随便坐
我给你一张相片儿	请大家随便坐

3. 模仿造句，用上"不是…的""是…的"和适当的疑问代词：

Make sentences following the model and try to use 不是…的，是…的 and appropriate interrogative words in your sentences：

例　Model：坐汽车　　公园

你不是坐汽车去的公园，你是怎么去的？

1) 坐地铁　　火车站
2) 坐火车　　广州
3) 坐出租汽车　　国际俱乐部
4) 在城里　　京剧
5) 在小卖部　　咖啡
6) 跟你同屋　　香山
7) 去年　　大学毕业
8) 上星期天　　友谊商店
9) 跟代表团　　中国
10) 在长城　　照相
11) 昨天晚上　　球赛

12) 上个月　　中国银行

4. 选择适当的词填空：

Fill in each blank with one of the following three phrases：

顺便　　　方便　　　随便

1) 你去小卖部，_____给我买一斤梨。

2) 学校里边有邮局，寄信很_____。

3) 咱们_____谈谈。

4) 别客气，请_____吃。

5) 从这儿到北大，坐汽车很_____。

6) 下午我进城买衣服，_____去看一个老朋友。

5. 根据下列情景对话，注意用上"是··的"结构：

Compose dialogues on the following situations，paying attention to the use of 是…的：

1) 你朋友刚从日本回来。

2) 你同屋说他看了一个电影。

3) 一个同学买了一双皮鞋。

4) 你在学校门口儿遇见一个老同学。

第三十六课 DÌSĀNSHÍLIÙ KÈ

Lesson 36

一. 生词　Shēngcí　New Words

1.	病	（动、名）bìng	to be ill, illness
2.	手	（名）shǒu	hand
3.	破	（动、形）pò	broken, injured
4.	上	（动）shàng	to apply (medicine) to …
5.	药	（名）yào	medicine, drug
6.	每	（代）měi	every
7.	次	（量）cì	a *verbal measure word of frequency*, time
8.	舒服	（形）shūfu	comfortable
9.	头	（名）tóu	head
10.	疼	（形）téng	pain, ache
11.	挂号	guàhào	to registert at a hospital
12.	…科	（名）…kē	…department (of a hospital)
	内科	nèikē	internal medicine department

外科		wàikē	surgical department
13. 发烧		fā shāo	to run a fever
14. 嗓子	（名）	sǎngzi	throat, voice
15. 鼻子	（名）	bízi	nose
16. 通	（形）	tōng	through, not stuffed
17. 咳嗽	（动、名）	késou	to cough
18. 表	（名）	biǎo	clinical thermometer
19. 度	（量）	dù	degree
20. 张	（动）	zhāng	to open (the mouth)
21. 嘴	（名）	zuǐ	mouth
22. 感冒	（动）	gǎnmào	to catch cold, flu
23. 打针		dǎzhēn	to have an injection
24. 开（药）	（动）	kāi(yào)	to prescribe (medicine)
25. 片儿	（量）	piànr	tablet

二、课文 Kèwén Text

I

约翰病了。他去医院看病，遇见了阿里。

约翰：你怎么了？

阿里：我手破了。大夫给我上了点儿药。

约翰：要换药吗？

阿里：大夫说每天要换一次药。你哪儿不舒
　　　服？

约翰：我今天有点儿头疼，想请大夫给我看
　　　看。

Ⅱ

　　挂号。

　　约翰：同志，请给我挂个号。

工作人员：挂什么科？

　　约翰：我挂内科。

Ⅲ

　　看病。

常志成：请坐。你怎么不舒服？

　约翰：我有点儿发烧，嗓子疼，鼻子不通。

常志成：咳嗽吗？你头疼不疼？

约翰：咳嗽，头疼。

常志成：试试表吧。五分钟以后给我看。

（过了五分钟。）

常志成：到时间了。我看看多少度。三十八
度七（38.7℃），张嘴，"啊——。"

约翰："啊——。"

常志成：哦，你嗓子很红。你感冒了。打几
针，我给你开点儿药。这种药每天
吃三次，每次吃三片儿；这种药每
天吃两次，每次吃一片儿。

注释 Zhùshì **Notes**：

1. 看病

"看病"的意思可以是病人请大夫看病，也可以是大夫给病人看病。

看病 means either for a patient to go to see the doctor or for a doctor to give treatment to the patient.

2. 试表

"试表"指用体温计试体温。

试表 means to take one's temperature with a clinical thermometer.

3. 三十八度七 (38.7℃)

中国测量温度（气温、体温等）都用摄氏温度计。摄氏温度（C）与华氏温度（F）的换算方法是：

In China, air temperature, body temperature, etc. are measured on the Celsius thermometer. The conversion of a Celsius temperature into a Fahrenheit temperature is as follows:

$$C = \frac{5}{9}(F - 32)$$

$$F = \frac{9}{5}C + 32$$

三、语法　Yǔfǎ　Grammar

1. 主谓谓语句

Sentences with an SP phrase as predicate

在第二十七课中，我们曾介绍过主谓谓语句的句型。现再对这种句子作一些介绍。

In Lesson 27, we introduced the pattern of a sentence with an SP phrase as predicate. Now we shall give a further introduction to this kind of sentence.

S_1	P_1	
	S_2 (NP)	P_2 (Adj.)
我	头	疼。
我	手	破了。
这双鞋	样子	好。
那件衣服	颜色	好。

在上面各例中，作谓语的主谓结构（S_2P_2）是由名词（NP）和形容词（Adj.）构成的。

In the above examples, the predicate S-P phrase (S_2P_2) is made up of a noun and an adjective.

谓语（P_1）前边的时间状语有两个位置：

The time adverbial preceding P_1 can be in either of the following two positions：

今天我头疼。

我今天头疼。

主谓结构中的谓语（P_2）也可受状语（包括否定副词作状语）的修饰。

P_2 in the S-P phrase can be modified by adverbials (including negative advebs).

S_1	P_1		
	S_2 ＋ Adverbial ＋ P_2		
我	头	今天很	疼。
我	头	太	疼了
我	头	不	疼。
这双鞋	样子	不	好
那件衣服	颜色	不	好。

这种句子可以回答这样的问题：

This kind of sentence can answer questions like：

你头疼吗？

你头疼不疼？

— 296 —

你怎么了？

这双鞋样子怎么样？

2. 动量词"次"

The verbal measure word 次

"次"是一个常用的动量词。动量词与数词、指示代词、疑问代词"哪"结合使用：

次 is a common verbal measure word. Verbal measure words can be used in combination with numerals, demonstrative pronouns and the interrogative pronoun 哪：

一次、两次、三次、四次

这次、那次、哪次

这一次、那一次、哪一次

"数词 + 动量词"词组放在动词后面表示动作发生的频率：

The "numeral + verbal measure word" phrase indicates the frequency of an action when it is used after the verb.

我每天换一次（药）。

这种药每天吃三次。

四、练习　Liànxí　Exercises

1. 朗读下列各句，注意重音：

Read the following sentences, paying attention to their stresses：

1）Wǒ tóu téng.

2）Tā sǎngzi yǒudiǎnr hóng.

3）Wǒ shǒu bù téng.

4）Tā shēntǐ　hěn hǎo.

— 297 —

5）Tā gōngzuò hěn máng.

6）Jīntiān tiānqi hěn hǎo.

2. 扩展练习：

Build-up exercise：

疼	红	药
很疼	不红	两次药
头很疼。	嗓子不红。	上两次药。
我头很疼。	你嗓子不红。	每天上两次药。

片儿	打针	发烧
一片儿	我打针	有点儿发烧
吃一片儿	给我打针	早上有点儿发烧
一次吃一片儿。	大夫给我打针。	我早上有点儿发烧。

3. 造主谓结构作谓语的句子：

Make sentences with S-P phrases as their predicates：

1）他病了　　　　　2）买衣服

　（1）头　　　　　　（1）样子

　（2）嗓子　　　　　（2）颜色

　（3）鼻子　　　　　（3）大小

3）他的情况（qíngkuàng　general state of affairs）

　（1）年龄

　（2）身体（shēntǐ health）

　（3）工作

4. **怎么说?**

What do you say?

1) 你从医务所回来，遇见同屋，你们谈什么?

2) 他以前抽烟 (chōuyān to smoke)，现在不抽了，问他为什么?

第三十七课 DÌSĀNSHÍQĪ KÈ

Lesson 37

一. 生词 Shēngcí　New Words

1. 邀请　（动）yāoqǐng　to invite
2. 球　（名）qiú　ball
   篮球　lánqiú　basketball
   排球　páiqiú　volleyball
   足球　zúqiú　football(soccer)
3. 比赛　（名、动）bǐsài　match, contest
4. 正好　（副）zhènghǎo　to happen, to chance to
5. 看台　（名）kàntái　bleachers, stand
6. 运动员　（名）yùndòngyuán　player, sportsman, athlete
7. 裁判员　（名）cáipànyuán　referee, judge
8. 糟糕　（形）zāogāo　It's too bad

9. 忘	（动）	wàng	to forget
10. 拿	（动）	ná	to take, to hold
11. 着急	（动）	zháojí	to worry, anxious
12. 马上	（副）	mǎshàng	immediately, at once
13. 让	（动）	ràng	to let, to ask (sb. to do sth.)

二、课文　Kèwén　Text

I

高开邀请了几个学生去看足球比赛。他从家里去体育场。他到的时候儿，正好阿里、汤姆和夏子也到了。

高开：约翰呢？

夏子：他可能还没到呢。我们是骑车来的，他坐公共汽车来。

高开：你们先进去，我在这儿等一会儿。你们能找到看台吗？

阿里：能找到。我们是第二看台。

II

高开看见约翰跑来了。

高开：约翰，快点儿，运动员、裁判员已经

进去了，比赛快开始了。

服务员：（对约翰）你的票呢？

　约翰：票？糟糕！我忘了拿来了。

　高开：别着急，我有两张票。

Ⅲ

　　高开和约翰进了体育场，一上看台就看见了阿里。

阿里：高老师，你们快过来，这儿有座位。

高开：好，我们马上就过去。夏子他们呢？

阿里：他们上去了。

高开：哦，我看见了。他们那儿太高了。让
　　　他们下来，到我们这儿来吧。这儿还
　　　有座位。

注释　Zhùshì　Notes：

1. 约翰呢？/你的票呢？

　　这两句话的意思是："约翰在哪儿？"、"你的票在哪儿？"

　　These two sentences mean "Where is John?" and "Where is your ticket?" respectively.

2. 这儿有座位。

体育场的票一般只规定看台号，而没有座位号，观众在看台上可以随便坐。

Only the gate number is indicated on a ticket to a stadium but not the seat number, so the spectators can take any seat in the stadium after they have entered by the right gate.

三、语法　Yǔfǎ　Grammar

1. "来"、"去"表示动作的趋向（1）

来 and 去 showing the direction of an action（1）

动词"来"、"去"除了表示具体动作之外，还可以表示动作的趋向。"来"表示动作朝说话人的方向进行，"去"表示相反的意思。下面是本课出现的"来/去"表示动作趋向的句子：

The verbs 来 and 去, besides their original meanings, are also used to indicate the direction of an action. 来 indicates that the action proceeds towards the speaker. 去 is used in the opposite case. Here are sentences from the text in which 来 or 去 is used to show the direction of the action：

V ＋ 来	V ＋ 去
约翰跑来了。	你们先进去。
我忘了拿来了。	运动员、裁判员已经进去了。
你们快过来。	我们马上就过去。
让他们下来。	他们上去了。

这里我们列出学过的能与"来/去"搭配的动词。

— 303 —

The following are verbs we have come across in previous lessons which can be used with 来 or 去.

出来/去	带来/去	过来/去	换来/去
回来/去	寄来/去	叫来/去	借来/去
进来/去	开来/去	买来/去	拿来/去
爬来/去	跑来/去	请来/去	上来/去
送来/去	下来/去	写来/去	要来/去
找来/去	走来/去		

2. "这儿"、"那儿"，的一个用法

A usage of 这儿 and 那儿

指示代词"这儿""那儿"可与人称代词或不表示处所的名词结合起来表示处所。"X ＋ 这儿"表示近指，"X ＋ 那儿"表示远指。

The demonstrative pronouns 这儿 and 那儿 can be combined with personal pronouns or nouns of non-place reference to refer to places. "X ＋ 这儿" refers to a nearer place while "X ＋ 那儿"to a more distant one.

我们这儿	到我们这儿来吧。
他们那儿	他们那儿太高了。
高老师那儿	上高老师那儿。

四、练习 Liànxí Exercises

1. 朗读下列各句：

Read the following sentences：

1）Nǐ shénme shíhour huílai?

2）Tā cóng shāngdiàn chūlai, yùjiàn yíge lǎo péngyou.

3）Wáng lǎoshī kuài huíqu ba!

4）Diànyǐng kuài kāiyǎn le, jìnqu ba.

2. 扩展练习：

Build—up exercise：

<table>
<tr><td>票</td><td>信</td></tr>
<tr><td>球票</td><td>一封信</td></tr>
<tr><td>一张球票</td><td>寄一封信</td></tr>
<tr><td>买一张球票</td><td>我寄一封信</td></tr>
<tr><td>他买一张球票。</td><td>给我寄一封信</td></tr>
<tr><td>给他买一张球票</td><td>他给我寄一封信。</td></tr>
<tr><td>我给他买一张球票。</td><td>让他给我寄一封信</td></tr>
<tr><td>让我给他买一张球票</td><td>我让他给我寄一封信。</td></tr>
<tr><td>他让我给他买一张球票。</td><td></td></tr>
</table>

<table>
<tr><td>回来</td><td>进去</td></tr>
<tr><td>从外边回来</td><td>马上进去</td></tr>
<tr><td>刚从外边回来</td><td>你们马上进去。</td></tr>
<tr><td>他刚从外边回来。</td><td>请你们马上进去。</td></tr>
</table>

3. 用括号里的词加"来"或"去"完成句子：

Complete the following sentences, using the words in the parentheses and 来 or 去：

1）_____，现在还没回来。（八点　出）

2）外边很冷（lěng），_____。（进）

3) _____，这张画儿很好看。(从家里　拿)

4) _____，这种橘子很好吃。(买　一公斤橘子)

5) _____，请你在这儿等一会儿。(从北京饭店

回)

4. 熟读下列词组，并选择适当的填空：

Read the following phrases and choose the proper one to fill in each

blank：

我这儿　　李老师那儿　　我朋友那儿　　你那儿

我妹妹那儿　　你们那儿　　我们这儿

1) 今天下午四点，请你来_____。

2) 我有一个问题，想去_____问问。

3) 我的词典在_____吗？

4) _____有没有葡萄？

5) A：约翰呢？

B：他在_____。

5. 怎么说？

What do you say?

例　Model：

你在食堂里。

阿里　　出　—阿里出去了。

1) 你在宿舍里。

(1) 你同屋　　回

(2) 高老师　　进

（3）你朋友　　出

（4）他拿　　一块蛋糕

2）你在公共汽车上，你看见

（1）夏子　　上

（2）张老师　　下

第三十八课 DÌSĀNSHÍBĀ KÈ

Lesson 38

一、生词 Shēng cí New Words

1.	大使馆	（名）dàshǐguǎn	embassy
2.	要是	（连）yàoshì	if, supposing that
3.	急事	（名）jíshì	urgent matter
4.	礼物	（名）lǐwù	gift, present
5.	欢迎	（动、名）huānyíng	to welcome, welcome
6.	屋（子）	（名）wū(zi)	room
7.	少	（形）shǎo	little (small in amount)
8.	菜	（名）cài	vegetable, cooked vegetable or meat
9.	路过	（动）lùguò	to pass by
10.	自选	zì xuǎn	choose for oneself
11.	市场	（名）shìchǎng	market (place)
12.	鱼	（名）yú	fish
13.	肉	（名）ròu	meat, flesh
	牛肉	niúròu	beef

	羊肉	yángròu	mutton
	猪肉	zhūròu	pork
14.	鸡	（名）jī	chicken(hen or cock)
15.	客人	（名）kèren	guest
16.	麻烦	（动、名）máfan	to trouble, trouble
17.	特意	（副）tèyì	purposely, specially

二、课文　Kèwén　Text

I

看完球赛, 已经四点多钟了。高开他们从体育场出来。

高开：你们现在上哪儿去？

约翰：我和阿里回学校去。

夏子：我上大使馆去。

高开：你们要是没有急事, 我想请你们上
　　　我家去。我家离这儿很近。

约翰：可是我们没给您带礼物啊。

高开：带什么礼物！你们去, 我就很高兴,
　　　走吧。

学生们：好啊, 我们去。

夏子：谢谢您的邀请。

高开跟学生走到家门口,他妈妈正好带着青青和冬冬从里边出来。

高开:妈,这是我的几个学生,我请他们来玩儿。

妈妈:欢迎,欢迎。青青、冬冬,叫叔叔、阿姨。

青青:
冬冬:叔叔、阿姨好!

学生们:你们好!

妈妈:快进屋去吧。哟,你看,王兰也回家来了。

王兰:妈!咱们家有客人哪!

高开:我的学生。——你买了不少菜来呀!

王兰:我刚才路过自选市场,顺便带了点儿菜来。

高开:我看看你买了些什么来。鸡、鱼、牛肉……真不少!正好,我今天请了几位客人来。请你做几个菜,大家一起吃饭吧。

妈妈：让王兰休息吧，我做。

夏子：不麻烦您了！我们坐一会儿就走。

高开：别客气，我没特意准备。随便吃一
点儿吧。——请进屋去吧。

注释　Zhùshì　Notes：

1. 我和阿里回学校去。

在汉语中，在提到自己和别人时，一般的顺序是先说自己，再说别人（我和阿里）。这与英语的习惯恰恰相反（比较：**Ali and I**）。

In Chinese, when oneself and another person are mentioned at the same time, the usual order is to put oneself first and then the other person (like 我和阿里), In English, the order is exactly reversed (like Ali and I).

2. 我想请你们上我家去。

在中国，可以临时邀请客人作客，也可以不经约会访问人。

In China, one can invite a guest at the last moment, and one can visit people without previous appointment.

3. 带什么礼物！

这句话的意思是"不必带任何礼物"。

在中国，到亲友家去拜访可以带点水果、点心、酒之类的礼物，也可以给主人的孩子买个玩具之类的东西。特别是主人家有老人时，带礼物表示对老人的尊敬。

It means "There is no need to bring any present. "

In China, when visiting a relative or friend, one can take presents such as fruit, cake, wine, etc. for the host, or one can buy a toy and the like for the host's children. Especially when the host has aged parents, a present is considered a token of respect for them.

4. 王兰：妈。

儿媳称自己的婆母"妈"，称自己的公公"爸"。

A married woman calls her mother-in-law 妈 and her father-in-law 爸。

5. 自选市场

一种类似超级市场的商店，规模比超级市场要小。

A kind of store similar to a supermarket but usually smaller than supermarket.

三、语法　Yǔfǎ　Grammar

"来"、"去"表示动作的趋向(2)

来 and 去 showing the direction of an action (2)

在有"来/去"表示动作趋向的句子里，主要动词可以带宾语。
常用的句型是：

In a sentence with 来/去 showing the direction of an action, the main verb can take an object. The commonly used pattern is：

S	P		
	V	O	来/去
1)你们	上	哪儿	去?
我们	回	学校	去　吧。
你们	进	屋	去　吧。
王兰	回	家	来　了。
2)王兰	带了	点儿菜	来。
你	买了	些　什么	来?
我	请了	几位客人	来。

注意：第一组例句中动词"上、回、进"(还包括"下、出"等)后边要带处所宾语，

Note that in the examples in 1)the main verbs 上，回，进(and 下，出，etc.)take place objects.

四、练习　Liànxí　**Exercises**

1. 朗读下列各句，注意重音：

Read the following sentences，paying attention to their stresses：

1)Kuài ná yìbǎ yǐzi lai.

2)Míngtiān qǐng dài lùyīnjī lai.

3)Nǐ gěi tā sòng liǎngzhāng piào qù.

4)Wǒ kànjiàn tā jìn shítáng qu le.

5)Tā húi sùshè qu le.

2. 扩展练习：

Build-up exercese：

学习

来中国学习

你来中国学习。

欢迎你来中国学习。

菜

买菜

去市场买菜

我妈妈去市场买菜。

礼物

一件礼物

送我一件礼物

他送我一件礼物。

大使馆

路过大使馆

正好路过大使馆

阿里正好路过大使馆。

急事

有急事

我有急事。

对不起，我有急事。

来

进屋来

快进屋来！

你快进屋来。

3. 完成下列各句,用上"来、去":

Complete the following sentences using 来 or 去：

    1)火车快要开了,＿＿＿＿＿＿＿＿。（上）

    2)明天有客人,＿＿＿＿＿＿＿。（买）

    3)星期天我们去高老师家,＿＿＿＿＿＿＿。（带）

    4)我们一块儿照张相,＿＿＿＿＿＿＿。（拿）

    5)下课了,＿＿＿＿＿＿＿。（回）

    6)他不在北京,＿＿＿＿＿＿＿。（到）

4. 用"可是"、"还是"、"要是"填空:

Fill in the blanks with 可是,还是 or 要是：

    1)我很想去看足球比赛＿＿＿＿＿＿,我感冒了,不能去。

    2)＿＿＿＿＿＿ 你有时间,明天我们一起去故宫。

    3)你要喝汽水儿＿＿＿＿＿＿要吃冰淇淋?

    4)＿＿＿＿＿＿下午雨停了,我们去自选市场买点儿肉和菜。

    5)咱们坐汽车去＿＿＿＿＿＿走着去?

    6)这件衬衫颜色很好,＿＿＿＿＿＿太肥了。

5. 造句:(用上"来、去")

Make sentences with the following groups of words and 来 or 去 to show the direction of the action：

    1)买   啤酒

    2)借   中文画报

    3)回   家

    4)到   颐和园

    5)进   屋

6. 根据下列情景对话:

Compose a dialogue on the following situation：

你跟朋友谈明天去长城的事,什么时候去,什么时候回来,准备带什么东西去……

第三十九课 DÌSĀNSHÍJIǓ KÈ

Lesson 39

一、生词 Shēngcí **New Words**

1. 热闹 （形）rènao lively,（of a place）bustling
2. 觉得 （动）juéde to feel, to think
3. 精彩 （形）jīngcǎi wonderful, exciting
4. 队 （名）duì team
5. 踢 （动）tī to kick
6. 慢 （形）màn slow
7. 自己 （代）zìjǐ self,（one's）own
8. 爱好 （名）ài hào hobby
9. 喜欢 （动）xǐhuan to like
10. 体育 （名）tǐyù sports, physical education
11. 运动 （名）yùndòng sport, movement
12. 网球 （名）wǎngqiú tennis
13. 乒乓球 （名）pīngpāngqiú table tennis
14. 长跑 （名）chángpǎo long-distance running

15. 游泳		yóu yǒng	to swim
16. 打（太极拳）	（动）	dǎ（tàijíquán）	to do （shadowboxing）
17. 太极拳	（名）	tàijíquán	a kind of traditional Chinese shadowboxing
18. 教	（动）	jiāo	to teach
19. 后来	（名）	hòulái	later on
20. 商量	（动）	shāngliang	to talk things over
21. 提议	（动）	tíyì	to suggest, to propose
22. 同意	（动）	tóngyì	to agree to （sth.）
23. 骑	（动）	qí	to ride
24. 自行车	（名）	zìxíngchē	bicycle
25. 大概	（副）	dàgài	perhaps
26. 会	（助动）	huì	probably, will
27. 但是	（连）	dànshì	but

二、课文　Kèwén　Text

I

高开的妈妈和王兰做饭的时候儿，大家谈得很热闹。

高开：你们觉得今天的比赛怎么样？

约翰：很精彩。您说哪个队踢得好？

高开：两个队踢得都不错。红队的五号踢得
　　　好，跑得也快。

汤姆：白队的三号跑得也不慢，可是他踢得
　　　不太好。

高开：对。他今天踢得不太好，可是他是个
　　　很好的足球运动员。

Ⅱ

　从下午的比赛，大家又谈到自己的爱好。

高开：你们都喜欢体育运动吗？

学生们：喜欢。

夏子：我喜欢打网球和乒乓球。

高开：你一定打得很好。

夏子：不行，我打得不太好。

高开：阿里，你喜欢什么运动？

阿里：我喜欢长跑和游泳。我跑得比较
　　　快，游得不快。老师，您喜欢什么？

高开：我喜欢打太极拳。

约翰：我很想学太极拳，您教我好不好？

夏子：您要是教，我们都学。

Ⅲ

后来，大家商量星期日到哪儿去玩儿。

阿里：我提议，咱们到香山去，怎么样？

汤姆：好啊，我同意。咱们骑自行车去吧。

夏子：我不同意骑自行车去。我骑得太慢。
那么远，我大概要骑三个钟头。

汤姆：不会。你骑得快一点儿，我们骑得慢
一点儿，一个钟头就到了。老师，您
是不是也跟我们一起去呀？

高开：好。但是我坐车去，到那儿等你们。

王兰：（进来）好了，别说话了，吃饭吧。

注释 Zhùshì **Notes**：

1. 你们觉得今天的比赛怎么样？

　　在这句话里，"怎么样"用来征求对方的意见，希望对方提出自己的看法。

　　怎么样 in this question is used to ask for an opinion from the listeners，expecting them to put forward whatever they think（about the match）.

2. 您教我好不好？

　　这句话也表示征求对方的意见，回答可能是肯定的，也可能是否定的。否定时，不能直接说"不好"，而要做解释。

This question is also used to ask for an opinion from the listener, and either an affirmative or a negative answer is possible. The negative answer is not simply 不好, instead, some explanation should be given.

3. 您是不是也跟我们一起去呀?

　　"是不是…呀" 表示提出建议与对方商量。句末的 "呀" 使语气缓和。

　　是不是…呀? is used to put forward a suggestion and then consult the listener. The 呀 in the end makes the tone moderate.

三、语法　Yǔfǎ　Grammar

"得" 后形容词表示对动作的评价

Post-得 adjectives expressing a comment on an action

　　在 "主语＋动词-得＋形容词" 这一句型中,形容词表示对 "得" 前动词所表示的动作的评价。从这类句子所处的上下文可以看出,这个动作一定是经常性的,或者是已经发生的,如:

　　In the pattern "Subj. ＋V-得＋Adj.", the adjective expresses a comment on the action indicated by the verb before 得. From the context in which this kind of sentences occur, the action must be a habitual one or one which has already taken place. For example:

S	P		
	V＋	得＋	DC
五号	跑	得	快。
三号	打	得	好。
我	骑	得	慢。
这个队	踢	得	不错。

以上是肯定形式,句重音在形容词上。

　　The above examples are in the affirmative form where the sentence stress falls on the adjectives.

这种句型的否定形式是：

The negative form of this pattern is：

S	P			
	V+	得+	不+	DC
五号	跑	得	不	快。
三号	打	得	不	好。
我	骑	得	不	慢。
这个队	踢	得	不	好。

在否定形式中，句重音在"不"字上。

In the negative form，the sentence stress is on the negative adverb 不.

在这一句型中，谓语动词和"得"后形容词都可以带状语：

In this pattern，both the predicate verb and the post-得 adjective can be premodified by adverbials：

两个队昨天踢得都不错。

他今天跑得不太快。

我今天骑得比较快。

他刚才跑得真不慢。

她一定打得很好。

下面是常用的疑问形式和回答方式。注意回答不同的问题时句重音的位置会发生变化：

The following are common question forms of this pattern and possible answers. Note that to answer different questions，the sentence stress may be varied：

1) 他跑得怎么样？

他跑得很快。

〔注：本句中的"很"不表示程度高。Note：很 in this sentence does not indicate high degree.〕

他跑得不快。

2）他跑得快吗？

他跑得很快。

〔注：本句中的"很"重读，有表示程度高的意思。Note：很 in this sentence is stressed and indicates a high degree.〕

3）他跑得快不快？

他跑得很快。

他跑得不快。

四、练习 Liànxí **Exercises**

1. 朗读下列各句，注意句重音：

Read the following sentences，paying attention to their stresses：

1）Tā lánqiú dǎde hěn hǎo.

2）Tā pǎode hěn màn.

3）Wǒ chīde hěn duō.

4）Tā zúqiú tīde búcuò.

5）Tāmen Hànyǔ shuōde hěn hǎo.

2. 扩展练习：

Build-up exercise：

太极拳   运动

打太极拳   体育运动

你打太极拳。   什么体育运动

教你打太极拳　　　　　　　爱好什么体育运动

我教你打太极拳。　　　　　你爱好什么体育运动？

| 好　　　　　　　　　　　　　来

很好　　　　　　　　　　　会来

打得很好　　　　　　　　　不会来

网球打得很好　　　　　　　大概不会来

他网球打得很好。　　　　　他大概不会来。

3. 用上适当的形容词作带状态补语的句子，并给出上下文：

Make sentences using appropriate adjectives as complements of man-
ner and give the contexts in which these sentences appear：

1）写　　汉字

2）念　　课文

3）起床

4）游泳

5）踢　　足球

6）打　　乒乓球

4. 怎么问答？

What do you ask and what do you answer?

1）你问一个同学学习汉语的情况。（说、念、写）

2）你刚从高老师家吃完饭回来。（做、吃）

3）跟你们班的一个同学一起谈谈你们的体育爱好。

5. 在下列情况下，怎么征求别人的意见，怎么提出建议。注意用
"怎么样"、"好吗"、"是不是…呢"：

Try to ask for an opinion and try to make suggestions on the following situations, paying attention to the use of 怎么样, 好吗, 是不是…呢:

1）听完音乐会。

2）你不会打太极拳，你的中国朋友会，你请他教你。

3）你朋友想明天下午去公园，可是你想今天下午去。

4）你们想跟别的班比赛足球。

第四十课　DÌSÌSHÍ KÈ

Lesson　40

一、生词　Shēngcí　**New Words**

1. 圆　　　（形）yuán　　round

2. 倒　　　（动）dào　　to pour

3. 酒　　　（名）jiǔ　　wine

4. 干杯　　　gān bēi　　to make a toast

5. 尝　　　（动）cháng　　to taste

6. 母亲　　　（名）mǔqin　　mother（*fml.*）

7. 穆斯林　　（名）mùsīlín　　Moslem

8. 听说　　　（动）tīngshūo　　to hear（people say），It is said…

9. 凑合　　　（动）còuhe　　to make do with

10. 一边…一边…　yìbiān…yìbiān…
　　　　　　　　　　（to do）…while（do sth. else）…

11. 一样　　　（形）yíyàng　　the same

12. 方	(形) fāng	square-shaped
13. 长方	(形) chángfāng	rectangular
14. 筷子	(名) kuàizi	chopsticks
15. 刀子	(名) dāozi	knife
16. 叉子	(名) chāzi	fork
17. 勺子	(名) sháozi	spoon
18. 习惯	(名、动) xíguàn	habit, custom, to be used to…
19. 分	(动) fēn	to share, to divide
20. 盘子	(名) pánzi	plate
21. 盛	(动) chéng	to serve (with a spoon ladle, etc.)
22. 米饭	(名) mǐfàn	cooked rice
23. 饱	(形) bǎo	to be full (have eaten enough)
24. 汤	(名) tāng	soup

专名 Zhuānmíng Proper Name

四川	Sìchuān	a province in Southwest China

二、课文　Kèwén　Text

I

饭做好了，放在一张圆桌子上。大家都坐下。高开给大家倒酒。

夏子：老师，我不会喝酒。

高开：喝一点儿，没关系。这是我爱人从四川买来的酒，不错。来，大家干一杯！欢迎你们。

大家干杯。

学生们：谢谢老师。

高开：谢什么！来，尝尝我母亲做的菜。阿里，你是穆斯林，今天都是你能吃的菜。

王兰：吃点儿羊肉吧。这羊肉不错，你尝尝。

阿里：好吃，好吃。听说现在羊肉不太好买？

王兰：这是在自选市场买的羊肉。自选市场有。

夏子：(对高开的母亲) 您做的菜真好吃。

母亲：我做得不好，大家凑合吃吧。

Ⅱ

大家一边喝酒，一边谈话。

汤姆：中国人吃饭用的桌子跟我们用的桌子
　　　不一样。

母亲：吃饭的桌子有什么不一样？

汤姆：中国人用的桌子是方的，或者圆的。

王兰：对，我们叫方桌、圆桌。外国人家里
　　　吃饭用的桌子是长方的。

约翰：还有，中国人用筷子吃饭，我们用刀
　　　子、叉子、勺子吃饭。

夏子：我们日本人也用筷子吃饭。可是用刀
　　　子、叉子的人也不少。

汤姆：中国人吃饭的习惯也跟我们不一样。
　　　在我们那儿，菜来了，大家分，每个
　　　人往自己的盘子里盛一点儿。中国人
　　　吃饭，菜都放在桌子中间儿，大家一
　　　起吃。

母亲：我觉得这样热闹。

高开：来，大家随便吃点儿，米饭、馒头都
　　　　有。

夏子：我吃得太饱了，做的菜太多了。

王兰：吃一点儿，再吃一点儿菜，一会再喝
　　　　一点儿汤。

　　　　　　　……

高开：大家都吃完了，王兰，拿水果来吧。

注释　Zhùshì　Notes：

1. 饭做好了。/好吃。/好买。

　　"好"有许多意思和用法。在"做好"中，"好"是补语，表示完成；在"好吃"中，"好"是本来的意思；在"好买"中，"好"是"容易"的意思。如：

　　好 has many meanings and usages. In 做好，好 is a complement，meaning "ready"；in 好吃，好 keeps its original meaning as "good" and in 好买，好 means "easy (to do)"：

　　1) 做好　　　饭做好了。

　　　　准备好　　明天的考试，我准备好了。

　　　　写好　　　明信片写好了。

　　　　复习好　　我复习好了。

　　2) 好吃　　　这种菜好吃。

　　　　好看　　　这种花儿好看。

　　　　好听　　　音乐好听。

好玩儿	这个小孩儿真好玩儿。
	这个地方好玩儿。
好用	这支钢笔好用。
好喝	这种汽水好喝。
3) 好买	这种衣服不好买。
好学	汉语好学不好学？
好写	这个汉字好写。
好做	今天的练习好做。
好拿	这么多东西不好拿。

2. 我做得不好。

当别人夸赞自己时，自己应表示谦虚。

When one is praised or complimented, one should show modesty.

3. 我不会喝酒。/喝一点儿，没关系。

当主人给客人斟酒或布菜时，客人要表示辞让；主人则要劝客人多喝、多吃，但决无勉强的意思。

When the host offers the guest a drink or some food, the guest should usually decline politely to show good manners and the host, on his part, should urge the guest to have more; however, this is not in the least meant to force the guest into drinking or eating.

三、语法 Yǔfǎ Grammar

1. 动词和动词结构作定语

Verb and verb phrase as attributive

动词和动词结构作定语时，定语和中心语之间一定要用结构助词"的"。

请看下列的名词短语：

When a verb or verb phrase is used as an attributive, the structural particle 的 must be used between the verb/verb phrase and the noun it modifies. Study the following noun phrases：

定语的结构 Structures of the Attributive	定语 Attributive	中心语 Modified noun
（Adv.）V＋的	做的	菜
	在自选市场买的	羊肉
V＋O＋的	吃饭的	桌子
S＋V＋的	中国人用的	桌子
	你能吃的	菜
	我母亲做的	菜
	我爱人从四川买来的	酒
S＋V＋O＋的	中国人吃饭的	习惯

2. 一边…，一边…

The construction 一边…，一边…

"一边…，一边…" 表示同一主语同时做两件事（动作），句型是：

The construction "一边…，一边…" is used when one subject does two things (actions) at the same time. The pattern is：

S	P			
	一边	VP₁，	一边	VP₂
大家	一边	喝酒，	一边	谈话。
他	一边	吃饭，	一边	看报。
我们	一边	走，	一边	说。

3. 跟…一样

The construction 跟…一样

这里介绍一个使用"跟…一样"的句型：

Here we introduce one pattern in which 跟…一样 is used：

A 跟 B	(不) 一样
中国人吃饭的桌子跟我们用的桌子	一样。
中国人吃饭的习惯跟我们的习惯	不 一样。

四、练习 Liànxí Exercises

1. 朗读下列各句，注意句重音：

Read the following sentences，paying attention to their stresses：

1) Tā zuò de cài hěn hǎochī.

2) Wǒ mǎi de nà shuāng xié tài guì le.

3) Tā zhù de dìfang lí zhèr bù yuǎn.

4) Wǒ qù yínháng huàn qián de shíhour，yùjiàn yíge qùnián lái de

Rìběn xuésheng.

5) Mǎi fàn de rén zhēn duō，wǒmen děng yíhuìr lái.

2. 扩展练习：

Build-up exercise：

饭   酒

吃饭   一杯酒

用筷子吃饭   倒一杯酒

习惯用筷子吃饭   给你倒一杯酒

我不习惯用筷子吃饭。   我给你倒一杯酒

了	了
饱了	好了
吃饱了	做好了
已经吃饱了	已经做好了
我们已经吃饱了。	饭已经做好了。

3. 把下列句子改成有动词或动词结构作定语的句子：

Rewrite the following sentences using the verbs or verb phrases as attributives：

1) 我买了一张中国画儿，那张画儿很好看。

2) 我们坐这辆（liàng）汽车，这辆车不挤。

3) 我们去了一个体育场，那个体育场很大。

4) 那个人在打网球，他是我的同屋。

5) 昨天我听音乐了，那是中国音乐。

6) 老师问了一个问题，我没听懂。

4. 用"一边儿…一边儿…"造句：

Make sentences with the following and use 一边儿…一边儿…：

1) 走　　谈话

2) 作饭　　听音乐

3) 看电影　　作作业

4) 吃饭　　看书

5. 用"跟…一样"、"跟…不一样"改写句子：

Rewrite the following sentences using 跟…一样 and 跟…不一样：

1) 他的皮鞋是黑的，我的也是黑的。

2) 我买了一件白衬衫，他买了一件红衬衫。

3) 我今年二十一，他今年也二十一。

4) 我们屋子大，他们屋子小。

5) 他喜欢吃鱼，我也喜欢吃鱼。

6) 从这儿去友谊商店很近，从学校去友谊商店很远。

6. 回答下列问题：

Answer the following questions：

1) 你最（zuì most）爱去的公园是哪个？

2) 你最喜欢吃的是什么？

3) 这儿的商店跟你们那儿的商店一样不一样？有哪些地方不一样？

4) 你来这儿学习习惯吗？你觉得在这儿学习跟在你们国家有哪些不一样的地方？

第四十一课　DÌSÌSHÍYĪ KÈ

Lesson 41

一、生词　Shēngcí　**New Words**

1.	散步	sàn bù	to take a walk
2.	向	(介) xiàng	towards
3.	打招呼	dǎ zhāohu	to say hello
4.	发现	(动) fāxiàn	to discover, to find
5.	见面	(动) jiàn miàn	to meet
6.	另	(形) lìng	other
7.	城	(名) chéng	city, town
8.	不用	bú yòng	need not
9.	熟人	(名) shúrén	acquaintance
10.	情况	(名) qíngkuàng	case, condition, state of affairs
11.	对方	(名) duìfāng	opposite side, the other party
12.	比如	(动) bǐrú	to take for example
13.	洗	(动) xǐ	to wash

14. 脸	（名）liǎn	face
15. 路	（名）lù	road
16. 估计	（动）gūjì	to estimate
17. 等(等)	（助）děng(děng)	so on and so forth, etc.
18. 关系	（名）guānxi	relation
19. 主要	（形）zhǔyào	main(ly)

二、课文 Kèwén Text

一天晚饭以后，张正生在外边儿散步，遇见了汤姆和约翰。他们向张正生打招呼。

汤姆：
约翰： 老师，您好！

张正生：你们好！你们也散步哪？咱们一块
儿走吧。

汤姆：老师，我发现中国人见了面很少用
"你好"打招呼。

约翰：对了。今天早上在汽车站，我看见
一个人过来跟另一个人打招呼。他
说："等车呢？"另一个人回答他的

问题，说："进城啊？"我想，这样
问有什么意思呢？你看见他在等
车，还要问他"等车呢？"。

张正生：其实，这是打招呼，不用回答。跟
熟人都可以这样打招呼。

汤姆：这样打招呼太难学了。

张正生：不难学。

约翰：您教教我们。

张正生：这有几种情况。两人见面，互相打
招呼，要看对方正在做什么。比如
你们刚才看见我在散步，就可以问
我："老师，散步呢？"

约翰：这好学。我要是看见同学在洗脸，就
问："洗脸呢？"他在洗衣服，我就问：
"洗衣服呢？"

张正生：你学得真快，难吗？

汤姆：不难。还可以怎么打招呼呢？

张正生：在路上遇见熟人，你估计他要去做
什么。比如可以说："出去啊？"、

"上课去啊?"、"买东西去啊?",或
者你估计他刚做完了什么事就说:
"回来了?"、"下课了?"、"买东西去
了?"等等。

约翰：有时候儿,有的中国人问我们:"吃
饭了?"、"上哪儿去啊",是不是也
是打招呼?

张正生：是。你们对这样打招呼是不是不太
习惯?

汤姆：开始的时候儿,我不习惯。我想,我
吃没吃饭,跟你有什么关系呢?后
来发现,这只是打招呼。

张正生：对。这主要是中国的习惯跟外国不
一样。

三、语法　Yǔfǎ　Grammar

动词和介词的搭配

Collocation of verb and preposition

有些动词常和一定的介词搭配起来使用,成为较固定的格式。有时一个动词可以和两个或更多的介词搭配。下面是本课的几个例子：

Some verbs are collocated with certain prepositions to form rather
fixed formulas. Sometimes a verb can be collocated with two or more
prepositions. Here are examples from the text：

向…打招呼　　　　跟…见面

跟…打招呼　　　　对…不习惯

现将学过的动词与介词的搭配列举如下：

Below is a list of collocations of verbs and prepositions learned in
the previous lessons：

1) 从…毕业　　　　　　给…盛（饭）

从…出来/去　　　　　给…吃

从…回来/去　　　　　给…打电话

从…进来/去　　　　　给…打针

从…开始　　　　　　给…带来/去

从…离开　　　　　　给…倒酒

从…来　　　　　　　给…翻译

从…路过　　　　　　给…当翻译

从…去　　　　　　　给…挂个号

2) 对…'喊　　　　　　　给…寄去

对…说　　　　　　　给…介绍一下儿

对…笑　　　　　　　给…开点儿药

3) 给…尝尝　　　　　　给…录音

给…拿来/去	跟…再见
给…写信	跟…比赛
给…照相	跟…打球
4) 跟…告别	5) 向…拐
跟…约会	向…广播
跟…换（座位）	向…喊
跟…借	向…借
跟…客气	向…看
跟…念	向…爬
跟…认识	向…跑
跟…生气	向…笑
跟…说话	向…学习
跟…谈话	向…走

四、练习 Liànxí Exercises

1. 语调练习：

Intonation drill：

1) Jìn chéng?

2) Děng chē ne?

3) Chī fàn qu a?

4) Chūqu a?

5) Mǎi dōngxi qu le?

6) Huílái le?

2. 扩展练习：

Build-up exercise：

<table>
<tr><td align="center">问题</td><td align="center">招呼</td></tr>
<tr><td align="center">新问题</td><td align="center">一个招呼</td></tr>
<tr><td align="center">一个新问题</td><td align="center">打一个招呼</td></tr>
<tr><td align="center">发现一个新问题</td><td align="center">跟他打一个招呼</td></tr>
</table>

<table>
<tr><td align="center">了</td><td align="center">熟</td></tr>
<tr><td align="center">进城了</td><td align="center">不熟</td></tr>
<tr><td align="center">他进城了。</td><td align="center">情况不熟</td></tr>
<tr><td align="center">估计他进城了</td><td align="center">对这儿的情况不熟</td></tr>
<tr><td align="center">我估计他进城了。</td><td align="center">我对这儿的情况不熟。</td></tr>
</table>

3. 句式练习：

Pattern drills：

1) …跟/向…打招呼

   (1) 汽车上　　高开　　老朋友

   (2) 路上　　王老师　　另一个老师

   (3) 汽车站　　约翰　　安娜

2) …跟…见面

   (1) 我　　阿里　　第一次

   (2) 李老师　　北大的学生

   (3) 他　　新同学

3) …从…回来

(1) 安娜　　广州

(2) 他女儿　　美国

(3) 我朋友　　火车站

4) …从…出来

(1) 我同屋　　书店

(2) 张师傅　　冷饮店

(3) 夏子　　自选市场

4. 怎么打招呼

What are the greetings for the following situations:

1) 你同屋在汽车站等车，你来了。

2) 你吃了饭回宿舍，在路上遇见了同学。

3) 在学校门口，你看见张老师拿着一些菜。

4) 你从商店出来，遇见了夏子。

5) 小王刚游完泳，你看见他了。

6) 他在打乒乓球，你进来了。

5. 用下列词写一段话，说明中国人打招呼的方法跟你们不一样的地方。

Write a short passage with the following phrases, stating the differences between the greetings of Chinese and those of your language.

发现、对方、估计、比如、等等

第四十二课 DÌSÌSHÍ'ÈR KÈ
Lesson 42

一、生词 Shēngcí New Words

1. 小吃 （名）xiǎochī snack, refreshments

2. 过 （尾）-guo *a verb suffix indicating past experience*

3. 菜谱 （名）càipǔ menu

4. 所以 （连）suǒyǐ so, therefore

5. 常 （副）cháng often, frequently

6. 满意 （形）mǎnyì satisfied

7. 有名 （形）yǒumíng famous

8. 又…又… yòu…yòu… both…and…

9. 清楚 （形）qīngchu clear

10. 遍 （动、量）biàn *a verbal measure word emphasizing a whole process from beginning to end*

11. 送 （动）sòng to take… to…, to deliver

12.	开票		kāi piào	to write a bill of fare
13.	还	（副）	hái	again，
14.	附近	（名）	fùjìn	nearby
15.	逛	（动）	guàng	to stroll around（a shop, a street，a park，etc.）
16.	然后	（副）	ránhòu	then
17.	只	（副）	zhǐ	only
18.	请客		qǐng kè	to entertain guests

二、课文 Kèwén Text

I

约翰和史密斯在宿舍休息。史密斯在看一本书，看得很高兴。

约翰：你看什么书呢，看得这么高兴？

史密斯：《北京的小吃》。你看过这本书吗？

约翰：没有。我看过一本《中国菜谱》。

史密斯：我也看过那本书。可是我喜欢吃小吃，所以我常看这本书。这本书里介绍的小吃店，我都去过。你吃过小吃吗？

约翰：没有。我想小吃不会好吃。

史密斯：你不知道哪儿的小吃好。明天我请
　　　　你去吃小吃，一定让你吃得满意。

Ⅱ

　　星期日，史密斯带约翰到了一个有名的小吃店。

史密斯：这个小吃店有二百多年历史了。这
　　　　儿的小吃又好吃又便宜。

约翰：你怎么知道得这么清楚？

史密斯：从书上看来的。这本书我看过五遍
　　　　了。

约翰：你以前来过这儿没有？

史密斯：来过，我来过三次了。你想吃什么？
　　　　我去排队买。

约翰：排队买？我去饭馆儿吃过几次，不
　　　　用排队。你一坐下，服务员就给你
　　　　送菜谱来，问你要什么。开了票，一
　　　　会儿饭菜就都来了。

史密斯：你说的是饭馆儿。小吃店跟饭馆不

一样。

III

吃完了，他们一边走一边谈话。

史密斯：怎么样，吃得满意不满意？

约翰：满意。以后我还要来。

史密斯：附近有个大自选市场，咱们去逛逛。
　　　　然后我请你看电影。你看过中国电
　　　　影没有？

约翰：只看过一次。

史密斯：一次太少了。

约翰：好，去看电影。我请你。

史密斯：别客气。今天我请客。看完电影，咱
　　　　们到另一个小吃店吃晚饭，怎么样？

注释　Zhùshì　Note：

今天我请客。

在中国，"请客"可以请别人吃饭，也可以是招待别人吃别的东西（糖、水果、点心等），或者请人看戏、看电影等。按中国习惯，一定是请客的一方付钱。

In China, 请客 means to invite others to dinner or treat them to other things (candy, fruit, cake, etc.) or invite them to the theatre or cinema. It is a Chinese custom that the one who invites pays.

三、语法 Yǔfǎ **Grammar**

1. 动词词尾 "过"

The verbal suffix 过

"过" 是个动词词尾，表示过去的经验，也就是说，"过" 表示它前面的动词所表示的动作或情况在过去的时间里发生过。

过 is a verbal suffix indicating past experience. It expresses that the action or state of affairs indicated by the verb has taken place in the past.

> 你看过这本书吗？
>
> 我吃过小吃。
>
> 我来过这儿。

否定形式是：

The negative form is：

> 没＋V—过
>
> 我没　看过　这本书。
>
> 我没　吃过　小吃。
>
> 我没　来过　这儿。

正反疑问句形式是：

The affirmative-negative question form is：

> V-过＋ O＋　没有
>
> 你看过　这本书　没有？
>
> 你吃过　小吃　没有？
>
> 你来过　这儿　没有？

注意："过"要读轻声。

Note that 过 is spoken in the neutral tone.

2. 动量词"次"和"遍"

The verbal measure words 次 and 遍

"次"和"遍"都是常用的动量词，表示动作发生的次数。"数词＋动量词"词组用在动词后面。

Both 次 and 遍 are common verbal measure words expressing frequency of action. The "numeral＋次/遍" phrase comes after the verb.

<u>V ＋Nu＋次/遍＋（O）</u>

我 吃过　一次　　小吃。

我 去过　一次　　饭馆儿。

我 看过　五遍　　这本书。

但在宾语较复杂时，下面的形式更为常见：

However，when the object is comparatively complicated，the following form is more common：

这个饭馆儿我去过两次。

这种小吃我吃过几次。

这本书我看过五遍。

"遍"强调动作从头至尾的全过程。

遍 emphasizes a whole process from beginning to end.

四、练习　Liànxí　Exercises

1. 朗读下列各句，注意句重音：

Read the following sentences，paying attention to their stresses：

1）Nǐ qùguo nàge gōngyuán ma?

2）Wǒ méi kànguo zhège huàjù.

3）Wǒ chīguo zhège cài.

4）Tā méi xuéguo Hànyǔ.

5）Tā fāguo liǎng cì shāo.

2. 扩展练习：

Build-up exercise：

有名   遍

很有名   一遍

小吃很有名   看过一遍

北京的小吃很有名。   我看过一遍。

长城   请客

一次长城   我请客

去过一次长城   晚上我请客

他去过一次长城。   明天晚上我请客。

3. 用"过"和"次"或"遍"改写句子：

Rewrite the following sentences with 过 and 次 or 遍

例 Model：

上个星期一，星期六我去北海了。

上个星期我去过两次北海。

1）这个月五号和二十号我进城了。

2）昨天晚上和今天早上我听了这课的录音。

3）他九月和十月都去颐和园了。

4）上个星期一和这个星期一我去北大了。

5）前天、昨天我去找他，他都不在。

4. 用下列词语造句：

Make sentences with the following words：

1）所以　　　3）然后

2）满意　　　4）附近

5. 熟读下列词组，并选择适当的填空：

Read the following phrases，and choose the proper one to fill in each blank：

又高又大　　又好吃又便宜　　又脏又乱　　又快又好

又累又渴　　又吃又喝　　又说又唱（chàng）

1）这个饭店的菜＿＿＿＿＿＿，下次我们还来这儿。

2）我们走了半个钟头了，我＿＿＿＿＿＿，我们去冷饮店吧。

3）这是谁的宿舍？＿＿＿＿＿＿。

4）昨天他们在一起＿＿＿＿＿＿，很热闹。

5）这座新楼＿＿＿＿＿＿。

6. 练习对话：

Compose dialogues and perform them：

1）跟同屋谈一谈，你们来北京以后去过哪些地方？去过几次？

2）你在北京看过京剧吗？话剧呢？

第四十三课 DÌSÌSHÍSĀN KÈ

Lesson 43

一、生词 Shēngcí· New Words

1. 旅行	（动）	lǚxíng	to travel
2. 着	（尾）	zhe	*a verbal suffix indicating continuity*
3. 装	（动）	zhuāng	to load, to pack
4. 箱子	（名）	xiāngzi	suitcase, trunk
5. 大衣	（名）	dàyī	overcoat
6. 毯子	（名）	tǎnzi	blanket
7. 旅行袋	（名）	lǚxíngdài	valise, travelling bag
8. 书包	（名）	shūbāo	satchel
9. 醒	（动）	xǐng	to wake
10. 躺	（动）	tǎng	to lie
11. 起来	（动）	qǐlai	to get up; to rise
12. 抽烟		chōu yān	to smoke (a cigarette)
13. 胶卷儿	（名）	jiāojuǎnr	photographic film

14. 提	（动）	tí	to handle, to lift
15. 行李	（名）	xíngli	luggage
16. 得	（助动）	děi	to have to (do), should
17. 牙刷儿	（名）	yáshuār	toothbrush
18. 香皂	（名）	xiāngzào	bath soap
19. 晚	（形）	wǎn	late
20. 手套儿	（名）	shǒutàor	gloves
21. 戴	（动）	dài	to wear, to put on (cap, gloves, glasses, watch, badge, etc.)

二、课文　Kèwén　Text

I

约翰和史密斯明天要去上海旅行。现在他们正在宿舍里作准备。史密斯的床上和桌子上放着他要带的东西。东西太多了，他不知道用什么装。

史密斯：约翰，你帮我想一想，用什么装这些东西。

约翰：用你那个大箱子装吧。

史密斯：大箱子里放着大衣和毯子呢。

约翰：那么，小箱子行吗？

史密斯：不行。小箱子里也放着许多衣服。…
　　　　哦，我的旅行袋没放着东西，可以放
　　　　床上的东西。我还有一个书包可以
　　　　装桌子上的东西。

Ⅱ

　　第二天早上五点多钟，约翰就起床了。史密斯也醒了，但是
他还在床上躺着。

约翰：快起来吧，别躺着了。

史密斯：不晚，我抽（一）支烟就起来。劳
　　　　驾，请看看我昨天买的胶卷儿在不
　　　　在桌子上。

约翰：在，胶卷儿在桌子上放着呢。

Ⅲ

　　他们叫的出租汽车已经到了，在楼前停着。约翰和史密斯出
来了，手里提着行李。

史密斯：对不起，我得上去一下儿，我忘了
　　　　带牙刷儿和香皂了。

约翰：好，快下来。

　　史密斯上楼去了，约翰往车上装行李，过了一会儿，史密斯

下来了。

史密斯：对不起，我还得上去一下儿。

约翰：还得上去？快晚了，火车要开了。

史密斯：可是我忘了带手套儿了。

约翰：手套儿？哈哈，别去了，手套儿在你手上戴着呢！

三、语法 Yǔfǎ Grammar

动词词尾"着"（1）

The verbal suffix 着（1）

"着"是一个动词词尾，表示动作或状态的持续，在句中要读轻声。"动词-着"常用于下面的句型中：

着 is a verbal suffix, which is pronounced in the neutral tone, indicating the continuity of an action or state. "V一着" is often used in the following patterns：

1)

S	P	
	Place adv. ＋ V一着	
出租汽车	在楼前	停着。
史密斯	在床上	躺着。
手套儿	在手上	戴着。
胶卷儿	在桌子上	放着。

这个句型的否定形式是在谓语前加"没"：

The negative form is made by putting 没 in front of the predicate:

出租汽车　　没在楼前　　停着。

史密斯　　　没在床上　　躺着。

手套儿　　　没在手上　　戴着。

胶卷儿　　　没在桌子上　放着。

正反疑问句形式是：

The affirmative-negative question form is:

出租汽车　　在楼前停着　　没有？

史密斯　　　在床上躺着　　没有？

手套儿　　　在手上戴着　　没有？

胶卷儿　　　在桌子上放着　没有？

2) $\dfrac{\text{Locality}}{\text{NP}}$　　　+V-着+NMW+N

大箱子里　　放着　一件　大衣。

小箱子里　　放着　许多　衣服。

否定形式是：

The negative form is:

大箱子里没放着大衣。

小箱子里没放着衣服。

旅行袋里没放着东西。

正反疑问句形式是：

The affirmative-negative question form is:

大箱子里放着大衣没有？

小箱子里放着衣服没有？

旅行袋里放着东西没有？

这个句型表示在什么地方存在什么。

This pattern expresses where something exists.

四、练习 Liànxí Exercises

1. 朗读下列各句，注意重音：

Read the following sentences, paying attention to their stresses:

1) Zhuōzishang fàngzhe hěn duō dōngxi.

2) Chūzū qìchē zài nǎr tíngzhe ne?

3) Tā zài chuángshang tǎngzhe.

4) Wǒ tízhe lǚxíngdài.

5) Xiāngzili fàngzhe yíjiàn dàyī.

2. 扩展练习：

Build-up exercise:

<table>
<tr><td>着</td><td>毯子</td></tr>
<tr><td>戴着</td><td>一条毯子</td></tr>
<tr><td>在头上戴着</td><td>放着一条毯子</td></tr>
<tr><td>帽子在头上戴着。</td><td>床上放着一条毯子。</td></tr>
</table>

<table>
<tr><td>杂志</td><td>着</td></tr>
<tr><td>很多杂志</td><td>放着</td></tr>
<tr><td>放着很多杂志</td><td>在书包里放着</td></tr>
<tr><td>书架上放着很多杂志。</td><td>牙刷和肥皂在书包里放着。</td></tr>
</table>

3. 模仿造句：

Make sentences following the models:

1) 例 Model：

书包

书包在柜子里放着呢。

(1) 衣服

(2) 鞋

(3) 照相机

(4) 练习本

2) 例 Model：

柜子里

柜子里放着两件毛衣。

(1) 桌子上

(2) 箱子里

(3) 门旁边

(4) 床上

4. 用"了"、"着"、"过"填空：

Fill in the blanks with 了、着 or 过：

　　我朋友病＿＿＿，上星期天我到他家去看他。以前我没去＿
＿他的家，这是第一次。他家有两间屋子，我朋友住的屋子不
太大。屋子里放＿＿＿一张床，一张桌子，一把椅子，还有一个
书架。

　　我进屋的时候，他在床上躺＿＿＿呢。看见我来＿＿＿，他马
上起来。我们一边谈话，一边喝茶。他问我："来中国以后，你
去＿＿＿上海吗？"我说："没去＿＿＿，我准备下个月去。"我让他
好好休息，他说："谢谢你来看我。"我们谈＿＿＿半个小时，我
就离开他家＿＿＿。

5. 根据下列情景对话，注意用上"着"：

Compose dialogues on the following situation，trying to use 着 as
many times as possible：

1) 你同屋要进城，他要借你的自行车。

2) 你要作练习，忘了词典在哪儿放着，没找到，你要借你同
屋的。

第四十四课　DÌSÌSHÍSÌ KÈ

Lesson　44

一、生词　Shēngcí　New Words

1.	匆忙	（形）cōngmáng	hurriedly
2.	地	（助）de	a structural particle indicating the adverbial
3.	节	（量）jié	a measure word for railway carriage
4.	车厢	（名）chēxiāng	carriage
5.	把	（介）bǎ	a preposition emphasizing disposal or influence
6.	交	（动）jiāo	to hand in
7.	列车员	（名）lièchēyuán	attendant on a train
8.	还	（动）huán	to return, to give back
9.	硬座	（名）yìngzuò	hard seat
10.	硬卧	（名）yìngwò	hard berths
11.	餐车	（名）cānchē	dining car
12.	递	（动）dì	to pass
13.	替	（动、介）tì	to do in place of, for

14. 背	（动）bēi	to carry on one's back or across one's shoulder
15. 俩	（数）liǎ	two
16. …铺	（名）…pù	berth
上铺	shàngpù	upper berth
中铺	zhōngpù	middle berth
下铺	xiàpù	lower berth
17. 卧铺	（名）wòpù	berth
18. 行李架	（名）xínglǐjià	luggage rack
19. 挂	（动）guà	to hang
20. 衣帽钩儿	（名）yīmàogōur	coat hook
21. 帮	（动）bāng	to help

二、课文 Kèwén Text

I

约翰和史密斯到了车站，离开车的时间只有五分钟了。他们匆忙地跑到一节车厢门前，把车票交给列车员。列车员看了看，又把票还给他们。

列车员：这是硬座车厢，你们这是硬卧车厢的票，在前边。

史密斯：快跑，马上要开车了。……嗯？这节车厢怎么不开门？哦，这是餐车。

约翰：你把书包递给我，我替你背着。

史密斯：不用，不用，我自己来。

约翰：别客气。你拿一个箱子，咱们可以
　　　跑得快一点儿。

Ⅱ

他们俩很快地找到了自己的车厢，上了车。这时，一位列车
员走过来。

约翰：同志，我是十号上铺，他是十号下
　　　铺。

列车员：请跟我来。……到了。您可以把箱子
　　　　放到卧铺下边儿。

史密斯：我的旅行袋放在哪儿？

列车员：您把它放在行李架上吧。

列车员看见史密斯要把书包挂在衣帽钩上，就说：

列车员：那个书包太重了，请别挂在那儿。
　　　　来，我帮您把书包也放在行李架上
　　　　吧。

史密斯：谢谢，我自己来。我自己来。我先
　　　　从里边儿拿些东西。

注释 Zhùshì Notes:

1. 硬座车厢

中国的火车车厢有硬座、软座、硬卧、软卧等几种。

In China, there are several types of railway carriages, namely, the hard seats, the soft seats, the hard berths and the soft berths.

2. 我自己来。

"来"代替具体的动作。这里"来"代替"背"。

The verb 来 can be used to replace a verb indicating a specific action. Here in the text it is the substitution for 背.

3. 上铺/下铺

硬卧车的卧铺分三层：上铺、中铺、下铺。软卧车的卧铺分上下两层。

In the sleeping carriage, each compartment has 6 hard berths (2 upper berths, 2 middle berths and 2 lower berths) or 4 soft berths (2 upper berths and 2 lower berths).

4. 俩

"俩"的意思是"两个"，因此可以直接修饰名词，也可单独使用。如：

俩 means 两个 and can immediately qualify a noun or be used in isolation.

"你买几个?""俩。"

俩人

他们俩

他们俩人

三、语法　Yǔfǎ　Grammar

1. 结构助词 "地"

The structural particle 地

"地"是结构助词，常用于作状语的双音节形容词或形容词短语后边。

地 is a structural particle preceded by a disyllabic adjective (or adjective phrase) as adverbial.

匆忙地　　很快地　　很慢地

高兴地　　客气地　　满意地

舒服地　　随便地　　特意地

小声儿地　大声儿地　整洁地

当然，不是所有形容词作状语都带 "地"

What should be noted is that not all adjective adverbials take 地 as their indicator.

2. "把" 字句（1）

The 把-sentence（1）

用介词 "把" 的句子，在汉语语法上叫 "把" 字句。本课介绍 "把" 字句的一个句型：

A sentence in which the preposition 把 is used is known as the 把-sentence in Chinese grammar. One of the patterns of the 把-sentence is introduced in this lesson：

S	P			
	把＋O_v＋V－RC＋O_{RC}			
他们	把	车票	交给列车员。	
列车员	把	票	还给他们。	
你	把	书包	递给我	
您	把	箱子	放到卧铺下边儿。	
您	把	它	放在行李架上吧。	

"把"字句的这一句型强调某一确指的事物（如例中的"车票、书包、箱子"等）因动作而发生位置的移动。

This pattern of the 把-sentence emphasizes the shift of position of a definite object (such as 车票，书包，箱子, etc. in the examples) as the result of the action referred to by the verb.

"把"的前边可以有状语（包括否定副词）或能愿动词，如

The preposition 把 can be preceded by an adverbial (in-cluding negative adverbs) or optative verbs, for example.

列车员又把票还给他们。

您可以把箱子放到卧铺下边。

史密斯要把书包挂在衣帽钩上。

四、练习 Liànxí Exercises

1. 朗读下列各句，注意句重音：

Read the following sentences, paying attention to their stresses：

1）Qǐng bǎ xíngli fàngzài xínglijiàshang.

2）Nǐ bāng wǒ bǎ dàyī guàzài guìzili.

3）Bǎ nàběn shū dìgěi wǒ.

4）Wǒ xiǎng bǎ zhège xiāngzi fàngdào guìzishang qu.

5) Wǒ yào bǎ zhèjiàn lǐwù sònggěi tā.

2. 扩展练习：

Build-up exercise：

<table>
<tr><td align="center">他</td><td align="center">我</td></tr>
<tr><td align="center">还给他</td><td align="center">递给我</td></tr>
<tr><td align="center">把旅行袋还给他</td><td align="center">把胶卷儿递给我</td></tr>
<tr><td></td><td></td></tr>
<tr><td align="center">行李架上</td><td align="center">衣帽钩上</td></tr>
<tr><td align="center">放在行李架上</td><td align="center">挂在衣帽钩上</td></tr>
<tr><td align="center">把行李放在行李架上</td><td align="center">把帽子挂在衣帽钩上</td></tr>
</table>

3. 造"把"字句：

Make 把-sentences：

1) 画儿（挂   门）

2) 书包（拿   这儿）

3) 箱子（放   床）

4) 水果（送   安娜）

5) 蛋糕（放   桌子）

6) 练习本（交   老师）

7) 画报（还   图书馆）

8) 名字（写   本子）

9) 行李（放   汽车）

10) 衣服（挂   衣帽钩）

4. 用"的"、"地"、"得"填空：

Fill in the blanks with 的，地 or 得：

1) 我们买____是硬卧票。

2）你装____真快！

3）他很快____跑来帮助我。

4）你____提议很好，我们都同意。

5）他太极拳打____很好。

6）他高兴____说："欢迎！欢迎！"

5. 就下面的情景说一段话：

Speak on the following situation：

明天你要回国，你的行李都准备完了，晚上八点朋友们要来看你。你买来了水果、糖、汽水，但是你的屋子里比较乱，这些东西怎么放？

第四十五课　DÌSÌSHÍWǓ KÈ

Lesson　45

一、生词　Shēngcí　**New Words**

1.	小说儿	（名）xiǎoshuōr	novel, fiction
2.	对面	（名）duìmiàn	opposite (side)
3.	壶	（名）hú	pot, kettle
4.	开水	（名）kāishuǐ	boiled water
5.	杯子	（名）bēizi	cup
6.	茶叶	（名）cháyè	tea, tea leaves
7.	盒儿	（名）hér	small box
8.	绿茶	（名）lùchá	green tea
9.	红茶	（名）hóngchá	black tea
10.	香	（形）xiāng	fragrant, appetizing
11.	北方	（名）běifāng	the North
12.	花茶	（名）huāchá	tea perfumed with flowers (usually jasmine)
13.	摆	（动）bǎi	to place

14. 茶馆儿	（名）cháguǎnr	teahouse
15. 有的	（代）yǒude	some（but not all）
16. 下棋	（名）xià qí	to play chess
17. 茶座儿	（名）cházuòr	tea garden
18. 点心	（名）diǎnxin	pastry
19. 南方	（名）nánfāng	the South
20. 特别	（形）tèbié	special

二、课文　Kèwén　Text

I

车开了，约翰在上边躺着看小说儿，史密斯在下边跟对面一位老人谈话。这时候儿，列车员提着壶送开水来了。

列车员：哪位同志喝水，请准备好杯子。

史密斯：约翰，你要喝茶吗？把杯子递给我。

老人：来，你们尝尝我的茶叶。

约翰：谢谢您，我们有茶叶。

老人：别客气，我这是绿茶，不知道你们习惯不习惯。

老人从小桌子上拿起一个茶叶盒儿，给他的杯子里放了一点儿茶叶，然后又把茶叶盒儿放在小桌子上。

II

三个人喝着茶谈话。

老　人：你们也有喝茶的习惯？

约　翰：有。在家里，我们喝红茶。今天喝
了绿茶，也觉得很香。

老　人：北方人还常喝花茶。

史密斯：您说得不错。我去过一位老师家，
他家的桌子上摆着好几种花茶。

老　人：我还有个习惯，爱上茶馆儿喝茶。
有的茶馆儿里常有人下棋。喝着茶
看下棋，太有意思了。

史密斯：现在有音乐茶座儿。喝着茶、吃着
点心听音乐，也很有意思。

约　翰：对，南方这种音乐茶座特别多。

老　人：有的年轻人喜欢那种音乐，可是我
一听就头疼。

注释 Zhùshì　Note：

北方/南方

　　"北方、南方"特指中国的北部、南部。"北方人、南方人"指中国北部
或南部的人。

应注意的是"东方"指的是亚洲,"西方"则指欧美。

北方 and 南方 refer to the northern part and southern part of China respectively, and accordingly, 北方人 and 南方人 mean northerners and southerners.

N. B. 东方 means the East or the Orient (i. e. Asia) and 西方 means the West or the Occident (i. e. Europe and the Americas).

三、语法　Yǔfǎ　Grammar

动词词尾"着"(2)
The verbal suffix 着 (2)

本课介绍另一个用"着"的句型:

Another pattern in which 着 is used is introduced in this lesson:

S	P			
	V_1-着＋ (O_1) ＋V_2＋ (O_2)			
约翰	躺着		看	小说儿。
史密斯	坐着		谈	话。
列车员	提着	壶	送	开水来了。
三个人	喝着	茶	谈	话。
我	喝着	茶	看	下棋。
大家	吃着	点心	听	音乐。

在上面各句中,"V_1-着"表示第二个动作的伴随情况。

In the above examples, the "V_1-着" phrase shows a continuous action which accompanies the action of the second verb phrase.

四、练习　Liànxí　Exercises

1. 朗读下列各句,注意句重音:

Read the following sentences, paying attention to their stresses:

1) Tā xǐhuan tǎngzhe kàn shū.

2) Zánmen liǎ zuòzhe tán.

3) Tā xiàozhe shuō: "Tài hǎo le!"

4) Tā ài tīngzhe yīnyuè zuò zuòyè.

5) Bié zhànzhe chī fàn.

2. 扩展练习:

Build-up exercise:

对面	杯子里
我对面	放在杯子里
坐在我对面	把茶叶放在杯子里
他坐在我对面。	他把茶叶放在杯子里。

小说儿	茶
看小说儿	喝茶
躺着看小说儿	吃着点心喝茶
我躺着看小说儿。	我吃着点心喝茶。

下棋	谈话
坐着下棋	站着谈话
有的坐着下棋	有的站着谈话

3. 把下列句子改成有"动词-着"词组作状语的句子:

Turn the following into sentences with "V-着" as an adverbial

例 Model:

他们谈话。(茶)——他们喝着茶谈话。

1) 他听课文录音。(书)

2）他看报。（烟）

3）张老师对我说。（笑）

4）咱们去公园。（走）

5）他喜欢听音乐。（躺）

6）那个小孩看电视。（糖）

7）他走进屋来。（旅行袋）

8）他们一起散步。（音乐）

4. 用"有的"造句：

Make sentences using 有的：

1）买　　　　鱼　　　　肉

2）打　　　　网球　　　乒乓球

3）吃　　　　葡萄　　　橘子

4）喝　　　　红茶　　　绿茶

5）看　　　　京剧　　　杂技

6）去　　　　广州　　　乌鲁木齐

5. 根据下列情景说一段话，注意用上作状语的"动词-着"词组：

Speak about the following situations and in your description use "V-着" as an adverbial：

1）星期天，你去公园的时候儿，人们都在干什么呢？

2）星期六晚上几个好朋友在一起谈话。

3）下午四点以后，同学们在操场上作什么？

4）你去旅行的时候，在火车站看见人们都在干什么？

第四十六课 DÌSÌSHÍLIÙ KÈ

Lesson 46

一、生词 Shēngcí **New Words**

1. 扣子　　（名）kòuzi　　　button
2. 扣　　　（动）kòu　　　　to button
3. 窗帘儿　（名）chuāngliánr　window curtain
4. 拉　　　（动）lā　　　　　to pull
5. 窗户　　（名）chuānghu　　window
6. 打　　　（动）dǎ　　　　　to open
7. 亮　　　（形）liàng　　　　light，bright
8. 摘　　　（动）zhāi　　　　to pluck，to take off（cap watch，etc.）
9. 头发　　（名）tóufa　　　　hair
10. 难看　（形）nánkàn　　　ugly
11. 果皮　（名）guǒpí　　　　fruit skin
12. 老大爷（名）lǎodàye　　　grandpa
13. 接　　（动）jiē　　　　　to meet somebody （at airport，station，etc.），

		to receive
14. 打电报	dǎ diànbào	to send a telegram
15. 电报	（名）diànbào	telegram
16. 担心	dān xīn	to worry
17. 说不定	shuōbudìng	probably
18. 站台	（名）zhàntái	platform （of a railway station）
19. 暖和	（形）nuǎnhuo	warm
20. 穿	（动）chuān	to wear, to put on （clothes）
21. 毛衣	（名）máoyī	woollen sweater
22. 脱	（动）tuō	to take off （clothes）

专名　Zhuānmíng　**Proper Name**

长江	Chángjiāng	Changjiang, also known as the Yangtze, is the longest river of China （6,300km.）

二、课文　Kèwén　**Text**

I

坐了二十几个小时的火车，已经过了长江。老人快要下车了。

约翰：老先生，咱们照个相吧。

老人：好啊！等我把衣服扣子扣好。

约翰：史密斯，把照相机拿出来。

史密斯：我已经准备好了。请你把窗帘儿拉
　　　　开，把窗户也打开，这样亮一点儿。
　　　　老先生，您是不是把帽子摘下来？

老人：戴着吧，我头发都没了，不戴帽子
　　　多难看哪！哈哈！

史密斯：好，往我这儿看！——哦，对不起，
　　　　约翰，请把桌子上的果皮拿开。好，
　　　　一，二，三！行了，谢谢。约翰，来，
　　　　给我跟老先生照一张。

Ⅱ

　　老人带的东西不少。约翰他们帮他把东西放在一起。这时候
儿，列车员也过来了。

列车员：老大爷，您带了这么多东西，下车
　　　　以后有人接吗？

老人：我打了个电报，让我儿子到车站来
　　　接我，不知道他接到电报没有。

列车员：您别担心，一定能接到。说不定您
　　　　儿子已经在站台上等您了。一会儿

我先给您把东西送下去。

老人：谢谢你了，姑娘！

约翰：我们也可以帮您拿。

老人：不麻烦你们了，谢谢！

史密斯：老先生，南方天气暖和，您别穿这
么多衣服了，把毛衣脱下来吧。

老人：对，对！

注释 Zhùshì Notes：

1. 老先生/老大爷

　　这都是对陌生老年男子的称呼，都有尊敬的意味。"老先生"一般只用来称呼知识分子，"老大爷"没有这个限制。

　　Both are respectful forms of address for aged male strangers with the former generally used for intellectuals and the latter used in general.

2. 姑娘

　　这是老年人对年轻女子的称呼。年轻人之间不能这样用。

　　This is a form of address used by old people for young women. Young people can never use this form of address.

三、语法　Yǔfǎ　Grammar

"把"字句（2）

The 把-sentences（2）

　　"把"字句的另一个句型是：

Another pattern of the 把-sentence is as follows：

S	把＋	Oᵥ＋	V-RC	＋来/去
			P	
我	把	扣子	扣好。	
你	把	窗帘儿	打开。	
你	把	窗户	打开。	
你	把	果皮	拿开。	
你	把	照相机	拿出	来。
您	把	帽子	摘下	来。
我	把	东西	送下	去。
您	把	毛衣	脱下	去。

在这一句型中，谓语动词后边跟一个表示结果的动词/形容词或者在这之后再加"来/去"。这个句型强调的是某个确指事物的状态因动作而发生了变化。

In this pattern，the predicate verb is followed by resultative verb/ adjective which，in its turn，may take 来/去. The pattern emphasizes the change of state of a definite object referred to by the verb as a result of the action.

四、练习 Liànxí Exercises

1. 朗读下列各句，注意句重音：

Read the following sentences，paying attention to their stresses：

1）Qǐng bǎ chuānghu dǎkāi.

2）Wǒ bǎ diànbào gěi tā sòngshangqu.

3）Wàibianr lěng，kuài bǎ màozi dàishang.

4) Tā bǎ xiāngzi zhuānghǎo le.

5) Nǐ bǎ zhuōzishang de bēizi nákāi.

2. 扩展练习：

Build-up exercise：

开
拉开
把窗帘拉开
我把窗帘拉开。

下
摘下
把帽子摘下
他把帽子摘下。

好
扣好
把扣子扣好
快把扣子扣好。

开
拿开
把杯子拿开
请把杯子拿开

出来
拿出来
把肥皂拿出来
你把肥皂拿出来。

回去
带回去
把菜带回去
我们把菜带回去。

3. 完成下列各句：

Complete the following sentences：

1) 你快把电视机打_____吧。

2) 请帮我把旅行袋从行李架上拿_____。

3) 雨不下了，把窗户打_____。

4) 等我把练习做_____了，咱们再去看电影。

5) 客人快来了，你去把茶杯洗_____。

6) 我已经把本子交_____。

7) 你把苹果放_____。

8) 约翰把大衣脱_____，挂_____。

9) 天亮了，他把窗帘拉_____，准备起床。

10) 我把柜子上边的箱子拿_____，放_____。

4. 怎么说？

What do you say?

1) 你想跟一个不认识的人一起照相，你怎么说？

2) 请别人帮你拿东西，怎么说？

3) 你旅行刚回来，带了很多东西，你在楼前边遇见你们班的同学，你们说什么？

4) 早上起床后，你做哪些事？

第四十七课　DÌSÌSHÍQĪKÈ

Lesson　47

一、生词　Shēngcí　New Words

1. 旅馆	（名）	lǚguǎn	hotel
2. 餐厅	（名）	cāntīng	dining hall, hotel restaurant
3. 木偶	（名）	mù'ǒu	puppet
4. 剧团	（名）	jùtuán	theatrical troupe
5. 广告	（名）	guǎnggào	advertisement, poster
6. 服务台	（名）	fúwùtái	service counter
7. 明信片	（名）	míngxìnpiàn	postcard
8. 戏	（名）	xì	drama, show
9. 得	（助）	de	*a particle indicating potentiality*
10. 铃	（名）	líng	bell
11. 响	（名）	xiǎng	to ring, to sound
12. 普通话	（名）	pǔtōnghuà	national standard Chinese dialect
13. 贸易	（名）	màoyì	trade

14. 公司	(名)	gōngsī	company , corporation
15. 浴室	(名)	yùshì	bathroom
16. 耳朵	(名)	ěrduo	ear
17. 矮	(形)	ǎi	short height
18. 台	(名)	tái	stage
19. 表演	(名、动)	biǎoyǎn	performance , to perform
20. 男孩儿	(名)	nánháir	boy

二、课文 Kèwén Text

I

约翰和史密斯到了上海住进旅馆。他们吃晚饭的时候儿，在餐厅门口看见一张上海木偶剧团的广告，就到服务台买了两张票。回到房间，约翰先洗了澡。

约翰：旅馆去剧场的车六点半才开，我先写几张明信片，告诉朋友们我们到了上海。

史密斯：只有半个小时了，写不完了，看完木偶戏写吧。

约翰：我只写几句话，写得完。

史密斯去洗澡了。约翰刚写完两张明信片，房间里的电话铃响了，就走去接电话。

约翰：喂，……你说什么？我听不懂上海
　　　话。请你说普通话，……对，普通
　　　话我听得懂。……贸易公司？对不
　　　起，这里不是贸易公司，您打错了。

史密斯：（从浴室出来）谁打来的电话？

约翰：不知道。开始的时候儿，他说上海
　　　话，我听不懂。哟，该上车了，明
　　　信片写不完了。

Ⅲ

到了剧场，约翰他们找到座位刚坐下，后面一个小姑娘在史密斯耳朵旁边说：

小姑娘：叔叔，你们两个太高，我和妹妹太
　　　　矮。你们坐在我们前边儿，我们看
　　　　不见台上的表演。

史密斯：哦，咱们换换座位，好不好？

小姑娘：谢谢叔叔。

他们换了座位。

史密斯：小朋友，现在你们看得见看不见？

小姑娘还没回答，后边的一个男孩儿说话了。

男孩儿：他们看得见，我们看不见了。

注释 Zhùshì **Note**：

上海话：

指上海方言，跟普通话在语音上有较大的区别。

上海话 refers to Shanghai dialect which is phonetically very differe-int from *putonghua*.

三、语法 Yǔfǎ Grammar

"动词＋得＋结果补语"表示可能
"V＋得＋RC" expressing potentiality

在动词和它的结果补语之间加上结构助词"得"表示动作"有可能"取得结果：

The structural particle 得 can be inserted between a verb and its resultative complement（RC）to indicate that a result is possible：

V-RC	V＋ 得 ＋RC	例句 Examples
写完	写得完	我写得完那几张明信片。
听懂	听得懂	他听得懂普通话。
看见	看得见	我看得见台上的表演。

否定形式：

The negative form is：

V＋不＋RC	例句　Examples
写　不　完	我写不完那几张明信片。
听　不　懂	他听不懂上海话。
看　不　见	我看不见台上的表演。

正反疑问句形式是：

The affirmative-negative question form is：

　　　写得完写不完？

　　　听得懂听不懂？

　　　看得见看不见？

四、练习　Liànxí　Exercises

1. **朗读下列各句**：

Read the following sentences：

　1）Jīntiān de zuòyè bànge xiǎoshí zuòbuwán.

　2）Wǒ tīngbudǒng nǐ shuō de huà.

　3）Tā kàndedǒng jīngjù.

　4）Nǐ kàndejiàn kànbujiàn？

　5）Cài tài duō le，wǒ chībuwán.

2. **扩展练习**：

Build-up exercise：

广告	响了
剧团的广告	铃响了。
木偶剧团的广告	电话铃响了。
一张木偶剧团的广告	房间里的电话铃响了。

普通话　　　　　　　　　　　上海话

听得懂普通话　　　　　　　　听不懂上海话

我们听得懂普通话。　　　　　他们听不懂上海话。

电话　　　　　　　　　　　　电报

打来的电话　　　　　　　　　打来的电报

我妹妹打来的电话　　　　　　从广州打来的电报。

3. 熟读下列各句，注意句中"得"的不同用法：

Read the following sentences, paying attention to the different
functions of 得：

1) 他听得懂上海话。

2) 他上海话说得很好。

3) 我做不完这些练习。

4) 今天的作业他做得不好。

5) 他网球打得很好。

6) 他做得好中国饭。

7) 他一个星期翻译得完这本小说。

8) 他翻译得很快。

4. 用"动＋得/不＋结果补语"完成下列各句：

Complete the following sentences with "V＋得/不＋RC" phrases：

1) 今天的话剧很长，_____。（演）

2) 他说得太快，_____。（听）

3) 买球票的人太多，_____（买）

4) 他在广州住了十几年，_____。（听）

5) 我的座位在后边，_____。（看）

6) 你买的点心真不少，_____（吃）

7）那本中文小说，_____。（看）

8）他们都喜欢喝酒，____。（喝）

5. **怎么问答？**

What questions can you ask in the following situations and how would you answer them?

1）你跟一位老人谈话，老人说的不是普通话。

2）你同屋还没作完练习，现在差五分六点，你叫他跟你一起去吃晚饭。

3）一个中国朋友请你去看京剧。

4）你去看足球比赛，你前边的人太高。

第四十八课　DÌSÌSHÍBĀ KÈ

Lesson 48

一、生词 Shēngcí　New words

1. 正在　（副）zhèngzài　*an adverb indicating the progress of an action*
2. 剧　（名）jù　play，drama
3. 老大娘　（名）lǎodàniáng　granny
4. 事情　（名）shìqing　matter，thing
5. 记忆力　（名）jìyìlì　memory
6. 孙子　（名）sūnzi　grandson（one's son's son）
7. 锁　（名、动）suǒ　lock，to lock
8. 钥匙　（名）yàoshi　key
9. 大家　（代）dàjiā　all，everyone
10. 办法　（名）bànfǎ　way out
11. 怎么办　zěnme bàn?　What's to be done?
12. 哭　（动）kū　to come to tears
13. 小伙子　（名）xiǎohuǒzi　youngster

14.	层	（量）céng	floor, layer
15.	甲	（名）jiǎ	A, No. 1
	乙	（名）yǐ	B, No. 2
	丙	（名）bǐng	C, No. 3
16.	从前	（名）cóngqián	before (n.)
17.	偷	（动）tōu	to steal
18.	不然	（副）bùrán	otherwise
19.	相信	（动）xiāngxìn	to believe, to trust
20.	感谢	（动）gǎnxiè	to thank
21.	需要	（动、名）xūyào	to need, need
22.	既然	（副）jìrán	since, as
23.	愿意	（动）yuànyì	to be willing to
24.	传	（动）chuán	to spread
25.	声音	（名）shēngyin	sound
26.	楼房	（名）lóufáng	multi—storeyed building
27.	结束	（动、名）jiéshù	to come to an end, end

二、课文 Kèwén Text

I

约翰和史密斯在外边儿玩儿了一天，回到旅馆，一边休息，一边看电视。电视里正在演电视剧。剧里一位老大娘正在着急地跟邻居们说一件事情。

大娘：人老了，记忆力不行了。刚才我把小孙子锁在家里睡觉，出去买菜，忘了把钥匙带出来。现在我进不去了，孩子睡醒了也出不来。大家都我想想办法吧！

甲：等您儿子下班不行吗？

大娘：他现在回不来呀，他得晚上才回来。过一会儿我孙子睡醒了，就得找我，我进不去，怎么办呢？

II

老大娘一边说一边着急地哭了。这时候儿，过来一个小伙子，大家都不认识。他问了问情况。

小伙子：大娘，您别着急，我帮您把钥匙拿出来。

大娘：你？我住在三层楼，你怎么上去？

小伙子：我从外边儿爬上去。

大娘：那么高，你爬得上去吗？

小伙子：我试试，也许爬得上去。

Ⅲ

说着，小伙子住楼上爬去。下边儿的人都看着他。

甲：这个小伙子真不错！

乙：不错？我看，说不定从前就是这样偷东西的吧？

丙：是呀，不然，谁能爬得上去呀？哈哈！

小伙子已经爬到二层楼了，听见乙和丙的话，就爬下来。他没有说话，也没看大家，要走。

大娘：同志，别听他们的，上吧，我相信你，我感谢你！

小伙子：大娘，我不需要感谢，可是您听听他们在说什么啊？

甲：同志，既然你愿意帮助大娘，为什么要听别人怎么说呢？

这时候儿，从屋里传来小孩儿哭的声音。小伙子又向楼房走去……

电视剧结束了。

1. 老大娘

   这是对老年妇女的尊称，也可以称"大娘"。

   老大娘 or 大娘 is a respectful form of address for an old woman.

2. 甲、乙、丙

   "甲、乙、丙、丁、戊、己、庚、辛、壬、癸"称为天干，传统用做表示次序的符号。

   甲（jiǎ），乙（yǐ），丙（bǐng），丁（dīng），戊（wù），己（jǐ），庚（gēng），辛（xīn），壬（rén），癸（guǐ）are known as the Heavenly Stems used traditionally as symbols of order.

3. 我住在三层楼

   按中国习惯，楼房的层数从地面上第一层算起。

   Customarily, the storeys of a Chinese building are counted from the first one above ground.

三、语法　　Yǔfǎ　Grammar

"动词＋得＋（结果补语）＋来/去"表示可能达到目的

"V＋得＋（RC）＋来/去"expressing the possibility of a result

　　动词（或"动词＋结果补语"）和表示趋向的"来/去"之间也可以加结构助词"得"或"不"表示动作可能/不可能达到目的。

　　得/不 can also be inserted between a verb (or "V—RC" phrase) and 来/去, which shows the direction of the action to express the possibility or impossibility of the result.

V-来/去	V＋得/不＋来/去	例句 Examples
进来/去 出来/去 回来/去	进得（不）来/去 出得（不）来/去 回得（不）来/去	我进不去了。 孩子出不来。 他回不来呀！

V-RC+来/去	V+得/不+RC+来/去	例句 Example
爬上去	爬得（不）上去/来	你爬得上去吗？

注意：在这种句子里，结果补语一般由"上"、"下"、"进"、"出"、"回"、"过"、"起"等动词充任。

Note that in this kind of sentence, verbs like 上，下，进，出，回，过 and 起 can serve as RC.

四、练习　Liànxí　Exercises

1. 朗读下列各句：

Read the following sentences：

1）Tā qī diǎn yǐqián huíbulái.

2）Shān bù gāo, wǒ pádeshangqu.

3）Wǒ méi dài yàoshi, jìnbuqù.

4）Qìchē kāibujìnlái.

5）Jīntiān wǎnshang wǒ yóu shì, huíbuqù, nǐ bié děng wǒ le.

2. 扩展练习：

Build-up exercise：

睡觉	出来
在家里睡觉	带出来
锁在家里睡觉	把钥匙带出来
把小孙子锁在家里睡觉	忘了把钥匙带出来
她把小孙子锁在家里睡觉。	老大娘忘了把钥匙带出来。

办法	下雨
想办法	要下雨
帮我想办法	说不定要下雨
大家帮我想办法。	今天说不定要下雨。

3. 熟读下列词组，选择适当的填空：

Read the following phrases and choose the proper ones to fill in the blanks：

进得来	进不来	进得去	进不去	出得来
出不来	出得去	出不去	上得来	上不来
上得去	上不去	下得来	下不来	下得去
下不去	回得来	回不来	回得去	回不去
爬得上去	爬不上去	放得进去	放不进	
开得进来	开不进来			

1）我把钥匙锁在屋里了，_____。

2）他没带钥匙_____，所以我在宿舍等他回来。

3）这么高的山，我_____。

4）球赛开始以前，我_____

5）旅行袋太小，这么多东西_____。

6）汽车上真挤，我已经到站了，可是_____。

7）等车的人太多，这辆车_____，再等一辆吧。

8）这几天我忙极了，我_____，你替我进城买一下。

4. 用"不然"、"既然"、"忽然"、"果然"填空：

Fill in the blanks with 不然，既然，忽然 or 果然：

1）他以前一定学过汉语，_____怎么说得那么好呢？

2）听说他乒乓球打得不错，今天我跟他比赛了，_____

打得很好。

3) 刚才还是晴天，现在_____下雨了。

4) _____你喜欢看木偶剧，你就跟他一起去吧。

5) 我觉得头疼，不舒服，试了一下表，_____发烧了。

6) 我们正在谈话，_____电话铃响了。

7) _____今天你请客，我就不客气了。

8) 你应该把生词预习好，_____就听不懂老师说的话。

5. 怎么说？

What do you say?

1) 门锁着，你没带钥匙，不能进去。你跟你的同屋说什么？

2) 汽车站上人很多，你跟朋友在等汽车，这时来了一辆车，你们说什么？

3) 你跟一个同学正在准备去旅行的东西，要带的东西很多。旅行袋太小，你说什么？

第四十九课　DÌSÌSHÍJIǓ KÈ

Lesson 49

一、生词 Shēngcí　New Words

1. 自然　　（形）zìrán　　natural
2. 印象　　（名）yìnxiàng　　impression
3. 比　　　（介、动）bǐ　　than，to compare
4. 商业　　（名）shāngyè　　commerce
5. 城市　　（名）chéngshì　　city
6. 人口　　（名）rénkǒu　　population
7. 千万　　（数）qiānwàn　　ten million
8. 百万　　（数）bǎiwàn　　million
9. 工厂　　（名）gōngchǎng　　factory
10. 郊区　　（名）jiāoqū　　suburbs
11. 生产　　（动）shēngchǎn　　to produce
12. 增加　　（动）zēngjiā　　to increase
13. 不如　　（动）bùrú　　not as good as
14. 街道　　（名）jiēdào　　streets

15.	宽	（形）kuān	broad, wide
16.	胡同儿	（名）hútòngr	lane
17.	窄	（形）zhǎi	narrow
18.	弄堂	（名）lòngtáng	alley
19.	建筑	（名）jiànzhù	building, architecture
20.	漂亮	（形）piàoliang	beautiful
21.	名胜	（名）míngshèng	scenic spot
22.	古迹	（名）gǔjì	place of historic interest
23.	名城	（名）míngchéng	famous city
24.	嘛	（语助）ma	*a modal particle expressing that the preceding statement is obvious.*

二、课文 Kèwén Text

史密斯和约翰从上海回到北京，中国学生李大年和刘天华来看他们。大年是上海人，他很自然地想知道他们对上海的印象。

大年：上海比北京热闹吧？

约翰：对了，上海比北京热闹，街上商店比北京多，人也比北京多。

大年：上海是中国最大的商业城市，也是中国人口最多的城市。上海有一千多万人，北京有九百万人。

史密斯：我觉得上海的工厂也比北京多。城里和郊区都有很多工厂。

约翰：郊区的工厂比较大，城里的工厂比较小，是不是？

大年：是，城里有一些工厂很小，有的工厂前边就是商店。工厂生产的东西，很快就在商店里卖。

史密斯：这样好，买东西方便。

约翰：我还发现一个情况：上海饭馆儿比北京多，吃饭很方便。

刘天华：北京这几年也增加了不少饭馆儿。

大年：你们刚才说了不少上海比北京好的地方，现在该说说上海不如北京的地方了。天华是北京人，他一定想听听。

史密斯：对，对！比如说上海的街道吧。

约翰：上海的街道没有北京宽，特别是那些小胡同，很窄。

大年：上海不叫胡同，叫"弄堂"。

史密斯：上海新建筑也没有北京多。

大年：你们逛公园了吗？

约翰：逛了几个。上海的公园都不大，没有北京的漂亮。

史密斯：上海也没有北京这么多名胜古迹。

刘天华：北京是历史名城嘛！

注释 Zhùshì Notes：

1. …上海比北京好的地方

"地方"在这里是"部分"、"方面"的意思。

地方 means "part", "aspect" here.

2. 北京是历史名城嘛！

北京是一座有两千多年历史的城市。作为首都，北京也已有八百年的历史。

Beijing is a city with a history of more than 2,000 years and it has been the capital of China for the past 8 centuries.

三、语法 Yǔfǎ Grammar

用"比"和"没有"的比较句

Sentences of comparison using 比 and 没有

"比"和"没有"都用于比较句。"比"多用于肯定句，"没有"用于否定句，句型是：

Both 比 and 没有 are used in sentences of comparison. 比 occurs mostly in affirmative sentences and 没有 in negative sentences. The patterns are:

1)	A	比	B	Adj.
	上海	比	北京	热闹。
	上海街上商店	比	北京	多。
	上海的工厂	也比	北京	多。

2)	A	没有	B(那/这么)	Adj.
	上海的街道没有		北京(这么)	宽。
	上海新建筑没有		北京(这么)	多。
	上海的公园没有		北京的(这么)	漂亮。

注意：1. 在以上句型中，"比"和"没有"后边的成分是比较的对象；形容词表示比较的结果。2. 可以把句型2)看成句型1)的否定形式。

N. B. 1. In the above patterns, the elements immediately following 比 and 没有 are the objects being compared and the adjectives indicate the results of the comparisons. 2. Pattern 2) can be considered as the negative form of Pattern 1).

四、练习　Liànxí　Exercises

1. 朗读下列各句：

Read the following sentences:

1) Běijīng de jiēdào bǐ Shànghǎi kuān.

2)Zhège gōngchǎng bǐ wǒmen chǎng dà.

3)Wǒ méiyǒu tā nàme gāo.

4)Jiāoqū bùrú chénglǐ fāngbiàn.

5)Shàngpù méiyǒu xiàpù shūfu.

2. 扩展练习：

Build-up exercise：

印象	多
对中国的印象	比北京多
你对中国的印象	人口比北京多
谈谈你对中国的印象。	这个城市的人口比北京多。

漂亮	古迹
没有这个漂亮	名胜古迹
那个公园没有这个漂亮	这么多名胜古迹
昨天去的那个公园没有这个漂亮	没有北京这么多名胜古迹
	上海没有北京这么多名胜古迹

宽	窄
比这儿宽	比这条窄
那儿的街道比这儿宽	那条胡同比这条窄
我们那儿的街道比这儿宽	我们家那条胡同比这条窄

3. 用"比"和"没有"改写下列句子：

Rewrite each sentence with 比 and 没有：

1)这个工厂大，那个工厂小。

2)我买的毛衣颜色深，他买的颜色浅。

3)我妹妹二十岁，弟弟十八岁。

4)这儿的街道宽，我们那儿窄。

5)这家饭馆儿好,那家不太好。

6)他说的故事长,我说的故事短。

7)他们去过的地方多,我们去过的地方少。

8)这辆车很挤,后边那辆车不挤。

9)他的房间很干净,我的房间不太干净。

10)今年葡萄很贵,去年比较便宜。

4. **用汉语读出下列数字。**

Read the following numbers:

48,000,000　6,090,200　72,513,400　30,089,000

90,000,000　65,400,002　5,326,000　7,400,153

5. **回答下列问题:**

Answer the following questions:

1) 你们国家有多少人口?

2) 你住的那个城市有多少人口?

3) 你们国家哪个城市的人口最多?大概有多少?

6. **根据下列题目编写对话,注意用上"比"、"没有"、"不如":**

Compose dialogues on the following topics, trying to use 比, 没有 and 不如:

1) 跟朋友谈谈你们那儿跟北京有哪些不一样的地方。

2) 你去过哪些地方?介绍一下那个地方跟你们的城市怎么不一样。

第五十课　DÌWǓSHÍ KÈ

Lesson 50

一、生词 Shēngcí　**New Words**

1.	嫂子	（名） sǎozi	sister-in-law (one's elder brother's wife)
2.	长途	（名） chángtú	long-distance (telephone call, bus, etc.)
3.	派	（动） pài	to send (somebody to do sth.)
4.	驻	（动） zhù	to be stationed
5.	办事处	（名）bànshìchù	office, agency
6.	气候	（名） qìhòu	climate
7.	刮风		guā fēng	(of wind) to blow
8.	怕	（动） pà	to fear
9.	天气	（名） tiānqi	weather
10.	预报	（动） yùbào	to forecast
11.	风力	（名） fēnglì	wind-force
12.	级	（量） jí	grade
13.	湿润	（形） shīrùn	humid

14.	干燥	（形）	gānzào	dry
15.	温度	（名）	wēndù	temperature
16.	意见	（名）	yìjiàn	opinion
17.	冷	（形）	lěng	cold
18.	恐怕	（动）	kǒngpà	to be afraid that...
19.	低	（形）	dī	low (near the bottom of a measure)
20.	反正	（副）	fǎnzhèng	anyhow
21.	摄氏	（名）	shèshì	Celsius
22.	零下		líng xià	below zero

二、课文　Kèwén　Text

I

　　刚才夏子接到嫂子从上海打来的长途电话，说哥哥的公司派他到驻上海办事处工作。夏子想去看他们。她不知道要带多少衣服去，所以她来问约翰和史密斯上海的气候怎么样。

夏子：我听说上海也刮风，是吗？我最怕
　　　刮风。

约翰：别怕，上海的风比北京小一点儿。

史密斯：不，上海的风比北京小得多。

约翰：我听天气预报了，北京这两天风力

是四、五级，上海风力是二、三级。
北京的风比上海大得多。

夏子：上海是不是比北京气候湿润一点
　　　儿？北京太干燥了。

史密斯：上海比北京湿润得多。你一定很习
　　　　惯。

II

　　说到上海的温度，史密斯和约翰意见不一样。

史密斯：我们去的时候儿，上海比北京暖和
　　　　一点儿。

　约翰：不，上海比北京暖和得多。我在北
　　　　京穿毛衣，到了上海就脱了。

史密斯：已经过了两个星期了。北京冷了，现
　　　　在上海的温度恐怕也比那时候儿低
　　　　一点儿了。

　约翰：反正上海温度比北京高一点儿。

史密斯：反正北京比上海温度低得多。

夏子：好了，好了，别争论了。我刚才看
　　　电视，天气预报说，今天晚上北京
　　　最低温度是零下一摄氏度 (-1°C)，
　　　上海是五摄氏度 (5°C)。

史密斯：上海比北京高六度，能说高一点儿
　　　　吗？

约翰：上海比北京高六度，能说高得多吗？

注释　Zhùshì　**Notes**：

风力四五级

　　根据"蒲福风力等级表"，风力分为十二个等级，即：

According to the Beaufort Wind Scale，wind-force is divided into
12 classes，namely：

一级 light air　　　　　　七级 moderate gale

二级 light breeze　　　　　八级　fresh gale

三级 gentle breeze　　　　九级　strong gale

四级 moderate breeze　　　十级　whole gale

五级 fresh breeze　　　　十一级 storm

六级 strong breeze　　　　十二级 hurricane

三、语法　Yǔfǎ　Grammar

1. "…得多" / "一点儿" 在用 "比" 的比较句中表示差别大小

…得多/一点儿 in sentences using 比 to express the degree of difference

"…得多" 和 "一点儿",都可用于用 "比" 的比较句中:

Both …得多 and 一点儿 may be used in comparative sentences using 比:

1) 表示差别大用的句型是:

To express a big difference, the pattern is:

A	比	B	adj.	得多
上海的风	比	北京（的风）	小	得多。
北京的风	比	上海（的风）	大	得多。
上海	比	北京	湿润	得多。
上海	比	北京	暖和	得多。
上海温度	比	北京（温度）	高	得多。
上海	比	北京温度	高	得多。

2) 表示差别小用的句型是:

To express a little difference, the pattern is:

A	比	B	adj.	一点儿
上海的风	比	北京（的风）	小	一点儿。
上海	比	北京气候	湿润	一点儿。
上海	比	北京	暖和	一点儿。
上海温度	比	北京（温度）	高	一点儿。

2. 在用 "比" 的比较句中表示具体的差别

To specify the difference in sentences using 比

下面的句型表示两个事物的具体差别:

The following pattern is used to specify the difference. between two things:

A	比	B		adj.	具体差别 (concrete difference)
上海	比	北京		高	六度。
北京	比	上海		低	六度。
我的书	比	他（的书）		多	两本。

四、练习　Liànxí　Exercises

1. 朗读下列各句：

Read the following sentences：

1）Jīntiān bǐ zuótiān lěng yìdiǎnr.

2）Běijīng bǐ Shànghǎi gānzào de duō.

3）Tā bǐ wǒ dà liǎng suì.

4）Guǎngzhōu bǐ Běijīng gāo shí dù.

5）Zhèzhǒng jiaojuǎnr bǐ nàzhǒng guì wǔ máo.

2. 扩展练习：

Build-up exercise：

电话

长途电话

一个长途电话

接到一个长途电话

工作

去办事处工作

派他去办事处工作

公司派他去办事处工作。

一点儿

湿润一点儿

比北京湿润一点儿

这儿比北京湿润一点儿。

多

干燥得多

比这儿干燥得多

乌鲁木齐比这儿干燥得多。

一度

高一度

比昨天高一度

今天温度比昨天高一度。

三岁

小三岁

比他小三岁

我哥哥比他小三岁。

3. 熟读下列词组，并选择适当的填空：

Read the following phrases and choose the proper ones to fill in the blanks：

大一点儿	小得多	干燥一点儿	湿润得多
矮一点儿	漂亮得多	贵一点儿	便宜得多
远一点儿	干净得多	肥一点儿	瘦得多
宽一点儿	窄得多	冷一点儿	暖和得多
长一点儿	短得多	大两岁	小三岁
高四度	低五度	高十米	重二十公斤

1) 这儿的街道比我们那儿_____。

2) 他的行李比我的_____。

3) 今天很冷，温度比昨天_____。

4) 这个新楼比那个楼_____。

5) 这种照相机比那种_____。

6) 广州在南方，比北京_____。

7) 他三十岁，我二十八岁，他比我_____。

8) 在北京，牛肉比羊肉_____。

9) 那个剧场比体育馆_____。

10) 我们宿舍比他们的_____。

4. 选择适当的词填空（怕、恐怕）：

Choose from 怕 and 恐怕 to fill in the blanks：

1) 他是南方人，他很_____冷。

2) 今天天气不好，_____要刮大风。

3) 他_____我忘了开车的时间，所以来叫我一起去。

4) 这么晚了，他还没来，_____他今天不会来了。

5) 他身体不太好，最_____去人多的地方。

5. **用"反正"完成下列句子：**

Complete the following sentences using 反正：

1) 你想去上海，你自己去吧_____。

2) 他来不来，随他便，_____。

3) _____，你需要买什么，我可以帮你买。

4) _____，咱俩去看电影吧。

5) 你没带钥匙，_____，就到我那儿去坐坐吧。

6) 你喜欢吃鱼，你就买一条，_____。

6. **听当天的天气预报，并记录下来。**

Listen to the weather broadcast and take it down.

7. **谈谈你们那儿的天气。北京的天气跟你们那儿有哪些不一样的地方。**

Tell about the climate of your city and how it differs from that of Beijing.

第五十一课　DÌWǓSHÍYĪ KÈ

Lesson 51

一、生词　Shēngcí　New Words

1.	下雪	xià xuě	to snow
2.	雪	（名）xuě	snow
3.	飞机	（名）fēijī	airplane
4.	（飞）机场	（名）（fēi）jīchǎng	airport
5.	化	（动）huà	to melt
6.	更	（副）gèng	even more
7.	羽绒服	（名）yǔróngfú	down coat or jacket
8.	碰见	（动）pèngjiàn	to meet by chance
9.	代表	（名）dàibiǎo	representative
10.	办	（动）bàn	to deal, to handle
11.	事	（名）shì	matter, thing
12.	同路	tóng lù	to go the same way
13.	托运	（动）tuōyùn	to consign for shipment
14.	降落	（动）jiàngluò	to land, to decend

15.	热	(形)	rè	hot, warm
16.	大厅	(名)	dàtīng	lounge
17.	侄子	(名)	zhízi	nephew, brother's son
18.	飞	(动)	fēi	to fly
19.	稳	(形)	wěn	steady
20.	平时	(名)	píngshí	ordinary time
21.	起飞	(动)	qǐfēi	to take off

专名 Zhuānmíng Proper Name

山田	Shāntián	Yamada, *a Japanese name*

二、课文 Kèwén Text

I

夏子离开北京去上海那天下雪了。早上七点半，她在门口儿等出租汽车去飞机场。她看见高开过来，就跟老师告别。

高开：夏子，今天雪下得不小，你得多穿点儿衣服。

夏子：我已经比昨天多穿了一件毛衣了。

高开：化雪的时候儿比下雪的时候儿冷，你回来的时候儿可能比现在更冷。

夏子：没关系，我带着一件羽绒服呢。

Ⅱ

因为下雪，汽车开得比较慢，到了飞机场，已经差五分九点了。夏子下了车，碰见哥哥的朋友山田。他是哥哥那个公司驻北京办事处的代表。

山田：这不是夏子吗？你好！是不是去看你哥哥？

夏子：是啊，您呢？

山田：我也去看他，顺便在上海办点事儿。

夏子：太好了，咱们同路。您什么时候儿到的？

山田：我差一刻九点到的。

夏子：哦，您比我早到了十分钟。

山田：怎么，你带了两个箱子，比我多带了一个。

夏子：有一个箱子是给哥哥他们带的东西。

山田：来，我帮你托运。

— 410 —

Ⅲ

一个半小时以后，飞机降落在上海机场。上海是晴天，比北京暖和得多。夏子脱了一件毛衣，还觉得热。她跟山田到了机场大厅，看见哥哥、嫂子和两个侄子在等她，就高兴地跑过去。

哥哥：你们一起来了，路上好吧？

夏子：很好。

山田：飞机飞得很稳。

嫂子：可是，飞机怎么比平时晚到了五分
　　　钟？

夏子：飞机比平时晚起飞了几分钟。

哥哥：（对山田）你怎么拿这么多东西？

山田：我拿的东西多？你看看你妹妹吧。她
　　　比我拿的更多。我比她少拿了一个箱
　　　子呢。

注释　Zhùshì　Note：

你得多穿点儿衣服。

　　中国人常常嘱咐别人（如老师对学生、父母对孩子等）注意冷暖，增减衣服等，以表示关心。这不意味着认为对方不能照顾自己。

Chinese people often remind others (as a teachers to their students,
parents to their children) to pay attention to the weather, and put on
more/less clothes, to show their concern. This does not in the least im-
ply that the former think the latter does not know how to take care of
themselves.

三、语法　　Yǔfǎ　**Grammar**

"多/少"、"早/晚"在用"比"的比较句中作状语
多/少 and 早/晚 as adverbial in comparative sentences using 比

　　"多/少"、"早/晚"可用于用"比"的比较句的主要动词前作状语,句型
是:

　　多/少 and 早/晚 can be used as adverbials before the main verb
of comparative sentences using 比.　The pattern is:

A	比	B	多/少 早/晚	+V
我（今天）	比	昨天	多	穿了一件毛衣
你	比	我	多	带了一个箱子。
我	比	她	少	拿一个箱子呢。
您	比	我	早	到了十分钟。
飞机（今天）	比	平时	晚	起飞了几分钟。

四、练习　　Liànxí　**Exercises**

1. **朗读下列各句:**
Read the following sentences:

　　1）Tā bǐ wǒ zǎo láile yì nián .

　　2）Wǒ bǐ tāmen wǎn dào wǔ fēnzhōng .

3）Tā bǐ nǐ duō chuānle yíjiàn máoyī.

4）Wǒmen bān bǐ tāmen bān shǎo xué sān kè.

5）Wǒ bǐ tā duō xiěle liǎngge jùzi.

2. 扩展练习：
   Build-up exercise：

事	起飞
一点儿事	几点起飞
办一点儿事	飞机几点起飞？
进城办一点儿事	去东京的飞机几点起飞？

冷	五分钟
更冷	晚到五分钟
比下雪更冷	比平时晚到五分钟
化雪比下雪更冷。	他比平时晚到五分钟。

夏子	代表
碰见了夏子	办事处的代表
在机场 碰见了夏子	驻北京办事处的代表
他在机场碰见了夏子。	公司驻北京办事处的代表
昨天他在机场碰见了夏子。	他是公司驻北京办事处的代表。

3. 用"比…多/少（早/晚）…"改写句子：
   Rewrite the following into sentences using 比…多/少（早/晚）：
   1）他是去年九月来的，我是今年九月来的。

2) 我六点就到了飞机场了，你六点半才到。

3) 他带了一件大衣，一件羽绒服。我只带了一件大衣。

4) 我同屋买了三斤梨，我买了一斤梨。

5) 妹妹吃了一个糖包，弟弟吃了两个。

6) 他们班学了五百个生词，我们班学了六百个。

4. 说什么？

What do you say?

1) 你去南方旅行，在飞机场遇见一个老朋友，他也去南方办事，你们说什么？

2) 下雪了，飞机起飞晚了。下飞机以后，见到来接你的人，你们说什么？

第五十二课　DÌWǓSHÍ'ÈR KÈ

Lesson 52

一、生词　Shēngcí　New Words

1.	学期	（名）xuéqī	school term, semester
2.	开（会）	（动）kāi(huì)	to hold (a meeting)
3.	晚会	（名）wǎnhuì	evening party
4.	节目	（名）jiémù	performance, program
5.	编	（动）biān	to compose
6.	相声	（名）Xiàngsheng	comic dialogue, *a form of folk art*
7.	讽刺	（动）fěngcì	to satirize
8.	总	（副）zǒng	always
9.	强	（形）qiáng	strong, better
10.	敢	（助动）gǎn	dare
11.	流利	（形）liúlì	fluent
12.	读	（动）dú	to read
13.	得	（动）dé	to get
14.	分儿	（名）fēnr	mark, score, point

15.	笔试	（名）	bǐshì	written examination
16.	口试	（名）	kǒushì	oral examination
17.	听写	（名）	tīngxiě	dictation
18.	不见得		bú jiàndé	not necessarily, not likely
19.	锻炼	（动）	duànliàn	to do physical training
20.	滑冰		huá bīng	to ice skate
21.	回	（量）	huí	*a verbal measure word indicating frequency of a happening or action, time*
22.	差	（形）	chà	poor, not up to standard
23.	胃病	（名）	wèibìng	stomach trouble
24.	顿	（量）	dùn	*a measure word for meal*
25.	厉害	（形）	lìhai	serious

二、课文　Kèwén　Text

学习了快一个学期了，学生们要开个晚会，用汉语表演节目。约翰和史密斯编了一个相声。张正生看了，说："你们编得不错。这个相声讽刺了那些总觉得自己比别人强的人。"

I

甲：咱们俩比比学习，怎么样？

乙：我不敢跟您比。您学得比我好得多。

甲：不，我学得只比您好一点儿。我说得比
　　您流利一点儿，听得比您清楚一点儿，
　　读得比您快一点儿，汉字写得比您好一
　　点儿。

乙：哦，您听、说、读、写都比我强一点儿。

甲：您上次考试得了多少分儿？

乙：我笔试得了九十一分儿，口试得了八十
　　一分儿。

甲：我笔试得了九十二分儿，口试得了八十
　　二分儿。比您好一点儿。我听写也比您
　　好一点儿。

乙：不见得。我每次听写都得一百分儿。

甲：我也都得一百分儿。

乙：那么，您听写跟我一样。

甲：不，我比您好一点儿。

乙：不能吧？

甲：您想，您叫约翰，我叫史密斯，我比您

多写一个字，不是好一点儿吗？

Ⅱ

甲：咱们再比体育锻炼吧。

乙：我不比了。

甲：您自行车骑得不错，咱们比骑车吧。

乙：好，比骑车。我骑得很快。

甲：我骑得比您快多了。我骑得比汽车快。

乙：比滑冰。我是系滑冰队的。

甲：我滑得比您快多了。我是学校滑冰队的。

乙：比游泳。

甲
乙：我游得比您快多了。

甲：你自己也知道游得比我慢多了，是不是？

Ⅲ

乙：这么说，您比我强多了。这回咱们比差

的地方。比如说，我有胃病，吃得很少，
一顿饭只吃一个 馒头。

甲：我的胃病比您厉害，吃得比您更少，一
顿饭只吃半个馒头。

乙：我平时睡得很少，一天只睡两个小时觉。

甲：我平时睡得比您更少，一天只睡一个小
时觉。

乙：有时候儿我睡得很多，我能睡两天。

甲：有时候儿我睡得比您多多了，我能睡七
七四十九天。

乙：这位真行。说好的地方，他都比我强；说
不好的地方，他都比我差。

注释 Zhùshì Notes：

1. 相声

相声是一种曲艺，内容多为讽刺性的幽默对话，一般由二人表演，也有
一人、三人表演的。现在又出现了"相声剧"的形式。

相声 is a kind of traditional Chinese folk art which appears in the
form of sarcastic humorous dialogue performed usually by two actors
and sometimes by one or three actors. Now a new form, the *xiang sheng*-
play, has been created.

2. 我笔试得了九十一一分儿。

中国学校里的考试成绩多用百分制评定，有的课程用五分制。百分制的最高分数为一百分，及格分数为六十分；五分制的最高分数为五分，及格分数为三分。

In Chinese schools, the examinations of students are evaluated according to the hundred point system, but for certain courses, the five-point system is used. In the former, the best and maximum score is 100 and the pass mark is 60, whereas in the latter, the maximum is 5 and the pass mark is 3.

3. 我能睡七七四十九天。

"七七四十九"是算术乘法口诀（见下）中的一句，意思是"七乘以七等于四十九"。这里用来极言时间长。

"七七四十九" ia taken form the Chinese multiplication table (see below) meaning $7 \times 7 = 49$. Here it is used to mean "many days-a very long time".

算术乘法口诀
Multiplication Table

一一得一（$1 \times 1 = 1$）　　　　四五二十（$4 \times 5 = 20$），

一二得二（$1 \times 2 = 2$），　　　五五二十五（$5 \times 5 = 25$）

二二得四（$2 \times 2 = 4$）　　　　一六得六（$1 \times 6 = 6$），

一三得三（$1 \times 3 = 3$），　　　二六一十二（$2 \times 6 = 12$），

二三得六（$2 \times 3 = 6$），　　　三六一十八（$3 \times 6 = 18$），

三三得九（$3 \times 3 = 9$）　　　　四六二十四（$4 \times 6 = 24$），

一四得四（$1 \times 4 = 4$），　　　五六三十（$5 \times 6 = 30$），

二四得八（$2 \times 4 = 8$），　　　六六三十六（$6 \times 6 = 36$）

三四一十二（$3 \times 4 = 12$），　　一七得七（$1 \times 7 = 7$），

四四一十六（$4 \times 4 = 16$）　　　二七一十四（$2 \times 7 = 14$），

一五得五（$1 \times 5 = 5$），　　　三七二十一（$3 \times 7 = 21$），

二五一十（$2 \times 5 = 10$），　　　四七二十八（$4 \times 7 = 28$），

三五一十五（$3 \times 5 = 15$），　　五七三十五（$5 \times 7 = 35$），

六七四十二（6×7＝42），
七七四十九（7×7＝49）
一八得八（1×8＝8），
二八一十六（2×8＝16），
三八二十四（3×8＝24），
四八三十二（4×8＝32），
五八四十（5×8＝40），
六八四十八（6×8＝48），
七八五十六（7×8＝56），
八八六十四（8×8＝64）

一九得九（1×9＝9），
二九一十八（2×9＝18），
三九二十七（3×9＝27），
四九三十六（4×9＝36），
五九四十五（5×9＝45），
六九五十四（6×9＝54），
七九六十三（7×9＝63），
八九七十二（8×9＝72），
九九八十一（9×9＝81）

三、语法　Yǔfǎ　Grammar

比较句："比"字短语用于"得"后形容词之前

The sentence of comparison: the 比-phrase used before the post-得 adjective.

"比"字短语可以用在"得"后表示对动作评价的形容词的前边，句型是：

The 比-phrase can be used before the post-得 adjective expressing a comment on an action. The pattern is:

我		说	得	比	您		流利一点儿。
我	汉字	写	得	比	您		好一点儿。
您		学	得	比	我	好得多（好多了）。	
我		说	得	比	您	流利得多（流利多了）。	
我	汉字	写	得	比	您	好得多（好多了）。	

"多了"也表示差别大。

多了 also expresses a great difference.

四、练习　　Liànxí　**Exercises**

1. 朗读下列各句：

Read the following sentences：

1）Tā shuō de bǐ wǒ liúlì.

2）Wǒ pǎo de bǐ tā kuài yìdiánr.

3）Tā páiqiú dǎ de bǐ nǐ hǎo.

4）Nǐ xiě de bǐ wǒ hǎokàn duō le.

5）Tā yóu de bǐ wǒ kuài.

2. 扩展练习：

Build-up exercise：

<table>
<tr><td>了</td><td>节目</td></tr>
<tr><td>结束了</td><td>表演节目</td></tr>
<tr><td>快结束了</td><td>用汉语表演节目</td></tr>
<tr><td>学期快结束了。</td><td>在晚会上用汉语表演节目。</td></tr>
</table>

<table>
<tr><td>多了</td><td>一点儿</td></tr>
<tr><td>快多了</td><td>流利一点儿</td></tr>
<tr><td>比我快多了</td><td>比你流利一点儿</td></tr>
<tr><td>写得比我快多了</td><td>说得比你流利一点儿</td></tr>
<tr><td>他写得比我快多了。</td><td>我说得比你流利一点儿。</td></tr>
<tr><td>分儿</td><td>比</td></tr>
<tr><td>八十分儿</td><td>跟你比</td></tr>
<tr><td>得了八十分儿</td><td>敢跟你比</td></tr>
<tr><td>笔试得了八十分儿</td><td>不敢跟你比</td></tr>
<tr><td>他笔试得了八十分儿。</td><td>我不敢跟你比。</td></tr>
</table>

一点儿	得多
强一点儿	差得多
比你强一点儿	比他差得多
口试比你强一点儿	听写比他差得多
我口试比你强一点儿。	我听写比他差得多。

3. 用"比"改写下列句子：

Rewrite the following sentences with 比：

1）他足球踢得很好，我踢得不太好。

2）他滑得很快，我滑得不快。

3）我读得很流利，小王读得不太流利。

4）张老师来得早，我来得晚。

5）昨天我睡得很晚，我同屋睡得不太晚。

6）他吃得很多，我吃得不多。

4. 把课文中用"比"的句子，改为用"没有"的句子；保持原句的意思：

Turn the sentences using 比 in the text into sentences using 没有 without change the meaning：

5. 口头作文：

Oral composition：

谈一谈你们班谁汉语说得流利，谁汉字写得快，谁课文念得好。

6. 写一写你爱好什么体育运动，注意用上"比"。

Write about your hobby in sports, trying to use 比。

第五十三课　DÌWǓSHÍSĀN KÈ

Lesson 53

一、生词 Shēngcí　New Words

1. 爆竹	（名）bàozhú	firecracker
2. 贺年片儿	（名）hèniánpiànr	New Year's card
3. …什么的	（代）shénmede	… and so on and so forth
4. 除了…以外	chúle… yǐwài	besides…, except…
5. 节日	（名） jiérì	festival
6. 重要	（形）zhòngyào	important
7. 象	（动）xiàng	such as , like
8. 传统	（名）chuántǒng	tradition
9. 农历	（名） nónglì	lunar calendar
10. 重视	（动）zhòngshì	to attach importance to
11. 它	（代）tā	it
12. 为了	（介）wèile	in order to, for
13. 放假	fàng jià	to have a day off, have a holiday/vacation
14. 寒假	（名） hánjià	winter vacation

15. 机关	(名)jīguān	official organization
16. 祝贺	(动)zhùhè	to congratulate
17. 道歉	dàoqiàn	to express apology
18. 高尚	(形)gāoshàng	noble
19. 品格	(名)pǐngé	one's character and morals
20. 象征	(名、动)xiàngzhēng	symbol, to symbolize
21. 展览	(名、动)zhǎnlǎn	exhibition, to exhibit
22. 画家	(名)huàjiā	painter, artist
23. 画	(动)huà	to draw, to paint
24. 诗人	(名)shīrén	poet

专名　Zhuānmíng　Proper names

新年	Xīnnián	New Year's Day
国庆节	Guóqìng jié	National Day(October 1st)
三八妇女节	Sānbā Fùnǚ jié	Women's Day(march 8th)
五一劳动节	Wǔyī Láodòng jié	The Labour Day (May 1st)
六一儿童节	Liùyī Értóng jié	Children's Day (June 1st)

— 425 —

春节	Chūn jié	Spring Festival (The 1st day of the 1st month or the New Year's Day of the Chinese lunar calendar)
端午节	Duānwǔ jié	Dragon Boat Festival (The 5th day of the 5th month of the Chinese lunar calendar)
中秋节	Zhōngqiū jié	Mid-Autumn Festival (The 15th day of the 8th month of the Chinese lunar calendar)
圣诞节	Shèngdàn jié	Christmas

二、课文 Kèwén Text

新年快到了，中国学生李大年和约翰一起上街买东西。街上比平时热闹。许多商店都在街上卖点心、爆竹、贺年片什么的。他们一边走一边儿谈话。

I

约翰：大年，除了新年以外，中国还有哪些节日？

大年：节日很多。有些是重要的纪念日，像国庆节、三八妇女节、五一劳动节、六一儿童节什么的。

约翰：除了这些纪念日以外，还有什么节
　　　日？

大年：还有很多传统节日，像春节、端午节、
　　　中秋节什么的。

约翰：听说春节像西方的圣诞节一样，比过
　　　新年热闹。

大年：是这样。其实春节是中国农历新年，过
　　　去人们只过这个年。现在虽然叫春节
　　　了，人们还是更重视它。为了让大家过
　　　好春节，学校都在春节以前开始放寒
　　　假，机关、工厂也要放三、四天假。可
　　　是新年只放一天。

约翰：顺便问问，怎么向别人祝贺新年或者
　　　春节呢？

大年：互相说"新年好"、"春节好"。

Ⅱ

大年：约翰，等一等，这个商店的贺年片样
　　　子多，我买几张。你看哪些好？

约翰：我看，除了那几张菊花儿的以外，别的都可以要。

大年：我觉得，除了菊花儿的以外，别的都很一般。

约翰：人们不一定喜欢菊花儿的。我有个法国朋友，他说法国人送菊花儿是道歉的意思。

大年：可是在中国菊花是高尚品格的象征。许多人家里摆菊花，公园里展览菊花，画家们爱画菊花，诗人们爱写菊花。

注释 Zhùshì **Note**：

学校都在春节以前开始放寒假。

中国每一学年（从九月初开始）放两次假，寒假在一月底或二月初开始，约二至三周；暑假在七月中旬，约四至五周。

春节一般在二月中旬。

Each school year, which starts in the beginning of September, includes two vacations: a winter vacation of two or three weeks, starting at the end of January or the beginning of February, and a Summer vacation which lasts four or five weeks starting in the middle of July.

Spring Festival usually falls in the middle of February.

三、语法　　Yǔfǎ　Grammar

1. 除了…以外

The construction 除了…以外

"除了…以外" 可以表示排除，也可以表示添加。表示排除时，句型是：

The construction 除了…以外 may express inclusion or addition.

Inclusion is expressed in the following pattern：

　　1）除了…以外，…都…

　　　　除了那几张菊花儿的以外，别的都可以要。

　　　　除了菊花儿的以外，别的都很一般。

表示添加时，句型是：

The pattern to express addition is：

　　2）除了…以外，还…

　　　　除了新年以外，中国还有哪些节日？

　　　　除了这些纪念日以外，还有很多传统节日。

2. …什么的

The pronoun…什么的

"什么的" 用在一个或几个并列成分之后，表示列举未尽。如：

什么的 is preceded by one or several parallel elements to express an incomplete listing. For example：

　　　　许多商店都在街上卖点心、爆竹、贺年片儿什么的。

　　　　有些节日是重要的纪念日，像国庆节、三八妇女节、五一劳动节、六一儿童节什么的。

除了这些纪念日以外，还有很多传统节日，像春节、端午节、中秋节什么的。

四、练习　Liànxí　Exercises

1. 朗读下列各句：

Read the following sentences：

1）Chúle huāchá yǐwài, biéde chá tā dōu bú ài hē.

2）Chúle tā yǐwài, wǒmen bān de rén dōu qùguo Chángchéng.

3）Wǒ chúle xǐhuan huá bīng yǐwài, hái xǐhuan yóu yǒng、dǎ qiú.

4）Gēn tā tónglù de, chúle Xiàzǐ yǐwài, hái yǒu Xiǎo Wáng.

5）Tā mǎile yú ròu、cài、shuǐguǒ shénmede, zhǔnbèi qǐngkè.

2. 扩展练习：

Build-up exercise：

寒假	春节
一个月寒假	祝贺春节
放一个月寒假	向别人祝贺春节
我们放一个月寒假。	怎么向别人祝贺春节。
象征	展览
友谊的象征	菊花展览
是友谊的象征	参观菊花展览
那张画是友谊的象征。	去公园参观菊花展览

道歉　　　　　　　　　　　　　　　节日
　　向别人道歉　　　　　　　　　　传统节日
　　怎么向别人道歉？　　　　　　　很多传统节日
请问，怎么向别人道歉？　　　　有很多传统节日

3. 完成句子：

Complete the following sentences：

1）昨天参加晚会的＿＿＿＿＿＿＿＿，还有很多中国学生和
老师。

2）＿＿＿＿＿＿＿＿，别的地方他都没去过。

3）中国的传统节日，除了春节以外，＿＿＿＿＿＿＿＿。

4）＿＿＿＿＿＿＿＿，别的花他都不太喜欢。

5）他很爱吃水果，除了苹果以外，＿＿＿＿＿＿＿＿。

6）＿＿＿＿＿＿＿＿，寒假我们都去旅行。

4. 把下列对话改成有"除了…以外，都（还）……"的句子：

Rewrite the following dialogues into sentences using the construction

除了…以外，都（还）……：

例　Model：

A：你去北海了吗？

B：我没去。

A：他们去了吗？

B：他们都去了。　　除了我以外，他们都去北海了。

1）A：他看戏了吗？

B：他没看。

A：你们呢？

B：我们都看了。

2）A：山田来了吗？

B：他没来。

A：别的人都来了吗？

B：都来了。

3）A：北京的公园你都去过吗？

B：没都去过。

A：哪个公园没去过？

B：香山公园。

4）A：他只借了一本小说。

B：不，你看，他还借了两本画报、一本中文杂志。

5）A：中国的传统节日只有春节吗？

B：不，还有中秋节、端午节等等。

6）A：早上你只跑步吗？

B：不，还打打太极拳。

5. 就下列题目谈话：

Speak on the following topics：

1）谈谈你们国家有哪些节日？最重要的是什么节日？最大的传统节日是什么节？你们怎么过节？

2）你们那儿的人最喜欢什么花？它象征着什么？

第五十四课　DÌWǓSHÍSÌ KÈ

Lesson 54

一、生词　Shēngcí　**New Words**

1.	讲	（动）jiǎng	to tell, to explain
2.	故事	（名）gùshi	story, tale
3.	下面	（名）xiàmiàn	below, following
4.	哎	（叹）āi	*an interjection to arouse attention*, I say…
5.	饺子	（名）jiǎozi	dumpling（See also Note）
6.	打扫	（动）dǎsǎo	to clean up（sweep）
7.	擦	（动）cā	to wipe
8.	玻璃	（名）bōli	pane, glass
9.	被	（介）bèi	*a preposition expressing the passive*
10.	狗	（名）gǒu	dog
11.	抢	（动）qiǎng	to take by force, to vie for
12.	糊涂	（形）hútu	confused, muddled
13.	骂	（动）mà	to curse, to scold

14.	再	（副）	zài	again（to repeat in the future）
15.	解释	（动）	jiěshì	to explain
16.	算了		suàn le	That's enough
17.	厨房	（名）	chúfáng	kitchen
18.	不见		bújiàn	(something or somebody) to be missing
19.	却	（副）	què	but
20.	到处	（名）	dàochù	everywhere
21.	里屋	（名）	lǐwū	the inner room
22.	踩	（动）	cǎi	to tread
23.	床单	（名）	chuángdān	bed sheet
24.	吓	（动）	xià	to frighten

专名　Zhuānmíng　Proper Name

老郭		Lǎo Guō	Old Guo

二、课文　Kèwén　Text

　　有一天上课的时候儿,高开对同学们说:"上了一个学期的课,我还没给你们讲过故事呢。大家是不是想听故事啊?"同学们都想试试能不能听懂用汉语讲的故事。下面是高开讲的故事。

I

新年以前一个星期日的早晨，老郭跟他爱人和他们的二儿子在家。

老郭：哎，咱们今天吃饺子，好吧？

爱人：好，你去买东西，我在家打扫房间、洗衣服，让小二擦玻璃。

过了一会儿，老郭回来了。

爱人：都买回来了？

老郭：除了肉以外，都买回来了。

爱人：肉呢？

老郭：路上被狗抢走了。

爱人：没有肉，怎么做饺子？

老郭：你别着急。肉被它抢走，它也没用。

他爱人被他说糊涂了。

老郭：你想，咱们没有肉不能做饺子，它只有肉也不能做饺子呀！

II

老郭被他爱人骂了一顿。他想再解释解释。

爱人：算了，算了，别说了，你再去买点儿肉来！

说完，她就到厨房去了。老郭要戴帽子，帽子却不见了。他着急地到处找。这时候儿，小二叫他。

小二：爸爸，您看，玻璃擦得干净不干净？

老郭走进里屋，小二正站在床上擦呢。他没脱鞋。老郭生气了。

老郭：干净，干净，玻璃干净了，床单却被你踩脏了！

小二被他吓哭了。

他忽然想，帽子会不会被小二拿去了。

老郭：小二，我的帽子是不是你拿去了？

小二：我没……哈哈，爸爸，帽子在你头上戴着呢！

小二笑了，老郭也笑着走出去了。

注释　Zhùshì　Notes：

1. 哎，咱们今天吃饺子，好吧？

感叹词"哎"常在谈话开始时用来引起别人注意。

The interjection 哎 is often used to arouse people's attention in order to start a conversation.

2. 小二

"小二"常作为乳名叫第二个孩子。

小二 is commonly used as a pet name for one's second child when he is very young.

3. 饺子

中国北方人常吃的食品。做法是把和好的面擀成圆形的皮，放上菜、肉等做成的馅，包成半圆形。

饺子 is a common food in the North. It is made this way: 1. Roll out a round skin of dough, 2. Put some meat and vegetable filling on the dough and 3. Wrap it up into a cresent-shaped dumpling with some folds.

三、语法　Yǔfǎ　Grammar

介词"被"表示被动:

The preposition 被 expressing the passive:

介词"被"用于被动句,这样的句子叫被字句,句型是:

The preposition 被 is used in passive sentences, which are known as the 被 sentences. The pattern is:

S	P		
	被　O被+	V+	Other element 其他成分
肉	被　狗	抢	走了。
他爱人	被　他	说	糊涂了。
老郭	被　他爱人	骂了	一顿。
床单	却　被　你	踩	脏了。
帽子	会不会被　小二	拿	去了?

注意:1)汉语中,只有强调被动意义时才用被动句;2)上面句型中动词后面的其他成分是必不可少的,没有其他成分,句子就不完整。

N. B. 1)In Chinese, passive sentences are used only when the passive meaning is emphasized; and 2) The "other element" that follows the verb in the above pattern must be used. The sentence will not sound complete without the "other element".

四、练习　Liànxí　Exercises

1. 朗读下列各句：

Read the following sentences：

1）Tāde qián bèi rén qiǎngzǒu le.

2）Zhè háizi jītiān bèi tā bàba dǎle yídùn.

3）Zhuōzi bèi tā cǎizāng le.

4）Jiǎozi bèi wǒ chīwán le.

5）Zìxíngchē bèi Lǎo Guō jièqu le.

2. 扩展练习：

Build-up exercise：

<table>
<tr><td>完了</td><td>脏了</td></tr>
<tr><td>喝完了</td><td>踩脏了</td></tr>
<tr><td>被他喝完了</td><td>被我踩脏了</td></tr>
<tr><td>那瓶汽水被他喝完了。</td><td>床单被我踩脏了。</td></tr>
<tr><td>饺子</td><td>干净</td></tr>
<tr><td>做饺子</td><td>很干净</td></tr>
<tr><td>在厨房做饺子</td><td>擦得很干净</td></tr>
<tr><td>他在厨房做饺子。</td><td>玻璃擦得很干净。</td></tr>
<tr><td>故事</td><td>里屋</td></tr>
<tr><td>一个故事</td><td>打扫里屋</td></tr>
<tr><td>讲一个故事</td><td>帮我打扫里屋</td></tr>
<tr><td>给大家讲一个故事</td><td>来帮我打扫里屋</td></tr>
<tr><td>我给大家讲一个故事。</td><td>你来帮我打扫里屋。</td></tr>
</table>

3. 把下列句子改成"被动句"：

Turn the following sentences into passive ones：

1) 他把我的中文小说借走了。

2) 他把椅子踩脏了。

3) 学校派他去广州工作。

4) 他把那条鱼吃完了。

5) 一个不认识的人把我的旅行袋拿错了。

6) 老高骑走了我的摩托车。

7) 他生气了，骂了孩子一顿。

8) 他说不清楚那件事，我们都听糊涂了。

4. 用"可是"或"却"填空：

Fill in the blanks with 可是 or 却：

1) 我说得比你流利，_____听写不如你好。

2) 这几天北京还很冷，上海_____已经暖和了。

3) 他很想用汉语编一个相声，_____不知道怎么写。

4) 他要用牙刷，牙刷_____不见了。

5. 准备一个小故事，注意用上被字句。

Tell a story you know, trying to use 被 sentences.

第五十五课 DÌWǓSHÍWǓ KÈ

Lesson 55

一、 生词 Shēngcí New Words

1. 要求 （动、名）yāoqiú to ask （sb. to do sth.）, request
2. 半路 （名）bànlù halfway
3. 街头公园 （名）jiētóu gōngyuán street garden
4. 盖 （动）gài to cover
5. 睡着 （动）shuìzháo to fall asleep
6. 让 （介）ràng *a preposition expressing the passive*
7. 摇 （动）yáo to shake
8. 油漆 （名）yóuqī paint, lacquer
9. 干 （形）gān dry
10. 弄 （动）nòng to make, to get
    弄掉 nòngdiào to rub off
    弄脏 nòngzāng to make dirty
11. 跳 （动）tiào to jump
12. 大声儿 dàshēngr loudly
13. 丢 （动）diū to lose, to leave

			sth. in
14.	嚷	（动）rǎng	to shout
15.	小声儿	xiǎoshēngr	in a whisper, in a low voice
16.	傻	（形）shǎ	silly
17.	聪明	（形）cōngming	smart, clever
18.	叫	（介）jiào	*a preposition expressing the passive*
19.	终于	（副）zhōngyú	finally, at last
20.	埋	（动）mái	to bury
21.	贴	（动）tiē	to paste, to put up
22.	纸条儿	（名）zhǐtiáor	slip of paper

二、课文 Kèwén Text

高开讲完一个故事，同学们都要求他再讲一个。下面是高开讲的第二个故事。

I

老郭第二次去买肉的时候儿，走到半路，坐在街头公园的椅子上休息。他把帽子盖在脸上，很快就睡着了。忽然，他让人摇醒了。

"醒醒！椅子上的油漆还没干呢，让你弄掉了！"

老郭一听，跳起来！

"油漆让我弄掉了？我的衣服都让油漆弄脏了！"说着，他拿起肉，生气地回家了。

Ⅱ

到了家，他爱人看见他帽子没了，就问：

"你帽子呢？"

"哟，让我丢在街头公园了。"老郭着急地大声儿说。

"别嚷！别让人听见！这么大的人丢东西，多不好意思！快去把帽子找回来！"

老郭回到街头公园，帽子已经不见了。回到家，爱人问他：

"帽子找回来了？"

他对着爱人的耳朵，小声儿说：

"帽子让人拿走了。"

"你真傻！帽子让人拿走了，小声儿说有

— 442 —

什么用！"

"我傻？我比有的人聪明多了！我给你说个故事吧。"

Ⅲ

这是老郭说的故事。

从前，有一个人，有三百块钱，怕叫人偷去，不知道放在哪儿好，终于想了个办法。他把钱埋在地下，上边儿贴了张纸条儿，上边儿写着："这里没有埋着钱。"纸条叫邻居王二看见了，就把钱偷走了。王二怕叫人发现，就在自己家门口儿贴了一张纸条，上边儿写着："王二没有偷钱。"

三、 语法 Yǔfǎ Grammar

介词"让"、"叫"表示被动：

The prepositions 让 and 叫 expressing the passive

"让"、"叫"是动词，也是介词，作介词时，表示被动，句型与"被"表示被动相同，但"让"、"叫"多用于口语。

让 and 叫 are prepositions as well as verbs. When used as prepositions they express the passive, following the same pattern as 被 sentences, but 让 and 叫 occur more often in spoken Chinese.

S	P			
	让/叫＋	O_prep.	＋V ＋	其他成分 (Other elements)
他	让	人	摇	醒了。
油漆	让	你	弄	掉了。
衣服	让	油漆	弄	脏了。
帽子	让	我	丢	在公园了。
帽子	让	人	拿	走了。
纸条	叫	邻居	看见	了。
王二	怕叫	人	发现。	

在以上例句中，当"人"作"让"、"叫"的宾语时，人代表无法说出或不必
说出的人，意思是"某人"。

In the above examples, 人 serving as the object of 让 or 叫 represents someone whose identity is unknown or irrelevant.

四、练习 Liànxí Exercises

1. 朗读下列各句：

Read the following sentences：

1）Wǒ gāng mǎi de biǎo jiào tā nòng huài le.

2）Tāde dàyī ràng rén tōu zǒu le.

3）Yóuqī jiào nǐ nòng diào le.

4）wǒde yīfu ràng yóuqī nòng zāng le.

5) Zhǐtiáor jiǎo tāde línjū kànjiàn le.

2. 模仿例子编写对话：

Compose dialogues following the model：

例　Model：

A：把你的词典借给我用一下，好吗？

B：对不起。我的词典让小王借走了。

A：没关系。我去借别人的。

1）自行车　　　3）照相机

2）书包　　　　4）茶壶、茶杯

3. 用"让"、"叫"改写下列句子：

Rewrite each sentence using 让 or 叫：

1）他把衣服弄脏了。

2）我把照相机丢在公园了。

3）他把我摇醒了。

4）他女儿把牛奶喝完了。

5）别人把他的新词典拿走了。

6）王二把邻居的钱偷走了。

7）我把帽子找回来了。

8）风把墙上的画儿刮掉了。

4. 扩展练习：

Build-up exercise：

醒了
摇醒了
让人摇醒了
他让人摇醒了。
忽然他让人摇醒了。

掉了
洗掉了
叫我洗掉了
油漆叫我洗掉了。
衣服上的油漆叫我洗掉了。

发现了
叫人发现了
钱叫人发现了。
地下的钱叫人发现了。
埋在地下的钱叫人发现了。

丢了
弄丢了
让我弄丢了
纸条让我弄丢了。
他写的纸条让我弄丢了。

嚷嚷
大声儿嚷嚷
别大声儿嚷嚷!
你们别大声儿嚷嚷!

说
对我说
小声儿对我说
他小声儿对我说。

附录　APPENDICES

语 法 索 引
GRAMMAR INDEX

本索引包括《初级汉语课本》第一、二两册中出现的所有语法
项目,按拼音顺序排列,每一项目后面的数码表示该项目所在的课
数。

This index includes all the grammar items in Volumes I and II of
MODERN CHINESE—Beginner's Course. They are arranged in alpha-
betical order and the number indicates the lesson in which the item ap-
pears.

词 汇 索 引
VOCABULARY INDEX

本索引按拼音顺序排列，每一词语后面的数码表示它第一次出现时所在的课数。

The entries in this index are arranged in alphabetical order and the number in brackets indicates the lesson in which the word first occurs.

A

ā	阿姨 āyí（21）
a	啊 a（10）
āi	哎 āi（54）
ǎi	矮 ǎi（47）
ài	爱 ài（25）
	爱好 àihào（39）
	爱人 àirén（27）

B

bā	八 bā（1）
bǎ	把 bǎ（量）（8），（介）（44）
bà	爸爸 bàba（2）
ba	吧 ba（14）

bái	白 bái（27）
bǎi	百 bǎi（20）
	百万 bǎiwàn（49）
	摆 bǎi（45）
bān	班 bān（26）
bàn	半 bàn（17）
	半路 bànlù（55）
	办 bàn（51）
	办法 bànfǎ（48）
	办事处 bànshìchù（50）
bāng	帮 bāng（44）
	帮助 bāngzhu（24）
bǎo	饱 bǎo（40）
bào	报 bào（5）
	爆竹 bàozhú（53）
Bēi	杯子 bēizi（45）

céng	层 céng (48)
chā	叉子 chāzi (40)
chá	茶 chá (11)
	茶馆儿 cháguǎnr (45)
	茶叶 cháyè (45)
	茶座儿 cházuòr (45)
chà	差(动)(17);(形)(52)
cháng	长 cháng (27)
	长方 chángfāng (40)
	长跑 chángpǎo (39)
	长途 chángtú (50)
	尝 cháng (40)
	常 cháng (42)
	常常 chángcháng (5)
chē	车 chē (14)
	车厢 chēxiāng (44)
	车站 chēzhàn (31)
chèn	衬衫 chènshān (27)
chéng	城 chéng (41)
	城市 chéngshì (49)
	盛 chéng (40)
chī	吃 chī (5)
chōu	抽烟 chōu yān (43)
chū	出来 chūlái (28)
	出租 chūzū (29)

	出租汽车 chūzūqìchē
chú	厨房 chúfáng (54)
	除了…以外 chúle…yǐwài (53)
chuān	穿 chuān (46)
chuán	传 chuán (48)
	传统 chuántǒng (53)
chuāng	窗户 chuānghu (46)
	窗帘儿 chuāngliánr (46)
chuáng	床 chuáng (8)
	床单 chuángdān (54)
cí	词 cí (24)
	词典 cídiǎn (8)
cì	次 cì (36)
cōng	匆忙 cōngmáng (44)
	聪明 cōngming (55)
cóng	从 cóng (28)
	从前 cóngqián (48)
còu	凑合 còuhe (40)

D

dá(r)	沓(儿) dá(r) (19)
dǎ	打 dǎ (46)
	打电报 dǎ diànbào (46)
	打电话 dǎ diànhuà (19)

打球 dǎ qiú(23)

打扫 dǎsǎo(54)

打太极拳 dǎ tàijíquán (39)

打招呼 dǎ zhāohu(41)

打针 dǎ zhēn(36)

dà 大 dà(21)

大概 dàgài(39)

大家 dàjiā(48)

大声儿 dàshēngr(55)

大使馆 dàshǐguǎn(38)

大厅 dàtīng(51)

大学 dàxué(12)(16)

大衣 dàyī(43)

dài 大夫 dàifu(3)

代表 dàibiǎo(51)

代表团 dàibiǎotuán(35)

带 dài(32)

戴 dài(43)

dān 担心 dān xīn(46)

dàn 蛋糕 dàngāo(35)

dāo 刀子 dāozi(40)

dào 到 dào(21)(24)

到处 dàochù(54)

倒 dào(40)

道歉 dào qiàn(53)

dé 得 dé(52)

de 的 de(6)

···的时候儿 ···de shíhour

地 de(44)

得 de(39)(47)

děi 得 děi(43)

děng 等 děng(14)

等(等)děng(děng)(41)

dī 低 dī(50)

dì 弟弟 dìdi(2)

递 dì(44)

第 dì(24)

地 dì(25)

地方 dìfāng(5)

地铁 dìtiě(29)

diǎn 点 diǎn (17)

点心 diǎnxīn(45)

diàn ···店 ···diàn(28)

电报 diànbào(46)

电车 diànchē(28)

电话 diànhuà(10)

电视(机)diànshì(jī)(7)

	飞机 fēijī(51)		感谢 gǎnxiè(48)
	(飞)机场 (fēi)jīchǎng	gāng	刚 gāng(31)
	(51)		刚才 gāngcái(23)
féi	肥 féi (27)		钢笔 gāngbǐ(18)
fēn	分 fēn divide (40)	gāo	高 gāo(21)
	分(钱)fēn(qián)(18)		高尚 gāoshàng(53)
	分（钟）fēn（zhōng）		高兴 gāoxìng(34)
	(17)(33)	gào	告别 gàobié(30)
fēnr	分儿 fēnr(52)		告诉 gàosù(24)
fēng	风力 fēnglì(50)	gē	哥哥 gēge(2)
	封 fēng(19)	gè	个 gè(8)
fěng	讽刺 fěngcì(52)		个子 gèzi(21)
fú	服务台 fúwùtái(47)	gěi	给 gěi(6);(35)
	服装 fúzhuāng(28)	gēn	跟 gēn(28)
fù	复习 fùxí(23)	gèng	更 gèng(51)
	附近 fùjìn(42)	gōng	公共 gōnggòng(28)
			公斤 gōngjīn(21)
	# G		公司 gōngsī(47)
gāi	该 gāi(29)		公园 gōngyuán(34)
gài	盖 gài(55)		工厂 gōngchǎng(49)
gān	干 gān(55)		工人 gōngrén(3)
	干杯 gān bēi(40)		工作 gōngzuò(14)
	干净 gānjìng(25)	gǒu	狗 gǒu(54)
	干燥 gānzào(50)	gū	估计 gūjì(41)
gǎn	敢 gǎn(52)		姑娘 gūniang(35)
	感冒 gǎnmào(36)	gǔ	古迹 gǔjì(49)

gù	故事 gùshi(54)	hàn	汉字 hànzì(23)
guā	刮风 guā fēng(50)	háng	航空信 hángkōngxìn (19)
guà	挂 guà(44)		
	挂号 guà hào(36)	hǎo	好 hǎo (1)(31) (34)
guǎi	拐 guǎi(29)		
guān	关系 guānxi(41)		好看 hǎokàn(26)
guǎng	广播 guǎngbō(23)	hào	号 hào number(10); date(15)
	广告 guǎnggào(47)		
guàng	逛 guàng(42)		号码儿 hàomǎr(10)
guì	柜子 guìzi(8)	hē	喝 hē (11)
	贵 guì(11)(27)	hé	合适 héshì(27)
guó	国 guó(12)		盒儿 hér(45)
	国际 guójì(13)		和 hé(19)(25)
guǒ	果皮 guǒpí(46)	hè	贺年片儿 hèniánpiànr (53)
	果然 guǒrán(32)		
guò	过 guò(29)(32)	hēi	黑 hēi(27)
guo	过 guo(42)	hěn	很 hěn(12)
		hóng	红 hóng(27)

H

hā	哈哈 hāhā(22)		红茶 hóngchá(45)
hái	还 hái(10)(42)		红灯 hóngdēng(29)
	还没(有)…呢。hái méi(yǒu)… ne(24)	hòu	后边儿 hòubianr(13)
			后来 hòulái(39)
	还是 háishì(19)		后天 hòutiān(35)
hán	寒假 hánjià(53)	hū	忽然 hūrán(33)
hǎn	喊 hǎn (6)	hú	胡同 hútòngr (49)

	壶 hú(45)		**J**
	糊涂 hútu(54)	jī	鸡 jī(38)
hù	护士 hùshi(3)		机关 jīguān(53)
	互相 hùxiāng(24)	jí	级 jí(50)
huā	花茶 huāchá(45)		急事 jíshì(38)
huá	滑冰 huá bīng(52)	jǐ	几 jǐ(8)(21)
huà	画 huà(53)		挤 jǐ(29)
	画报 huàbào(5)	jì	记忆力 jìyìlì(48)
	画家 huàjiā(53)		纪念 jìniàn(19)
	画儿 huàr(5)		寄 jì(19)
	化 huà(51)		既然 jìrán(48)
	话剧 huàjù(30)	jiā	家 jiā(30)
huān	欢迎 huānyíng(38)	jiǎ	甲 jiǎ(48)
huán	还 huán(44)	jiàn	件 jiàn(27)
huàn	换 huàn(20)		见面 jiàn miàn(41)
huáng	黄 huáng(27)		建筑 jiànzhù(49)
huí	回 huí(动)(5);(量)	jiǎng	讲 jiǎng(54)
	(52)	jiàng	降落 jiàngluò(51)
	回答 huídá(26)	jiāo	交 jiāo(44)
	回来 huílái(16)		郊区 jiāoqū(49)
huì	会 huì(12);(助动)		胶卷儿 jiāojuǎnr(43)
	(39)	jiāo	教 jiāo(39)
huǒ	火车 huǒchē(30)	jiǎo	饺子 jiǎozi(54)
huò	或者 huòzhě(22)	jiào	叫 jiào(动)(11);(介)
			(55)

教授 jiàoshòu(14)

jiē 街 jiē(31)

街道 jiēdào(49)

街头公园 jiētóu gōng
yuán(55)

接 jiē(46)

jié 节 jié(24)(44)

节目 jiémù(52)

节日 jiérì(53)

结束 jiéshù(48)

jiě 姐姐 jiějie(6)

解释 jiěshì(54)

jiè 介绍 jièshào(26)

借 jiè(7)

jīn 今年 jīnnián(16)

今天 jīntiān(15)

斤 jīn(31)

jìn 近 jìn(28)

进 jìn(11)

进去 jìnqu(30)

jīng 京剧 jīngjù(9)

经济 jīngjì(14)

精彩 jīngcǎi(39)

jiǔ 九 jiǔ(6)

酒 jiǔ(40)

jiù 就 jiù(32)(34)

就要…了 jiùyào…le
(30)

jú 菊花儿 júhuār(53)

橘子 júzi(31)

俱乐部 jùlèbù(13)

剧 jù(48)

剧场 jùchǎng(9)

剧团 jùtuán(47)

jué 觉得 juéde(39)

K

kā 咖啡 kāfēi(26)

kāi 开 kāi(33)

开车 kāi chē(30)

开会 kāi huì(52)

开票 kāi piào(42)

开(药) kāi(yào)(36)

开始 kāishǐ(33)

开水 kāishuǐ(45)

开演 kāiyǎn(30)

kàn 看 kàn(6)

看见 kànjian(31)

看台 kàntái(37)

kǎo 考试 kǎoshì(23)

kē	…科 …kē(36)	kuān	宽 kuān (49)
	内科 nèikē(36)		
	外科 wàikē(36)		**L**
ké	咳嗽 késòu(36)	lā	拉 lā (46)
kě	可不是！kěbushì!(33)	lái	来 lái(14)
	可能 kěnéng(34)	lán	蓝 lán(27)
	可是 kěshì(33)		篮球 lánqiú(37)
	可以 kěyǐ(12)	láo	劳驾 láo jià(13)
	渴 kě(33)	lǎo	老 lǎo(21)
kè	刻 kè(17)		老大娘 lǎodàniáng(48)
	刻钟 kèzhōng(33)		老大爷 lǎodàye(46)
	课 kè(24)		老人 lǎorén(22)
	课文 kèwén(23)		老师 lǎoshī(3)
	客气 kèqi(11)	le	了 le (14)
	客人 kèrén(38)	lèi	累 lèi(33)
kǒng	恐怕 kǒngpà(50)	lěng	冷 lěng(50)
kǒu	口试 kǒushì(52)		冷饮 lěngyǐn(33)
kòu	扣 kòu(46)	lí	梨 lí(31)
	扣子 kòuzi(46)		离 lí(28)
kū	哭 kū(48)		离开 líkāi(35)
kuài	快 kuài(30)	lǐ	里 lǐ(25)
	快…了 kuài…le(30)		里边 lǐbiān (19)
	快要…了 kuàiyào…le		里屋 lǐwū(54)
	(30)		礼物 lǐwù(38)
	块 kuài(11) (18)	lì	历史 lìshǐ(14)
	筷子 kuàizi(40)		

	厉害 lihai(14)	lù	绿茶 lǜchá(45)
liǎ	俩 liǎ(44)		
liǎn	脸 liǎn(41)		**M**
liàn	练习 liànxí(23)	mā	妈妈 māma(2)
	练习本 liànxíběn(8)	má	麻烦 máfan(38)
liǎng	两 liǎng(8)	mǎ	马克 mǎkè(20)
liàng	亮 liàng(46)		马路 mǎlù(29)
liè	列车员 lièchēyuán(44)		马上 mǎshàng(37)
lín	邻居 línjū(31)		
líng	铃 líng(47)	mà	骂 mà(54)
	零 líng(10)	ma	吗 ma(3)
	零下 língxià(50)		嘛 ma(49)
lìng	另 lìng(41)	mái	埋 mái(55)
liú	流利 liúlì(52)	mǎi	买 mǎi(5)
liù	六 liù(1)	mài	卖 mài(18)
lòng	弄堂 lòngtáng(49)	mán	馒头 mántou(5)
lóu	楼 lóu(10)	mǎn	满意 mǎnyì(42)
	楼房 lóufáng(48)	màn	慢 màn (39)
lù	路过 lùguò(38)	máng	忙 máng(30)
	录音 lùyīn(23)	máo	毛 máo(18)
	录音机 lùyīnjī(7)		毛衣 máoyī(46)
	路 lù(41)	mào	帽子 màozi(43)
lǚ	旅馆 lǚguǎn(47)		贸易 màoyì (47)
	旅行 lǚxíng(43)	méi	没 méi (7)
	旅行袋 lǚxíngdài(43)		没关系 méi guānxi(26)
			没什么 méi shénme
			(13)

měi	每 měi(36)		南 nán(29)
	美元 měiyuán(20)		南边儿 nánbiānr(13)
mèi	妹妹 mèimei (2)		南方 nánfāng(45)
mén	门 mén(33)	nǎr	哪儿 nǎr(4)
	门口儿 ménkǒur(31)	nàr	那儿 nàr(14)
mǐ	米 mǐ(21)	ne	呢 ne (15)(22)(23)
	米饭 mǐfàn(40)		(31)
míng	名城 míngchéng(49)	nèn	那么 nènme (nàme)
	名胜 míngshèng(49)		(22)
	名字 míngzi(11)	néng	能 néng(20)
	明年 míngnián(16)	nǐ	你 nǐ(1)
	明天 míngtiān(15)		你们 nǐmen(2)
	明信片 míngxìnpiànr	nián	年 nián(16)
	(47)		年纪 niánji(21)
mó	摩托车 mótuóchē(7)		年龄 niánlíng(22)
mǔ.	母亲 mǔqin (40)		年轻 niánqing(22)
mù	木偶 mù'ǒu(47)	niàn	念 niàn(23)
		nín	您 nín(1)
	N	niú	牛奶 niúnǎi(26)
			牛肉 niúròu(38)
ná	拿 ná (37)	nóng	农历 nónglì(53)
nǎ	哪 nǎ(něi)(8)	nòng	弄 nòng(55)
nà	那 nà(nèi)(5)		弄掉 nòngdiào
nǎi	奶奶 nǎinai(2)		弄脏 nòngzāng(55)
nán	男孩儿 nánháir(47)	nǔ	女儿 nǚér(32)
	难看 nánkàn(46)		女人 nǚrén (22)

nuǎn	暖和 nuǎnhuo(46)	pǐn	品格 pǐngé(53)
		pīng	乒乓球 pīngpāngqiú
O			(39)
ò	哦 ò (25)	píng	平时 píngshí(51)
			平信 píngxìn(19)
P			苹果 píngguǒ(31)
		pò	破 pò(36)
pá	爬 pá (32)	pú	葡萄 pútao31)
pà	怕 pà(50)	pǔ	普通话 pǔtōnghuà(47)
pái	排 pái(30)	pù	…铺 pù(44)
	排队 pái duì(34)		上铺 shàngpù
	排球 páiqiú(37)		中铺 zhōngpù
	牌价 páijià(20)		下铺 xiàpù
	牌子 páizi(33)		
pài	派 pài(50)	**Q**	
pán	盘子 pánzi(40)		
páng	旁边儿 pángbiānr(13)	qī	七 qī(6)
pàng	胖 pàng(21)	qí	其实 qíshí(34)
pǎo	跑 pǎo(34)		骑 qí(39)
péng	朋友 péngyou(3)	qǐ	起床 qǐ chuáng(17)
pèng	碰见 pèngjiàn(51)		起飞 qǐfēi(51)
pí	皮鞋 píxié(27)		起来 qǐlái(43)
	啤酒 píjiǔ(26)	qì	气候 qìhòu(50)
pián	便宜 piányi(27)		汽车 qìchē(14)
piànr	片儿 piànr(36)		汽水 qìshuǐ(26)
piào	票 piào(28)	qiān	千 qiān(20)
	漂亮 piàoliang(49)		

	千万 qiānwàn（副）（22）；（数）（49）	rǎng	嚷 rǎng（55）
		ràng	让 ràng（动）（37）（介）（55）
	铅笔 qiānbǐ（18）	rè	热 rè（51）
qián	前 qián（29）		热闹 rènao（39）
	前边儿 qiánbiānr（13）	rén	人 rén（12）
	前年 qiánnián（35）		人口 rénkǒu（49）
	前天 qiántiān（35）		人民币 rénmínbì（20）
	钱 qián（18）	rèn	认识 rènshi（14）
qiǎn	浅 qiǎn（27）	rì	日文 rìwén（7）
qiáng	强 qiáng（52）		日元 rìyuán（20）
qiǎng	抢 qiǎng（54）	ròu	肉 ròu（38）
qīng	青年 qīngnián（6）		牛肉 niúròu
	清楚 qīngchu（42）		羊肉 yángròu
qíng	情况 qíngkuàng（41）		猪肉 zhūròu
	晴 qíng（32）		
qǐng	请 qǐng（11）		**S**
	请客 qǐng kè（42）	sān	三 sān（1）
	请问 qǐngwèn（9）	sàn	散步 sàn bù（41）
qiú	球 qiú（37）	sǎng	嗓子 sǎngzi（36）
	球赛 qiúsài（9）	sǎo	嫂子 sǎozi（50）
qù	去 qù（9）	shǎ	傻 shǎ（55）
	去年 qùnián（16）	shān	山 shān（32）
què	却 què（54）	shàn	扇子 shànzi（34）
	R	shāng	商店 shāngdiàn（4）
rán	然后 ránhòu（42）		商量 shāngliang（39）

商业 shāngyè(49)

shàng　上 shàng（动）(4)
(14)；（名）(25)

上(星期、月)shàng
(xīngqī,yuè)(16)

上边儿 shàngbianr(26)

上课 shàng kè(17)

上午 shàng wǔ(17)

上药 shàng yào(36)

sháo　勺子 sháozi(40)

shǎo　少 shǎo(38)

shè　摄氏 shèshì(50)

shéi　谁 shéi(shuí)(3)

shēn　深 shēn(27)

shén　什么 shénme(5)

…什么的… shénmede
(53)

shēng　生产 shēngchǎn(49)

生词 shēngcí(24)

生气 shēngqì(22)

声音 shēng yīn(48)

shī　师傅 shīfu(31)

诗人 shīrén(53)

湿 shī(34)

湿润 shīrùn(50)

shí　十 shí(6)

食堂 shítáng(4)

时候儿 shíhour(16)

时间 shíjiān(33)

shì　试 shì(27)

市场 shìchǎng(38)

是 shì(3)

是啊 shì a(28)

是…的 shì…de(35)

事 shì(51)

事情 shì qing(48)

shōu　收音机 shōuyīnjī(7)

shǒu　手 shǒu(36)

首都 shǒudū(9)

shòu　售票处 shòupiàochù
(30)

售票员 shòupiàoyuán
(28)

瘦 shòu(27)

shū　书 shū(5)

书包 shūbāo(43)

书店 shūdiàn(5)

书架 shūjià(25)

叔叔 shūshu(21)

舒服 shūfu(36)

shú　熟人 shúrén(41)

shǔ	数 shǔ(20)		她 tā(1)
shuāng	双 shuāng(25)		她们 tāmen(2)
shuǐ	水果 **shuǐguǒ**(31)		它 tā(53)
shuì	睡觉 shuìjiào(17)	tái	台 tái(47)
	睡着 shuìzháo(55)	tài	太 tài(7)
shùn	顺便 shùnbiàn(31)		太极拳 tàijíquán(39)
shuō	说 shuō(12)		太阳 **tàiyáng**(32)
	说不定 shuōbudìng (46)	tán	谈话 tán huà(29)
	说话 shuō huà(35)	tǎn	毯子 tǎnzi(43)
sì	四 sì(6)	tāng	汤 tāng(40)
sòng	送 sòng see off(30) take…to…(42)	táng	糖 táng(11)
			糖包儿 tángbāor(5)
sù	宿舍 sùshè(4)	tǎng	躺 tǎng(43)
suàn	算 suàn(20)	tào	套 tào(19)
	算了 suàn le(54)	tè	特别 tèbié(45)
suí	随便 suíbiàn(35)		特意 tèyì(38)
suì	岁 suì(21)	téng	疼 téng(36)
	岁数 suìshu(22)	tī	踢 tī(39)
sūn	孙子 sūnzi(48)	tí	提 tí(43)
suǒ	所以 **suǒyǐ**(42)		提前 tíqián(34)
suǒ	锁 suǒ(48)		提议 tíyì(39)
		tǐ	体育 **tǐyù**(39)
T			体育场 tǐyùchǎng(9)
			体育馆 tǐyùguǎn(9)
tā	他 tā(1)	tì	替 tì(44)
	他们 tāmen(2)	tiān	天 tiān(32)

	天气 tiānqì(50)	wán	完 wán(24)
tián	填 tián(20)	wánr	玩儿 wánr(30)
tiào	跳 tiào(55)	wǎn	晚 wǎn(43)
tiē	贴 tiē(55)		晚饭 wǎnfàn(17)
tīng	听 tīng(9)		晚会 wǎnhuì(52)
	听说 tīngshuō(40)		晚上 wǎnshàng(17)
	听写 tīngxiě(52)	wàn	万 wàn(20)
tíng	停 tíng(32)	wǎng	网球 wǎngqiú(39)
tōng	通 tōng(36)		往 wǎng·(29)
tóng	同路 tónglù(51)	wàng	忘 wàng(37)
	同屋 tóngwū(7)	wèi	为了 wèile(53)
	同学 tóngxué(12)		位 wèi(21)
	同意 tóngyì(39)		喂 wèi(10)
	同志 tóngzhì(8)		胃病 wèibìng(52)
tōu	偷 tōu(48)	wēn	温度 wēndù(50)
tóu	头 tóu(36)	wén	…文… wén(7)
	头发 tóufa(46)		阿拉伯文 Ālābówén
tú	图书馆 túshūguǎn(4)		德文 Déwén
tǔ	土 tǔ(25)		法文 Fǎwén
tuō	托运 tuōyùn(51)		日文 Rìwén
	脱 tuō(46)		西班牙文 Xībānyáwén
			英文 Yīngwén
	W		中文 Zhōngwén
wài	外币 wàibì(20)	wěn	稳 wěn(51)
	外边儿 wàibiānr(19)	wèn	问 wèn(22)
	外语 wàiyǔ(13)		

	问题 wèntí (24)		下雪 xià xuě(51)
wǒ	我 wǒ (1)		下雨 xià yǔ(32)
	我们 wǒmen (2)		吓 xià (54)
wò	卧铺 wòpù(44)	xiān	先 xiān (32)
wū	屋 wū (38)		先生 xiānsheng (21)
wǔ	五 wǔ (1)	xiàn	现在 xiànzài(17)
	午饭 wǔfàn(17)	xiāng	香 xiāng (45)

X

			香皂 xiāngzào(43)
xī	西 xī (29)		相信 xiāngxìn (48)
	西边儿 xībiānr (13)		箱子 xiāngzi (43)
xí	习惯 xíguàn (40)	xiǎng	想 xiǎng (7)
xǐ	洗 xǐ (41)		响 xiǎng (47)
	洗澡 xǐ zǎo(31)	xiàng	向 xiàng (41)
	喜欢 xǐhuān (39)		相片儿 xiàngpiānr (35)
xì	戏 xì (47)		相声 xiàngsheng (52)
	系 xì (14)		象 xiàng (53)
xià	下 xià (25)		象征 xiàngzhēng (53)
	下(星期、月) xià	xiǎo	小 xiǎo (21)
	(xīngqī,yuè) (16)		小吃 xiǎochī (42)
	下班 xià bān(31)		小孩儿 xiǎoháir (22)
	下车 xià chē(29)		小伙子 xiǎohuǒzi (48)
	下课 xià kè(17)		小卖部 xiǎomàibù (13)
	下面 xiàmiàn (54)		小声儿 xiǎoshēngr (55)
	下棋 xià qí(45)		小时 xiǎoshí (33)
	下午 xiàwǔ (17)		小说儿 xiǎoshuōr (45)

	有的 yǒude（45）	yuán	圆 yuán（40）
	有名 yǒumíng（42）		圆珠笔 yuánzhūbǐ（18）
	有时候儿 yǒushíhòur	yuǎn	远 yuǎn（28）
	（29）	yuàn	愿意 yuànyi（48）
	有（一）点儿 yǒu	yuē	约会 yuēhuì（34）
	（yì）diǎnr（34）	yuè	月 yuè（15）
			一月 yīyuè
	有意思 yǒuyìsi（32）		二月 èryuè
yòu	又…又… yòu…yòu…		三月 sānyuè
	（42）		四月 sìyuè
	右边儿 yòubiānr（13）		五月 wǔyuè
yú	鱼 yú（38）		六月 liùyuè
yǔ	…语…yǔ（12）		七月 qīyuè
	阿拉伯语 Ālābóyǔ		八月 bāyuè
	德语 Déyǔ		九月 jiǔyuè
	法语 Fǎyǔ		十月 shíyuè
	汉语 Hànyǔ		十一月 shíyīyuè
	日语 Rìyǔ		十二月 shí′èryuè
	西班牙语 Xībānyáyǔ		
	英语 Yīngyǔ	yùn	运动 yùndòng（39）
	语法 yǔfǎ（23）		运动会 yùndònghuì（9）
	羽绒服 yǔróngfú（51）		运动员 yùndòngyuán
yù	浴室 yùshì（47）		（37）
	遇见 yùjian（28）		
	预报 yùbào（50）		

Z

zá	杂技 zájì（9）
	杂志 zázhì（8）
zài	在 zài（动）（10）（副）（23）
	再 zài（54）
	再见 zàijiàn（9）
zán	咱们 zánmen（14）
zāng	脏 zāng（25）
zāo	糟糕 zāogāo（37）
zǎo	早 zǎo（17）
	早饭 zǎofàn（17）
	早上 zǎoshàng（17）
zěn	怎么 zěnme（22）（26）
	怎么办 zěnmebàn（48）
	怎么样 zěnmeyàng（18）
zēng	增加 zēngjiā（49）
zhāi	摘 zhāi（46）
zhǎi	窄 zhǎi（49）
zhǎn	展览 zhǎnlǎn（53）
zhàn	站 zhàn（28）
	站台 zhàntái（46）
zhāng	张 zhāng（量）（8）；（动）（36）

zhǎng	长 zhǎng（21）
zháo	着急 zháojí（37）
zhǎo	找 zhǎo（18）（26）
zhào	照 zhào（35）
	照相 zhào xiàng
	照相机 zhàoxiàngjī（7）
zhé	哲学 zhéxué（22）
zhè	这 zhè（4）
	这么 zhème（22）
zhe	着 zhe（43）
zhēn	真 zhēn（21）
zhěn	枕头 zhěntou（25）
zhěng	整 zhěng（33）
	整洁 zhěngjié（25）
zhèng	正好 zhènghǎo（37）
	正在 zhèngzài（48）
zhǐ	只 zhǐ（25）
	支 zhǐ（18）
	知道 zhīdào（6）
zhí	侄子 zhízi（51）
zhǐ	只 zhǐ（42）
zhǐ	纸 zhǐ（5）
	纸条儿 zhǐtiáor（55）
zhōng	中文 zhōngwén（14）
	中午 zhōngwǔ（17）

中学 zhōngxué（16）　　　　自然 zìrán（49）

钟头 zhōngtóu（33）　　　　自行车 zìxíngchē（39）

终于 zhōngyú（55）　　　　自选 zìxuǎn（38）

zhǒng　种 zhǒng（8）　　　zǒng　总 zǒng（52）

zhòng　重 zhòng（21）　　　zǒu　走 zǒu（29）

重视 zhòngshì（53）　　　zú　足球 zúqiú（37）

重要 zhòngyào（53）　　　zuǐ　嘴 zuǐ（36）

zhū　猪肉 zhūròu（38）　　zuì　最 zuì（30）

zhǔ　主要 zhǔyào（41）　　zuó　昨天 zuótiān（15）

zhù　住 zhù（10）　　　　zuǒ　左边儿 zuǒbiānr（13）

注意 zhùyì（33）　　　　zuò　做 zuò（23）

驻 zhù（50）　　　　　　作业 zuòyè（32）

祝贺 zhùhè（53）　　　　坐 zuò（11）

zhuāng　装 zhuāng（43）　　坐下 zuòxià（35）

zhūn　准备 zhǔnbèi（24）　　座 zuò（13）

zhuō　桌子 zhuōzi（8）　　　座位 zuòwèi（30）

zì　自已 zìjǐ（39）